NARRATORI DELLA FENICE

Il nostro indirizzo internet è: www.guanda.it

Visita *www.InfiniteStorie.it*
il grande portale del romanzo

ISBN 88-8246-375-3

© 2004 Ugo Guanda Editore S.p.A., Viale Solferino 28, Parma

Terza edizione aprile 2004

PAOLA MASTROCOLA
UNA BARCA NEL BOSCO

UGO GUANDA EDITORE
IN PARMA

A tutti coloro che amano le isole
o che sono, essi stessi, un'isola.

UNO

I giorni delle scarpe

Non è per il tram. Il tram lo devo prendere per cinque anni alle sette di mattina. Ma non mi pesa.

Mi pesa tutto quello che viene prima, quando sono ancora a casa al buio, e la luce non la posso accendere se no mia madre si sveglia e, visto che viene a letto così tardi, meglio di no; mi pesa che devo lavarmi al freddo perché il riscaldamento non è ancora partito, mettermi su il latte nel pentolino e stare attento quando sfrigola che non si metta a bollire, se no se ne esce tutto sul fuoco, ed è incredibile quanto puzza il latte quando cade sul fuoco.

Veramente me la preparerebbe volentieri zia Elsa la colazione, ma siccome è molto grossa, se si alza troppo presto le gira la testa e potrebbe cadere. Mia madre mi ha detto: vuoi mica far cadere zia Elsa?

Mi ci faccio la zuppa nel latte caldo. Prendo il pane, lo rompo a pezzi, lo lascio un po' così a galleggiare che diventa morbido e poi me lo mangio. È l'ultima cosa che mi pesa la zuppa, perché sono ancora in casa tutto solo, mezzo al buio e al freddo, e mi sembra che sia toccata solo a me una vita dove ti inzuppi il pane al buio.

Adesso che esco invece mi passa tutto. Perché vedo che la città è già tutta fuori, un mucchio di persone che si sono già lavate in bagno, si sono vestite, hanno fatto colazione, magari proprio una zuppa come la mia, e sono uscite; e secondo me tutto questo senza fare tante storie, nel senso che anche loro al buio e soli, però poi sembrano felici a prendersi il loro bravo tram e non dicono niente. E allora cosa dovrei dire io? che sono il più fortunato di tutti, perché vado al liceo, non al lavoro o in una scuoletta da ridere.

Il tram è pieno zeppo di gente; quando la porta si apre sembra che vengano tutti sputati fuori addosso a te, e tu ti dici: questo tram non riesco a prenderlo manco morto, arriverò tardi e non mi faranno entrare; e invece no, devi salire lo stesso, prendi la rincorsa e li spingi tutti in avanti.

È la prima volta che vedo un tram. Su un'isola, difficile che si possa vedere un tram, dove lo metti un tram su un'isola? Sulla mia poi, che è uno sputo di isola, se ci metti un tram si prende tutta la piazza del porto e anche un pezzo di via Giuseppe Garibaldi, secondo me almeno fino alla farmacia.

La cosa che mi stupisce di più di un tram è che non se ne può andare dove vuole, visto che in basso ha i binari e in alto il filo elettrico. Mi fa anche un po' pena. La gente che ci sale secondo me lo sa benissimo, infatti è diversa dalla gente che prende i pullman, è più... non so, è più quieta e più lenta; ad esempio se deve guardare fuori dai finestrini gli occhi li gira piano, e così per tutto, anche per andare a timbrare il biglietto ci va con i piedi felpati che sembrano dentro delle pantofole di pelo.

Arrivo un po' in anticipo, perché avevo paura di arrivare in ritardo proprio il primo giorno, che non mi facessero entrare e mi rispedissero a casa dicendomi: non lo vogliamo uno che il primo giorno arriva in ritardo; allora ho preso il tram mezz'ora avanti. Mia madre me lo dice sempre: la prima cosa, Gaspare, è arrivare in orario.

Così adesso aspetto un'ora e venti che aprano il portone. Mi siedo su una panchina del viale e guardo le foglie che cadono e quelle che non cadono. Strano che ne cadano già all'inizio di settembre, io credevo che la caduta foglie fosse un fatto autunnale con tanto di vento tremendo, nebbia e freddo; invece qui è una mattina tiepida, ancora estate, neanche una bava d'aria e le foglie cadono lo stesso. Ma come facevo a saperlo io, visto che sulla mia isola di viali neanche l'ombra?

Comunque, di aspettare così tanto qui davanti non m'importa, perché alla fine quel portone lo dovranno pur aprire. E infatti alle otto meno dieci lo aprono.

Ci mandano tutti in palestra per dividerci in classi. A me tocca la 1ª B e salgo insieme a uno che comincia con la G, ma il cognome tutto intero non mi resta in mente neanche un po'. Mi metto nel banco con lui perché è quello che mi sta più vicino, tanto non conosco nessuno e quindi fa proprio lo stesso con chi mi metto nel banco.

E allora inizia il mio primo giorno di liceo. Che è una di quelle cose che poi ti dovresti ricordare tutta la vita. Io invece è meglio che me lo dimentichi, perché questo benedetto primo giorno lo passo guardando scarpe.

Dico le scarpe dei miei compagni. Perché loro le guardano a me. Guardano e ridono. E io allora mi metto a fare uguale, solo che io non rido.

Anche perché m'ero messo in mente tutta un'altra cosa, e cioè che il primo giorno di liceo si fanno già cose toste. E questo perché me lo aveva detto mio padre: vedrai che fin dal primo giorno te ne accorgi com'è dura. Però mio padre di liceo cosa vuoi che ne sappia, e infatti aveva torto.

Gli insegnanti ci spiegano che i primi giorni non si fa scuola, è vietato; si fa l'accoglienza. Ci porteranno in giro a conoscere la scuola, tipo le scale, la palestra, i bagni. Cioè non ci insegneranno niente, i primi giorni. E questo cinque ore al giorno per una settimana, che infatti si chiama «la settimana dell'accoglienza». Dicono che così ci passa la paura perché vediamo che andare al liceo è come bere un bicchiere d'acqua.

Peccato. Perché, siccome me lo aveva detto mio padre, io mi ero immaginato che era bello tosto il liceo, non un bicchiere d'acqua che, se era solo per quello, me lo potevo bere tranquillamente a casa mia senza farmi questo migliaio di chilometri che mi sono fatto per venire fin qui.

Comunque non è che io il primo giorno abbia voglia di passarmelo così, a guardar scarpe. Però, siccome lo fanno tutti, mi dico: sta' a vedere che qui usa così, magari è un sistema per conoscersi. Invece dopo un po', neanche poi tanto, capisco: nessuno ha addosso delle scarpe come le mie. E il perché di questo io non lo so, ma è così e basta, e la vita è quella che è, dice sempre mio padre, e quindi bisogna prenderla com'è.

Smetto di guardare scarpe solo quando ci danno i test d'ingresso. Ci dicono che serve per capire il nostro livello, e io non lo capisco qual è il mio livello, cioè quale dovrebbe essere, perché ci danno l'esercizio: «Distingui l'articolo determinativo dall'indeterminativo», ad esempio: *il* cammello determinativo, *un* passero indeterminativo. Cose che io personalmente ho fatto alle elementari, gli altri non so. Gli altri forse hanno fatto altro, tipo astronomia o statistica, non grammatica; oppure agli altri piace tornare indietro e rifare le stesse cose, non so. Comunque non protestano per niente, anzi, mi sembrano contenti, e allora anch'io non dico niente, cosa vuoi che dica?

Quando esco, non vado subito a prendere il tram. Cammino lungo il viale, pesto un po' le foglie cadute. Mi viene da pensare a Giorgia. È la mia amica di quando eravamo piccoli. Secondo me mi viene in mente lei perché, quando le ho detto che me ne andavo via per studiare, mi ha guardato storto e mi ha detto: E cosa studi a fare?

Ecco perché mi viene in mente.

Quando torno a casa, siccome è il mio primo giorno di liceo, me le trovo tutt'e due lì in piedi impalate, mia madre e mia zia. Vogliono sapere com'è andata. Una a fianco dell'altra, che sembrano in fila per due come alle elementari. Fanno anche impressione perché sono sorelle, ma più diverse di così si muore. Zia Elsa è un parallelepipedo di lardo tutto nero e immobile; l'altra, che poi sarebbe mia madre, è lunga e sottile e guizza sempre di qua e di là come un'anguilla. Ma soprattutto mia madre è chiara, anche perché una volta al mese va dalla pettinatrice a farsi il biondo. È l'unica spesa che si permette, «va tutto bene, ma a me lasciatemi il biondo» dice «che mi dà un po' di luce». Veramente lo chiama il «biondo cenere», ci tiene moltissimo a dire che lei non è bionda, è «biondo cenere» e io non so come fa la cenere a essere bionda, ma lo trovo bellissimo avere una madre biondo cenere, mi sembra che ce l'ho solo io una madre così. Anche mio padre secondo me è contento di avere questa moglie chiara, lui che è scuro.

Io le capisco, è normale che se ne stiano tutt'e due qui davanti a pendere dalle mie labbra, visto che abbiamo fatto questo migliaio di chilometri per farmi fare il liceo. Solo che a me mi si chiude lo stomaco e anche la bocca. Anche perché come glielo dici a tua madre e tua zia che tu il primo giorno di liceo l'hai passato a guardar scarpe? Non mi viene nessuna parola e guardo gli spaghetti che zia Elsa ha preparato. Mi dispiace proprio tanto per quegli spaghetti. Cioè voglio dire per zia Elsa, che se ne sta in piedi davanti alla tavola, e gli spaghetti li ha scolati e anche già conditi con il sugo rosso che mi piace, cioè quello con la cipolla dentro.

«Va be', mangiamo» dice mia madre. Allora mi butto sugli spaghetti e basta.

Andiamo avanti così per una settimana, che io guardo le scarpe degli altri. Diciamo che sono «i giorni delle scarpe».

E questa volevo proprio raccontarla subito a madame Pilou, così ieri sera le ho scritto una bella lettera perché lei è stata la mia insegnante di francese delle medie e, adesso che mi risponde, magari mi sa dare due o tre consigli di come fare qui, che è tutto nuovo.

A parte guardarci le scarpe, questa settimana la passiamo a fare i test d'ingresso e poi qualche volta ci portano in giro per i corridoi, sempre a conoscere la scuola. Che è anche bello, perché ad esempio diventi amico di certi gradini, cioè un gradino un po' sporco o sbrecciato tu adesso lo riconosci e ogni mattina lo saluti, gli dici ciao, come va?

Il mio compagno di banco, quello che comincia con la G, si chiama Giumatti. Lui arriva sempre per ultimo in classe e le lezioni, lezioni si fa per dire, non le segue; prende il diario, sfodera il trick e si mette a raschiare la copertina. Il trick sono io che lo chiamo così, lui dice tagliaunghie. Ci sta anche mezz'ora a raschiare. Io all'inizio non capivo cosa stesse facendo. Né perché uno nel portapenne si debba portare un trick. O tagliaunghie. Poi ho capito: fa le tacche. Ogni giorno una tacca, così sa sempre quanti giorni restano ancora di scuola. Oggi mi ha detto che ne restano duecentodue. Mi è sembrato tantissimo, ma gli ho sorriso lo stesso perché lui che colpa ne ha?

Io però adesso mi sto annoiando a morte di guardare scarpe

e contare tacche. Anzi, sono proprio stufo marcio di questa storia delle scarpe. Anche perché va bene il primo giorno, uno non si conosce e quindi ci si scruta un po', d'accordo. Però adesso basta. Tutti che continuano a guardarmi queste benedette scarpe, io in classe non so più dove mettere i piedi perché, anche se li allungo sotto la sedia davanti, non è che non me li vedano più. Me li vedono eccome.

Allora oggi, non lo so, forse ero più stufo marcio del solito, entro in casa, mi slaccio le scarpe e le sbatto sul tavolo.

«Tieni!» dico a mia madre. «Nessuno ha delle scarpe così!»

Sul tavolo ci sono i soliti spaghetti col sugo buono di cipolla, ma pazienza, le sbatto lì perché io non le voglio due scarpe così. Io non voglio più niente. Io non voglio essere uno che ha delle scarpe così. Così stupide, così stupidamente marroni, con la loro stupidissima para di gomma e perfino con i lacci. Marroni e stupidi.

Mia madre la vedo diventare tutta secca, per un attimo ho paura che si sia paralizzata e me la immagino sulla sedia a rotelle tutta la vita e io tutta la vita che la spingo e le chiedo scusa. È un attimo, poi mi tira un ceffone che non lo vedo neanche partire, una cosa tipo quando ti va la pala di un remo sul piede.

Primo ceffone della mia vita.

Zia Elsa invece paf, si siede. Così, con un tonfo sordo, tanto è grossa. Le scarpe intanto continuano a starsene belle decise al centro della tavola, anche in un modo piuttosto strafottente direi, e d'altronde si capisce: come potrebbero non essere più lì quelle scarpe, dal momento che nessuno le sposta?

Mia madre me le aveva prese al mercato prima di partire, per farmi fare bella figura qui a scuola, e a me andavano benissimo quelle scarpe, ma anche quelle vecchie che avevo prima, cioè, non so: io non me ne sono mai accorto di quali scarpe avevo nei piedi, ma forse questo è perché su un'isola te ne importa meno delle scarpe, credo.

Comunque, non so se a qualcuno è mai successo di vederle, ma due scarpe su una tavola apparecchiata non sono un bel vedere, anzi, sono proprio un brutto vedere. Forse anche su una tavola non apparecchiata, a pensarci bene.

16

Poi le spiego che probabilmente mi ci vogliono delle scarpe Nike. Ma questo quando si è un po' calmata.

«E come sarebbero queste... Naik?» mi chiede.

«Bianche.»

«Ma bianche da tennis o bianche di pelle?»

Ho pensato: cosa c'entra il tennis con la pelle, ma non ho detto niente. E poi io non lo so se erano di pelle, mica ci sono andato a un centimetro con la lente o a toccare di che cos'erano quelle scarpe dei miei compagni; comunque sì, ho risposto che erano di pelle, bianche di pelle tipo tennis. E qui ho sbagliato, perché mia madre mi ribatte precisa che o sono di pelle o sono da tennis, e se sono da tennis vuol dire che sono di tela, capito? Poi guarda sua sorella:

«Bianche di pelle per andarci a scuola... Elsa, hai sentito?»

Dopo pranzo me ne vado in sala e mi butto sul divano a guardare un po' il soffitto. Sento in cucina mia madre che parlotta fitto con zia Elsa. Le dice dello schiaffo che le è scappato, che una cosa così non era mai successa nella nostra famiglia, che se lo sa mio padre di queste benedette scarpe, e adesso, dimmi tu, io non capisco, cosa devo fare dimmelo tu...

E zia Elsa che non dice un fico di niente.

Alla sera telefona mio padre. Vuole parlare con me per sapere com'è andata la prima settimana di scuola. Sento mia madre al telefono che gli dice: te lo passo. Io mi nasconderei anche sotto il letto e non ne uscirei mai più pur di non parlare a mio padre.

Cioè sì, io ho una voglia matta di parlare con lui perché, anche se non lo vedo solamente da qualche giorno, già mi sembra di essere solo come un cane. Però mica posso dirgli delle scarpe bianche, dei test d'ingresso, dell'accoglienza e di tutta questa storia che il liceo non è come diceva lui. Allora prendo la cornetta e cerco di parlare piano, con la porta chiusa che non mi sentano, perché secondo me le bugie bisogna dirle con la voce più bassa che si può, e gli dico:

«Tutto bene, papà. La prima settimana è andata benissimo: abbiamo già fatto i verbi deponenti. Il liceo è bello tosto, papà, proprio come dicevi tu!»

La sera dei sei bicchieri

Quando siamo arrivati a Torino, mia madre e io, siamo usciti da Porta Nuova e io li ho notati subito i tram, perché ci sferragliavano quasi sui piedi ed erano tantissimi, uno dietro l'altro. Ma noi non abbiamo preso nessun tram.

La zia ci aveva detto: prendete il numero 9 e fatevi scendere alla fermata prima dello stadio vecchio. Invece noi abbiamo preso il taxi, perché già non ci capivamo niente di dove eravamo, figurarsi trovare il tram giusto.

Zia Elsa vive in un quartiere pieno di negozi e di tram, che si chiama Santa Rita perché c'è il famoso santuario di Santa Rita. Vengono anche da lontano a visitarlo. Mia zia è molto fiera di abitare proprio accanto a questo santuario; mi ha raccontato che il 22 maggio, quando è la festa di Santa Rita, per le strade si mettono i banchetti e si vendono le rose benedette. Mi ha detto che me ne comprerà una, così potrò chiedere a Santa Rita una grazia anche impossibile e lei me la farà, perché la chiamano la Santa degli Impossibili. Mi ha anche detto che quel giorno si porta fuori in processione la statua della santa, tutta d'argento. E questo a me ha fatto venire in mente la mia isola, perché anche noi tiriamo fuori dalla chiesa la Madonna e la portiamo a passeggio sulla barca ben infiorata in giro per il mare, e tutti dietro, ognuno con la sua barca. Solo che questo da noi succede il 15 agosto, e a me fanno un po' pena questi santi che escono una sola volta all'anno, giusto un giretto e poi di nuovo dentro, al buio freddo della chiesa.

Il taxi ci è costato come una coscia di capretto da fare a Natale, ha detto mia madre, che poi vorrebbe dire per sedici persone, cioè una coscia molto grossa perché noi a Natale siamo sempre in sedici, compreso lo zio Gero, quello che s'è sposato

18

un'inglese, e la cugina Maria Beppa che vive da sola. Che poi io di questa cugina mi sono sempre chiesto perché vive da sola, visto che è proprio una gran lupa, come dice mio padre. Soprattutto d'estate che si vede la scollatura, ma anche d'inverno, per esempio a Natale, quando si veste elegante per venire da noi.

Zia Elsa è venuta ad aprire e ci ha abbracciato subito senza dire un be', stritolandoci con la sua pancia. Era vestita di nero. È sempre vestita di nero, mia madre me l'aveva già detto prima di partire, e infatti io non ci volevo venire a Torino anche per il nero di zia Elsa. Ma quando l'ho vista mi è passata, perché d'accordo che è tutta nera, però ti guarda buona e sembra sempre che abbia voglia di piangere, una voglia gentile, che non dà fastidio a nessuno, anzi, a me verrebbe sempre da dirle: fai pure, zia, se devi piangere piangi. E comunque domenica, che ce ne siamo andati a spasso nei prati qua intorno, le è andato un po' via tutto quel nero perché si è messa un cappellino bianco di cotone, se l'è calcato ben bene sulla fronte e le faceva un po' di luce. Sembrava un pescatore, uno di quelli che aspettano tutto il giorno sul molo.

Mia zia Elsa sembra sempre una che sta ferma e aspetta non so che cosa: ad esempio in questi giorni che fa ancora un po' caldo, se ne sta seduta tutto il giorno in balcone, con una maglietta fatta a canottiera, naturalmente nera, che le lascia fuori i braccioni e un bel numero di bretelle imprecisate, non so, del busto, del reggiseno e della sottoveste.

Zia Elsa la sera che siamo arrivati, sempre senza dirci niente, ha aperto un mobiletto della cucina e ha tirato fuori sei bicchieri a calice. Li ha disposti sul tavolo dove c'è una tovaglia quadrata di plastica. Chissà perché quadrata, visto che il tavolo è rotondo.

Per me sarà per sempre «la sera dei sei bicchieri» perché ho pensato: come mai sei bicchieri se siamo in tre? Ma poi ho visto mia madre diventare viola di emozione, si è presa in mano uno per uno quei bicchieri e se li è rigirati tastando bene il cristallo.

«Elsa, i nostri bicchieri di mamma! Non dovevi, solo per noi...» ha detto. E a me è venuto il perché zia Elsa li ha tirati fuori tutti e sei: per far vedere che li aveva ancora tutti e non se n'era rotto neanche uno, così sua sorella cioè mia madre era contenta.

E anche perché secondo me sei bicchieri fanno molta più festa di tre.

Poi con uno strofinaccio ha cominciato a spolverare i bicchieri uno per uno, di dentro e di fuori. Era un po' come se li asciugasse, anche se non erano per niente bagnati, visto che li dovevamo ancora usare.

Ha continuato un bel po' ad asciugare quei bicchieri asciutti e a non dire neanche una parola. Tanto che io speravo che succedesse qualcosa, anche che le cadesse un bicchiere, non importa, così almeno non c'era tutto quel silenzio. Ma poi ho pensato che zia Elsa sono cinque anni che vive sola, perché mio zio Ciano, che era suo marito, è morto cinque anni fa, e allora è normale che parli poco perché uno perde anche un po' l'abitudine a parlare se rimane solo, no? Mia madre le aveva detto: Elsa, adesso che sei sola vieni a stare giù da noi. Ma lei rispondeva che una resta sposata al marito anche se è morto, e quindi quella era la sua casa e andava bene così. Invece è andata al contrario, cioè quando si è trattato di decidere il mio liceo, è stata lei che ci ha detto: ma se il bambino deve studiare, perché non venite da me a Torino? Mi chiama sempre il bambino, non so perché, o anche «il cit», che sarebbe bambino in piemontese. Torino è una scelta da pazzi perché, razionalmente parlando, era molto meglio una qualsiasi città più vicina, non Torino, che è a mille chilometri dalla nostra isola. Ma dicono tutti che le scuole al nord sono più buone e a quel punto, tanto vale: se fai i sacrifici, falli che merita, dice sempre mia madre. E poi in un'altra città avremmo dovuto affittarci un appartamento, invece così a zia Elsa paghiamo solo metà delle spese, l'affitto niente perché lei ha detto che va bene così. Per questo abbiamo accettato l'invito di zia Elsa. Ma secondo me, anche perché a mia madre faceva piacere tornare nel suo Piemonte e stare un po' con sua sorella, perché sono diciotto anni che non si vedono, da quando mio padre se l'è portata giù sull'isola per sposarsela. E adesso c'è solo il guaio che mio padre è rimasto là a lavorare, se no chi li porta a casa i soldi per farmi studiare?

Zia Elsa l'ha poi finita di asciugare i bicchieri e ci ha versato un vino scurissimo, un po' denso; allora mia madre è diventata tutta allegra e mi ha detto:

«Assaggia, è la barbera».

Non avevo mai sentito quella parola, mi faceva effetto soprattutto che fosse femminile. Da noi i vini sono maschi: si dice il marsala, per esempio, non la marsala. Ma barbera ci sta bene con il la, anche a me viene meglio: la barbera.

Ha riempito un bicchiere anche per me, che non li ho ancora compiuti i quattordici anni, ma il vino un po' lo bevo, ogni tanto, soprattutto quando con mio padre torniamo tardi dal mare e c'è così tanto umido che ti entra fin sotto il maglione.

Abbiamo fatto un bel brindisi al nostro arrivo e alla mia nuova scuola, e anche a zio Ciano, che ci guardava truce dalla foto appoggiata sulla credenza. Ha le sopracciglia spesse e i baffi che gli cadono all'ingiù. Forse per questo sembra truce. Ma io non l'ho mai conosciuto zio Ciano.

Guardavo i tre bicchieri rimasti vuoti. Inutilmente puliti. Non so, forse avremmo potuto usare un po' anche quelli, fare i turni, un sorso dai primi tre bicchieri e un sorso dagli altri tre.

Poi siamo andati a dormire, zia Elsa ha aperto la sala da pranzo e mi ha mostrato il mio letto che era in un angolo e non era un letto, era un divano. Tutto il resto erano dei grossi mobili panciuti e in mezzo un enorme tavolo che prendeva quasi tutta la stanza e aveva sopra un cristallo che brillava. Quando mia madre è venuta a salutarmi per la notte, mi ha detto:

«Hai visto che bella sala barocco piemontese? Sei contento?»

In nome del Padre del Figlio dello Spirito Santo, io lo so che è un guaio che siamo qui solo noi due, e papà che rimane giù. Lo so che è tutta colpa mia, ma se io devo studiare ti prego, Gesù, fammi andare bene, che imparo tante cose in fretta, mi sbrigo e torno sull'isola e non se ne parla più.

Così mi sono addormentato in quella prima notte torinese.

Zollette

Secondo me, dopo questa storia delle scarpe sul tavolo, mia madre si fida meno di me. Stasera per esempio mi chiede che compiti ho per domani e io le dico: niente. Come niente? dice lei. Non ci crede, vuole vedere il diario. Non l'ha mai fatta una cosa così a me. Mai. Le dico che non c'è scritto niente sul diario, ma lei lo vuole vedere lo stesso. Allora glielo porto. Apre alla pagina di domani e non è vero che non c'è scritto niente. C'è scritto: ITALIANO, portare una scatola di zollette di zucchero. Me n'ero dimenticato, accidenti.

Mia madre mi chiede a cosa mi servono le zollette di zucchero per fare italiano e, siccome sto zitto, si rivolge a sua sorella e le dice:

« Elsa, tu lo capisci o no cosa succede qui? »

Zia Elsa alza le spalle e mi guarda, in pena. Allora spiego che domani ci sarà una festa.

« Quale festa? »

Non ne ho nessuna voglia, ma racconto cosa è successo oggi a scuola, e cioè che era il primo giorno dopo la « settimana di accoglienza » e gli insegnanti avrebbero dovuto cominciare con le lezioni vere; invece ci hanno detto che non volevano traumatizzarci con un inizio strong, e che quindi ci facevano un'ora di CIM.

Madre e zia mi guardano come se avessi appena detto chissà cosa. Spiego che vuol dire Compresenza Interdisciplinare Multipla. Cioè veramente avevamo un'ora di italiano e invece sono venuti in classe anche quello di ginnastica e quella di mate, e questo vuol dire compresenza. Io ero molto curioso di vedere che razza di lezione ne sarebbe uscita perché non riuscivo a immaginarmela. Infatti non è venuta fuori nessuna lezione. Se ne stavano tutti e tre in piedi davanti alla cattedra con l'aria molto sorridente e facevano un sacco di battute, ad esempio sul colore dei banchi, su chi era lì da più anni e quindi era il più vecchio di loro, cose così.

Poi ci hanno fatto brainstorming. Io non sapevo cos'era, ma per fortuna ce l'hanno spiegato: si lancia un tema e tutti dicono quel che vogliono, perché brain vuol dire cervello e storming tempesta, quindi significa che si scatena una gran tempesta di idee, o qualcosa del genere. Il tema era: cosa vi aspettate da questo primo anno di liceo. E tutti hanno detto quel che gli passava per il cervello. È stata una gran tempesta. Quella di italiano scriveva alla lavagna tutto quello che veniva fuori e alla fine è risultato che la cosa che volevamo di più era «diventare amici».

Gli insegnanti sono stati molto contenti ed è lì che è venuta l'idea per domani di fare una gran festa in classe. Abbiamo fatto un sorteggio per chi doveva portare la Coca, chi le patatine, chi i tovaglioli di carta, eccetera. Io, è venuto fuori che dovevo portare le zollette di zucchero, non ho capito perché, ma non l'ho chiesto perché nessuno chiedeva niente.

E adesso dico a mia madre se per favore mi dà questa scatola di zollette, così domani la porto.

«Ma come credi che abbiamo in casa delle zollette di zucchero?» mi fa.

Viene fuori che normalmente in una casa c'è lo zucchero sfuso e non le zollette, e che se proprio volevo le zollette, avevo solo da pensarci prima e non alle nove di sera, che adesso dove diavolo le andiamo a prendere?

Dormo tutta la notte agitato. E vado a scuola con un normalissimo pacco di zucchero nello zaino. Chissà cosa mi diranno i compagni. Sono uno straccio, vorrei non entrare neanche in classe, perdermi nella nebbia o buttarmi nel Po.

Invece arriva l'ora della festa, tutti tirano fuori le loro cose e a me non lo chiedono neanche lo zucchero. Né in zollette né sfuso, niente.

A me non chiedono proprio niente. Non se ne accorgono neanche di cosa ho portato o non ho portato. E poi, sembra che non manchi un bel nulla per questa festa, quindi cosa le portavo a fare le zollette? Peccato, perché così non lo saprò mai a cosa servivano.

M'ingurgito qualche manata di noccioline e finalmente anche questa mattina finisce. Perché tutto poi finisce. Ma non so proprio come faremo a diventare amici. Se portavo le zollette, forse ci riuscivamo.

Lascio passare una settimana.

Siccome mio padre mi dice sempre che un po' d'impegno bisogna mettercelo nelle cose, oggi provo a farmi amico Giumatti. Lo guardo mentre sta incidendo la solita tacca sul diario, vedo che gli sta grattando via il lucido della copertina finché viene fuori il bianco del cartone. E allora gli dico, così, per scherzare:

«Ah, fai un po' come Angelica e Medoro, eh?»

Strizzandogli anche mezzo l'occhio. Ho in testa i due innamorati che incidono gli alberi con i loro nomi, cuore, freccette e tutto il resto. Ma lui mi squadra con la bocca aperta, il filo di bava che gli sta per scendere e mi chiede:

«Angelica chi?»

«Angelica e Medoro.»

«Angelica Emedoro? E di che classe è? È figa?»

Lo guardo. Rifletto. Penso: gli parlo o no dell'*Orlando furioso*? Se gliene parlo, magari si offende perché è un po' come dargli dell'ignorante. Però se non gliene parlo?

Gliene parlo.

Sbaglio enorme, perché è lui che si mette a guardarmi come se fossi un analfabeta, e mi dice:

«Faccio come in birreria che, hai presente sui tavoli della birreria, hai presente che ci intagli il nome della tua punza?»

Con Giumatti per oggi non lo sono diventato, amico. Ma per colpa mia, perché non sono stato capace di rispondergli. Per tutta la mattina non ci siamo più detti niente. Ma potrebbe andare bene lo stesso perché tra di noi ci potrebbe essere, come si dice, una tacita intesa. Cioè un'intesa molto tacita, del tipo che lui fa le tacche e io gliele conto. Potrebbe funzionare, a volte nella vita non c'è bisogno di tante parole e questo me lo dice sempre mia madre quando parla di sua sorella, che è una che per tirar fuori mezza sillaba deve cadere il soffitto. Ad esempio io non gliel'ho chiesto a Giumatti cosa vuol dire punza, se no chissà cosa pensava di me. Cioè, già pensava male, figuriamoci se gli chiedevo punza.

All'uscita vado diritto alla fermata dei tram. Ne passano dieci, ma nessuno è il mio. Oggi è una giornata no.

Latino agile flessibile

Di latino è da due mesi che siamo a pagina 12. Allora ho chiesto al professore quando faremo una versione. Mi ha guardato strano e mi ha detto: poi ne parliamo.

E siccome sono passati sedici giorni e non ne abbiamo ancora parlato, e io sono sicurissimo che sono sedici giorni perché ho contato le tacche di Giumatti, oggi glielo richiedo. Non mi risponde, sbatte la cartella unta sulla cattedra, che solleva nuvole di gesso, dice alla classe:

«Aprite a pagina 12».

E comincia a leggere ad alta voce. Io ogni volta penso: perché legge sul libro invece di spiegare? Ma lo penso soltanto.

Il nostro professore di latino si chiama De Gente Ruggero, ha una cartella di cuoio vecchia con delle macchie che sembrano di olio, e sputacchia sempre un po' quando parla.

Chiude il libro e dice forte, a tutti:

«Siccome il vostro compagno Torrente mi chiede insistentemente quando faremo una versione, adesso ve lo dico».

«Insistentemente» se l'è inventato lui. Comunque tutti mi guardano malissimo.

Dice che una vera versione ce la darà forse a fine anno, quando avremo fatto almeno la terza declinazione. Adesso stiamo ricominciando da zero perché molti di voi non l'hanno mai fatto latino, dice, e chi l'ha fatto meglio ancora perché così ripassa. E comunque faremo solo le declinazioni quest'anno, perché noi vogliamo fare un latino agile flessibile. Dice proprio così:

«E sapete cosa vi dico? Che cercheremo di fare un latino agile flessibile. Un latino moderno divertente, capito?»

Dice anche altro, più o meno così:

«Basta con queste grammatiche decrepite stantie, la scuola sta cambiando, il cambiamento è alle porte ed è giusto fare cose utili... Utili alla vostra vita, utili per il mondo del lavoro, utili per la flessibilità che oggi la società... Merda!»

Merda perché nella foga gli è caduto il gesso.

E io non lo so se un insegnante di latino può dire merda, forse sì, e comunque lui l'ha appena detto.

Quando suona l'intervallo, resto in classe. Non mi muovo. Non ho voglia. L'anno scorso io l'ho già fatto latino con madame Pilou, eravamo arrivati all'ablativo assoluto, la consecutio temporum e le interrogative indirette. Come faccio adesso a tornare indietro?

Tutta colpa di madame Pilou, che se mi lasciava stare era meglio.

Anche la storia delle audiocassette è colpa sua. Qui adesso la nostra prof di francese usa sempre le audiocassette: ogni volta che entra in classe, piazza sulla cattedra un registratore fatto a uovo, infila la sua brava cassetta, si siede accavallando le sue smilze lunghe gambe con la gonna corta e ci lascia lì così per un'ora ad ascoltare. Lei a volte sfoglia qualche rivista, noi per un'ora ascoltiamo. E le guardiamo anche un po' le gambe. Ha delle gambe così smilze e lunghe che noi la chiamiamo la Cerbiatti, anche se lei si chiama la Cerutti. Però non so se assomiglia a un cerbiatto. Di faccia no, cioè la faccia non sembra il muso di un cerbiatto proprio niente.

Io non ne posso più di sentirmi ronzare nel cervello queste benedette audiocassette, ed è tutta colpa di madame Pilou perché, se lei le usava almeno un po', io adesso ero abituato. Invece niente, per lei esistevano solo i libri, ci diceva: studiate da pagina a pagina, e noi studiavamo per esempio una sfilza di verbi irregolari oppure le poesie a memoria.

Così io adesso non sono abituato proprio per niente e come faccio? Me ne sto con le orecchie impallinate da dialoghi tipo che c'è uno al ristorante che chiama il cameriere e gli ordina un «poulet», dice alla sua ragazza quant'è «jolie» e poi vuole l'«addition». Alla fine c'è la verifica, cioè ti chiedono: cosa ordina il cliente? e tu dici: un poulet. Com'è la sua ragazza? e tu dici: jolie. Cosa chiede il cliente? e tu dici: l'addition. Si chiama

« prova d'ascolto », cioè provano se sei capace di ascoltare. Che ricorda un po' quando sei malato di cuore e ti fanno la prova da sforzo. Io lo so perché l'hanno fatta a mio zio Gero, per la storia che lui soffre di cuore, dico mio zio Gero, quello che s'è sposato un'inglese.

Io non ce l'ho con le prove, meno che mai con le prove da sforzo che credo siano utilissime, soprattutto ai malati di cuore. Il problema è che io non acchiappo neanche una parola se non ho un libro davanti con le regole e alla fine mi diventano le orecchie tristi. Qui gli insegnanti mi spiegano che sono troppo « strutturato », che devo sciogliermi:

« Torrente, sciogliti un po'! » mi dicono.

Ho paura che sia una malattia brutta, questa storia della strutturazione. O strutturamento.

Io adesso andrei anche in bagno, visto che c'è l'intervallo.

Ma non si può.

Nell'intervallo qui non si riesce mai ad andare in bagno. Io me ne sto in fila tutto il tempo e niente, la campana suona e nessuno si smuove da questi benedetti bagni e quindi me ne ritorno in classe così. Però io la pipì non è che riesca a tenerla molto. E non so tanto bene a chi dirlo perché come si fa a dire: scusa, io non riesco a pisciare, tu come fai?

I bagni sono sempre occupati perché in bagno si va a fumare, ovvio. Cos'altro vuoi fare chiuso in bagno? Infatti dalle porte esce sempre fumo, non sono mica scemo, lo so che esistono quelli che spinellano. Non dico mica niente, spinellino pure. Però io vorrei andarci soltanto a pisciare in bagno, anche perché andare in bagno a pisciare mi sembra un modo... giusto di passare l'intervallo, ecco; non dico tutto, ma un pezzetto di intervallo sì.

Allora basta, me ne vado un po' in giro per il corridoio. Mi metto le mani in tasca, perché le mani non so mai dove mettermele, e me ne vado in giro, perché di starsene in classe negli intervalli non lo fa nessuno e quindi devo smetterla di stare in classe come uno scemo.

Solo che dopo un po' che uno nell'intervallo se ne va in giro con le mani in tasca, si stufa anche. E io infatti adesso mi stufo. Allora mi compro un panino al salame. Va meglio, va molto meglio. Ho deciso che può essere la soluzione del mio problema: me lo compro tutti i giorni un panino al salame, così ho l'aria di uno che, nell'intervallo, si mangia un panino al salame.

La chiamo «soluzione panino al salame».

Gli altri invece vanno tutti in giro. E infatti c'è un gran viavai, e anche qualche gruppo che invece va nel cortile ad accasciarsi per terra, e questi sono vestiti strani, con i pantaloni immensi così larghi che non sembra nemmeno che ci siano due gambe dentro, ci navigano dentro e fanno blom-blom quando camminano, anche le ragazze.

Poi invece ci sono altri gruppi che portano i pantaloni strettissimi, di solito jeans e hanno tutto stretto, e anche corto, tipo le maglie che gli arrivano solo sopra la pancia. Le ragazze fanno anche vedere l'ombelico, e alcune dentro l'ombelico ci portano un brillante. Io ogni tanto glielo guardo, il brillante, ma non tantissimo perché non è che uno possa stare con l'occhio pendulo sugli ombelichi degli altri, soprattutto se sono ragazze.

A parte questi Larghi e questi Stretti, ci sono anche altri gruppi, tipo quelli che chiamano i Truzzi, ma io per il momento ci ho capito fino a qui, solo a vedere come si vestono, poi non so. Mio padre dice sempre che ci vuole tempo a capire le cose, anche il mare ce ne mette a raffreddarsi d'inverno e riscaldarsi d'estate, non è che così in due giorni è tutto fatto. Dice che è tutta questione di ambientamento, me l'ha detto anche l'altra sera al telefono, mi ha detto: devi avere pazienza, ci vuole un po' di ambientamento.

Io ho pensato di colpo alla camera stagna dei palombari, perché lì si fa l'ambientamento dall'asciutto all'acqua. E poi ho anche pensato se palombari c'entra qualcosa col pesce palombo. Però se palombaro c'entra con palombo, vuol dire che i palombari sono quelli che vanno in fondo al mare a prendere i palombi con le mani, e allora perché solo i palombi? Se gli capita una bella orata per esempio niente, non la prendono perché non si chiamano «oratari»?

Non so, spesso sono attraversato da pensieri. Mi succedeva

già da bambino, ad esempio quando me ne stavo per un'ora a guardare un gatto e mi chiedevo se quel gatto lo sapeva o no di essere un gatto. Mi occupano tutta la testa per qualche minuto, questi pensieri. Poi se Dio vuole se ne vanno, ma intanto, quando mi attraversano, è un affare mica da poco perché mi si annulla tutto il mondo e io resto lì, con la testa come tagliata in due, cioè proprio... attraversata.

Stamattina, siccome entro alle nove, mi alzo tardi. Zia Elsa esce di casa prima di me, va a fare la spesa.

Zia Elsa esce solo per la messa o per fare la spesa, e si mette sempre l'orologino per uscire. Lo tiene sulla credenza, davanti alla foto dello zio che la guarda con i baffi curvi. Gliel'ha regalato lui per i vent'anni di matrimonio, e lei ci tiene moltissimo: è un piccolo orologio d'oro con il cinghietto di pelle nera tutto frusto nei buchi. Lo chiama il mega, il mio mega. Ci ho messo un bel po' a capire che voleva dire la marca: Omega, il mio Omega.

Sul tram c'è il triplo di gente; si vede che più tardi è, più gente c'è. Me ne sto pinzato fra due uomini panzuti, gli zaini di tre ragazzi come me e una signora grassa che mi alita sul naso. Ce ne stiamo tutti appesi con la manica della giacca che tira e la signora si vede dall'ascella quanto sta sudando. Seduta davanti a me però, per fortuna, c'è una ragazza carina. Sta giocando con un ciondolo che tiene appeso alla borsetta, è uno di quei portachiavi a forma di animale tipo maialino o pecorella, tu gli schiacci la pancia e dal sedere fuoriesce una sostanza marrone molto uguale alla cacca. Dev'essere una mucca perché è pezzata bianca e nera. Cerco di girarmi per vedere meglio: adesso lei lo sta premendo ed ecco la cacca che fa capolino, esce e si ritrae, esce e si ritrae. È un'invenzione bellissima perché ti dà l'idea della cacca, cioè ti fa proprio venire la paura che esca, e invece poi è finta, torna dentro nella pancia dell'animale e tu sei salvo.

Una cosa così, proprio come il tram, al mio paese non l'ho mai vista.

Oggi sarebbe il settantacinquesimo giorno di scuola, a contare le tacche di Giumatti. Bene, speriamo che questa mucca che fa la cacca mi porti fortuna, che se mi porta fortuna giuro che me ne compro una uguale.

E invece no, perché entra il professore di latino e dice: «Ragazzi, ho le verifiche».

E qui io vorrei morire. Disintegrarmi colpito da una pistola laser, oppure liquefarmi. O essere risucchiato da una tromba d'aria. O trasformarmi in un treno in corsa che salta tutte le stazioni, dico tutte, e non si ferma mai più. Oppure... non lo so, ma d'altra parte cosa ci posso fare? Deve pur succedere che il professore riporti i compiti corretti, no?

Comincia a sventagliare un foglio dopo l'altro, un 2, un 4, massimo un 5/6 sputacchiato.

«Un disastro, ragazzi, un vero disastro.»

E poi arriva a me, e io mi alzo dal banco, cammino verso la cattedra e cerco di fare tutto questo molto al rallentatore, perché vorrei che non mi finisse mai la strada. Vorrei anche avere tre anni e stare in braccio alla suora dell'asilo col naso ficcato dentro il suo velo nero che sa di muffa e poi quel crocefisso puntuto che mi spara in un occhio ma non importa...

«Gaspare Torrente!»

Presente, ahimè.

Acchiappo il foglio, sbircio: 10. Di nuovo, lo sapevo!

L'animalino caccante non mi ha portato fortuna un bel niente, e quindi non me lo compro manco morto.

Non so cosa darei perché i compiti di latino non li facessimo mai, oppure si perdessero nella nebbia o non so che cosa. O che li facessimo pure, ma che io diventassi di colpo cretino, non so, uno che non gli funziona più il cervello, dico non gli funziona latinamente il cervello, nel senso che non ci capisce più una parola di latino e prende non dico 4, ma un bel 5, o anche solo un 5/6... A me basterebbe un 5/6, mi basterebbe da morire...

Invece io prendo sempre 10 di latino. Perché io sono uno che prende 10 di latino, ecco.

Ad esempio fino adesso ne ho già presi tre di 10, e questo è il quarto 10, e adesso mi sento tutti i compagni addosso. Cioè i loro occhi. Me li sento puntati come mitraglie. Nessuno dice niente, c'è un silenzio da catastrofe nucleare o anche una cosa peggio. Io lo so cosa dovrei fare adesso. Lo so, ma non mi viene. Mi sento che mi si impietrisce la faccia e non mi esce un fischio di niente. Dovrei dire semplicemente:

«Puro culo».

Tutto qui. Mi salverebbe questo «puro culo». E invece niente: non mi esce. Perché io non solo vado bene di latino, ma non riesco neanche a dire parolacce. Non mi vengono. Mi si bloccano in gola come una pallottola di chewing gum. Al massimo mi nasce «un fischio di niente» e proprio quando va di lusso anche qualche «fottuto». Se poi vogliamo strafare, «un fottuto fischio di niente»: ma mi sarà venuta due volte nella vita una cosa così.

Campanella. Escono tutti prima di me, mi passano praticamente sui piedi ma neanche un mezzo saluto, niente. Per loro non esisto. Io vorrei fermarli uno per uno e spiegarglielo che non è colpa mia, è che sull'isola io mi mettevo al fondo del molo dove uno è da solo davanti al mare e basta, e mi studiavo latino. C'è qualcosa di male? Non era neanche colpa mia, era colpa di madame Pilou, che s'era ficcata in testa... Lasciamo perdere. Ci passavo delle ore sul latino, mi ero messo a leggere le poesie di Orazio, me le traducevo un po' per conto mio, e allora certo che alla fine il latino uno, se fa così, lo impara. A forza di tradurre...! Cosa posso farci? E poi Orazio sarebbe il mio poeta preferito, ma lasciamo perdere, e comunque secondo me non è così grave, possiamo sempre diventare amici...

Niente. Se ne vanno tutti. Aspetto che se ne siano tutti andati e me ne esco anch'io. Vado a prendermi il tram.

A casa mi butto sul divano. Faccio finta di non esserci, non so, di essere morto. Allora mi viene un pensiero su Giorgia. Di quando facevamo «il gioco del cattivo tempo»: si dovevano legare tutte le barche con una cima grossa agli anelli del porto, perché così se veniva il cattivo tempo non se le portava in mare. E io mi davo un gran daffare, ma Giorgia ne legava sempre più di me, di barche. Mi gridava: Sbrigati, pappamolla! Ma io non ero mai abbastanza svelto. Con Giorgia era così, vinceva sempre lei. Ma tutto questo sulla nostra isola, che adesso è lontana da morire.

Niente, mi chiamano in cucina. Zia Elsa ha tirato fuori i sei bicchieri, li ha di nuovo spolverati uno per uno e adesso lei e mia madre sono lì che mi aspettano in piedi sorridenti per brindare al mio 10, e questa sarebbe la quarta volta che brindiamo visto che questo è il quarto 10 che prendo e io non ne posso più e adesso vorrei proprio dirglielo a tutt'e due che non è proprio il caso di brindare, che io ci sto da cani in questa storia, ma come si fa a dire che uno ci sta da cani quando prende 10? E sono anche stufo marcio di questi sei bicchieri e mi viene da dire a zia Elsa: smettila zia, non sai contare, non lo vedi che siamo solo in tre? Ma poi non glielo dico e facciamo proprio un bel brindisi.

La sera chiama mio padre, e glielo racconto che ho preso 10 di latino.

«Bravo» mi dice. «Fai sempre il bravo.»

Poi gli chiedo come va la barca e lui mi dice:

«Lenta».

Lo so che va lenta, certo che va lenta.

Madame Pilou

Mio padre ha una barca di legno. Di quelle di una volta, verniciate di bianco e azzurro, con il motore diesel quattro cavalli.

Che è proprio una cosa da ridere avere un motore quattro cavalli, non so se mi spiego. Gli altri barcaioli si stanno tutti comprando delle lancette di plastica leggere con il motore nuovo minimo diciotto cavalli, così vanno più veloci, fanno più giri e riescono a portare più turisti. E fanno più soldi. Ma mio padre non ne vuole sapere, perché dice che non bisogna correre dietro ai soldi che tanto scappano più veloci, e quella è la sua barca e va bene così com'è. L'ha chiamata Camilla perché sua nonna si chiamava così ed è vissuta fino a novantanove anni, e a lui sembra che porta buono dare a una barca il nome di una che ci ha messo così tanto a morire.

Mio padre fa il pescatore.

Ma il pescatore lo fa solo d'inverno. D'estate fa il barcaiolo spiaggiaturisti, cioè quello che molla i turisti sulle spiagge oppure li porta alle grotte o a fare il giro dell'isola.

Ai turisti piace da pazzi fare il giro dell'isola. I turisti, non so perché, appena scendono sull'isola cercano il cartello «Giro dell'isola» e si buttano per arrivare primi. Che poi, un giro è un giro e quindi nessuno arriva primo. Mia madre dice che è uguale anche con le torri, i grattacieli e i campanili: i turisti cercano subito l'ascensore per salire. In un'isola invece, visto che non possono salire da nessuna parte, cercano di fare il giro. Ma mio padre non glielo fa fare sempre, perché non è detto cosa trovi dall'altra parte dell'isola. Ad esempio tu vedi il mare piatto e pensi: bene, oggi c'è mare piatto e quindi posso farlo, il giro; e invece no, perché di là magari c'è una risacca bestiale, e se tu esci in barca, vai fino a un certo punto ma poi devi tornartene indietro. Invece mio padre lo sa sempre cosa si trova di là.

Comunque poi d'inverno mio padre si mette insieme agli altri dell'isola, uniscono le barche e vanno a pesca in flotta. E io l'avrei aiutato volentieri.

E invece no, perché a un certo punto è arrivata madame Pilou.

E io da quando sono qui, gliene ho già scritte sei di lettere a madame Pilou, però lei non mi ha mai risposto e questa cosa non mi piace niente e non so come dirglielo.

Madame Pilou è arrivata sull'isola una mattina di settembre. Settembre è un mese azzurro da noi, perché l'aria diventa più fine e l'acqua ritorna chiara, si riposa da tutti quei gommoni che in agosto la smuovono di sotto e la fanno più verde.

È scesa dall'aliscafo insieme a decine di turisti, ma si vedeva benissimo che lei non era una turista. Gli altri con sacche, pantaloni corti, ombrelloni portatili e i piedi da vacanza, cioè nudi che ciabattano nei sandali infradito. Lei no. Lei aveva un completo giacca e gonna color cammello, e delle normalissime scarpe da città, chiuse.

«È la nuova insegnante di francese!» si bisbigliavano di porta in porta le vecchie.

Io stavo aiutando papà ad ancorare. Ho alzato gli occhi e l'ho vista e me ne stavo imbambolato a guardarla, allora mio padre era nero di rabbia e mi ha urlato:

«Tirala quella cima, cosa te la tieni in mano a fare?»

Perché stavamo proprio per schiantare l'elica contro lo scoglio del Cristo.

È assolutamente un caso che madame Pilou sia venuta nella mia isola a insegnare. Io ci credo nel caso, anzi, nel Fato. Il Fato non è esattamente il caso, l'ho studiato per l'esame di terza perché, siccome madame Pilou mi aveva spiegato l'*Odissea* proprio per filo e per segno e a me piaceva da matti, allora l'ho portata come ricerca. Anche perché madame Pilou in realtà è laureata in Latino e Greco e i classici me li ha fatti leggere tutti lei, compreso l'*Eneide* e l'*Orlando furioso*, perché dice che senza quei libri come fai a capire il resto?

Mi diceva: vedi Ulisse, lui vuole tornare a Itaca, ma il mare lo prende e lo porta dove vuole, perché sta scritto che Ulisse non ci torni subito al suo paese, prima deve correre tanti mari, così quando torna è esperto. Esperto del mondo. Anche a me, tra l'altro, non mi spiacerebbe un giorno essere esperto del mondo...

Il Fato insomma mi sembra una cosa che ti sta sopra e disegna la tua vita: come un pantografo gigante e tu lì, appeso alla squadra, viaggi per il tuo foglio bianco, ignaro ma sereno, perché... sei portato. Il caso no, il caso non è né sopra né sotto di te, viaggia al tuo livello, è una specie di animaletto agile che s'intrufola di qua e di là, tu non lo vedi mai e sul più bello ti esce di lato e ti fa: «Bu!» Tu ti scaraventi tre passi indietro, urli, ma non c'è niente da fare: t'ha preso! È diverso no?

Madame Pilou avrà avuto una cinquantina d'anni. Aveva sempre insegnato in Francia e io non lo so perché a un certo punto ha chiesto il trasferimento in Italia. Cioè non capisco perché proprio in Italia e perché proprio nella mia isola, che poi è uno sputo nel mare tanto è piccola, con tutte le città anche grandi che ci sono. Nessuno vuole insegnare laggiù da noi. Restano qualche mese, poi cominciano a dire che l'isola è dura, ci sono troppi scogli, il vento, e per strada non c'è mai nessuno. Così la nostra scuola è un viavai continuo di gente che viene a fare l'insegnante e poi si chiede perché lo deve fare proprio lì e allora tanti saluti, se ne va.

Lei invece ci è rimasta e l'unica cosa che diceva era che faceva molto freddo. D'inverno portava un cappotto verde loden con la mantellina, un basco tirato di sbieco e sempre i guanti di camoscio. Ne teneva uno infilato e l'altro in pugno, che sembrava un mazzo di fiori. Era sempre elegante, madame Pilou, e lì da noi nessuno aveva mai visto una signora così elegante.

A un certo punto non le bastava di essere la mia insegnante di francese, ha cominciato a insegnarmi anche il latino. Non so, io non gliel'avevo certo chiesto, ma lei diceva che ero troppo bravo e non mi bastava quel poco che si faceva a scuola, diceva che non era latino quello.

Così ogni tanto andavamo a passeggiare dalle parti del porticciolo, dove il paese finisce, e lei tirava fuori un suo vecchio libro di versioni, con le pagine tutte gialle e mi diceva: Traduci. E io traducevo per delle ore, e lei mi diceva se andava bene o no, intanto il vento le faceva volare un po' il foulard elegante che aveva al collo, perché da noi c'è sempre il vento.

Intorno c'erano sempre i pescatori amici di mio padre, che pulivano le reti o aggiustavano le barche e poi alla sera, quando si trovavano per la partita a tressette, gli dicevano: certo che è proprio bravo tuo figlio, e lui al mattino me lo raccontava prima che uscissi, e io lo vedevo che era molto soddisfatto. Mio zio Gero invece, quello che s'è sposato un'inglese, diceva se eravamo pazzi, diceva che sembrava quasi che io avessi un'istitutrice privata tutta per me. E un po' aveva ragione.

A me comunque piaceva molto andare nell'angolo del porticciolo dove finisce il paese, e stare a sentire madame Pilou che mi diceva come tradurre.

Facevo la seconda media, era quasi Pasqua. Me lo ricordo perché poi i miei per ringraziarla le hanno mandato un grosso uovo di Pasqua, con un pulcino verde attaccato, di stoffa. Chissà perché verde.

Madame Pilou ha suonato a casa nostra verso sera. Mio padre era appena arrivato e si stava facendo un bicchiere di vino seduto in cucina. Sembrava timida, diceva che le dispiaceva disturbare.

L'abbiamo fatta accomodare al tavolo e mio padre le ha chiesto se voleva favorire, offrendole un bicchiere del suo vino.

« No grazie » ha risposto, « sono venuta a dirvi... »

Mia madre se ne stava in piedi, sorrideva un po' e io lo vedevo che era a disagio. Io mi tenevo indietro, praticamente abbarbicato allo stipite dell'ingresso; mi sarei volentieri sotterrato, a vedermi lì in casa la mia professoressa.

« Lo dovete fare studiare, questo vostro figlio! » ha detto di colpo, tutto d'un fiato e pieno di erre, come parlano i francesi.

Me ne sono sgattaiolato di là, in camera dei miei. Mi sono seduto sulla punta del letto. Tremavo. Fuori era buio, vedevo la cima scura dell'eucalipto che ci era cresciuto davanti leggermente ondeggiare. C'era vento, poco.

Poi l'ho sentita partire in un lungo discorso: diceva che non ero solo *bravò*, ero proprio un po' speciale, e sarebbe stato un peccato, volevano mica farmi vivere lì da pescatore tutta la vita. Diceva che il mondo è grande, potevo fare tante cose, non c'era bisogno di molti soldi, si trovava la scuola giusta, certo, bisognava andar via... magari non tutti, lei ci avrebbe aiutati, valeva la pena...

Diceva: il ragazzo merita. E a me è rimasto attaccato in testa quel verbo così strano, lasciato lì per aria! Il ragazzo merita. Merita cosa? Non si sa, non l'ha detto, merita e basta.

Mi hanno chiamato in cucina:

«Ti piacerebbe studiare, è così?» mi ha chiesto mio padre, con la voce dura. E io mi sono sentito diventare viola di vergogna:

«Sì» gli ho detto, guardandomi i piedi.

Capito? Il mio pantografo gigante mi stava acchiappando delicatamente per le spalle e mi portava via con sé.

E adesso mio padre è giù e io invece sono qua, con mia madre che ha la gastronomia.

Non so perché mia madre ha messo su una gastronomia. Cioè, lei mi ha detto: sai, è solo perché qui a Torino è tutto più caro che giù da noi. Ma io credo che invece è perché le ho chiesto le scarpe nuove, e lei una sera io l'ho sentita che diceva a zia Elsa che adesso, con tutte le cose che io le avrei chiesto, lei non ce la faceva con i soldi che le mandava mio padre, però non poteva certo dirglielo a quell'uomo e quindi doveva trovarsi qualche lavoretto, magari in casa, oppure qualcosa da vendere... E zia Elsa ci ha pensato lei, perché una volta aveva un negozio di alimentari proprio qui, al piano di sotto, ma quando è morto zio Ciano lei non ne poteva più di tenerlo, e poi tanto ormai aveva la pensione che le bastava per vivere, che bisogno c'era di mandare anche avanti un negozio? Così l'aveva chiuso, ma di venderlo

38

non ci pensava perché, dice, non si sa mai nella vita, e adesso l'ha riaperto e lo ha dato a mia madre, con tanto di banco-frigo e tutto, anche perché mia madre da mangiare lo sa fare proprio bene, soprattutto le polpette.

Così io adesso vivo praticamente in una gastronomia.

Cioè in un odore di sughi e di fritti. Ma più di fritti.

E non vedo l'ora che venga Natale, così torniamo giù e io mi inalo un po' di odore di mare, me ne faccio una specie di riserva nel naso e quando torno il fritto lo sento meno.

Natale sarà il mio primo ritorno, e poi me ne restano diciannove perché ho fatto i conti che in tutto ho venti ritorni. E questo lo so perché una certa sera mio padre è tornato dal mare, si è seduto sul gradino di casa con mia madre, e io li vedevo da dentro lì seduti che sembravano due che non sapevano cosa fare e ho sentito che si parlavano basso e avevano la faccia seria. Mia madre spiegava a mio padre che lei non se la sentiva di mandarmi da solo a Torino perché di sua sorella non si fidava mica tanto e poi così le dava una mano anche economicamente; certo che però lasciarlo lì, suo marito, tutto solo a lavorare le rincresceva. Ma mio padre le diceva non ci pensare, che cinque anni vanno via in fretta, e poi tanto io qua ne ho da fare e voi due tornate tutte le volte a Natale e d'estate, e cosa vogliamo di più, e a mia madre allora la faccia si illuminava un po' perché diceva: due volte all'anno fanno dieci ritorni e non è mica poco. E allora io ho pensato che per me i ritorni sono anche venti, perché dopo c'è l'università e se la voglio fare devo rimanere qui altri cinque anni. Mia madre, lei se ne può pure tornare prima, così sta di nuovo con mio padre, ma io invece...

Comunque adesso qui, sarà per le polpette io non lo so, c'è un gran bel viavai, e mia madre chiacchiera con tutti di suo figlio, dice che lei ha un figlio bravo che prende tutti 10 di latino ed è molto fiera, e tutti le dicono ma davvero? beata lei, e via così tutto il santo giorno. Io, quando fa questi discorsi, mi sotterrerei, anche perché secondo me, se non la smette, la gente si stufa di sentirle dire sempre: mio figlio qui, mio figlio là. Comunque io ci faccio attenzione, e non esco mai dal retrobottega, così nessuno mi vede.

Verlaine

Ci sto benissimo nel retrobottega, praticamente ci vivo.

È diventato una cosa tipo il mio ufficio-studio: c'è una branda buttata in un angolo che mi fa da scrivania, libreria e tutto. Mi ci rintano a tradurre, nel retrobottega. Però non lo dico a nessuno perché se lo sanno, chissà cosa pensano di me. Passo i pomeriggi sulla branda con la versione da una parte e il vocabolario dall'altra. L'unica cosa è che è sempre buio e manca un po' l'aria, perché è una stanza cieca.

Ieri invece di tradurre mi leggevo *Feste galanti* di Verlaine.

Mi sono portato tre cose dall'isola: questo libro di Verlaine; un libro di latino, che poi sarebbe un'antologia. S'intitola *Astra latinitatis*, me la sono comprata a un banchetto di libri usati un giorno che eravamo andati alla Festa del Tonno e c'erano anche le bancarelle di collanine, palloncini e croccanti. La terza cosa che mi sono portato è la mia collezione di conchiglie rare, che sarebbero tutte le conchiglie che mi sono andato a prendere in fondo al mare da quando ho imparato a scendere in apnea; adesso riesco ad arrivare fin quasi a otto metri, ma questo lo sa solo mio padre. Mia madre no, altrimenti si spaventa.

Verlaine è un libro sottile con la copertina azzurra e in mezzo c'è la figura di un quadro che s'intitola: *Giovane che s'incipria*. Bello, mi piace molto questo piccolo libro e me lo porto sempre con me anche perché è piccolo. Me l'ha regalato madame Pilou un'ora prima che partissi, accidenti a lei... Mi aspettava davanti all'aliscafo con il foulard elegante che le svolazzava sulle spalle, e mi ha dato questo libro tutto avvolto in una carta di Natale con delle renne che suonano la tromba. Accidenti anche alle renne. Ma si può regalare una cosa con la carta di Natale a settembre?

Dal negozio intanto mi arrivavano le voci delle prime clienti; gente che vuole del gorgonzola, mia madre che chiede: dolce o piccante?, gente che risponde: non lo so, quella che m'ha dato ieri che è piaciuta tanto a mia sorella.

Non ne posso più di tutte le gorgonzole, provole, polpette, involtini e insalate di mare che mi perforano le narici, e i timpani. Quando posso, mi rintano nei libri. I libri sono così inodori. Ad esempio dentro il libro di Verlaine ci rimango sempre delle ore. Così sento andarmi via tutte le gorzonzole di questo mondo. Anche le mozzarelle in carrozza, soprattutto loro con quell'odore di fritto.

Mi sono preparato proprio un bel discorso, e ho riempito il libro di appunti. Un putiferio di appunti a matita. Così, mi sono detto, domani parlo della musica del verso, l'autunno che scende nell'anima, la solitudine, l'amicizia con Rimbaud... Finalmente, li schianterò tutti!

Alla sera mi sono addormentato chiedendo: Gesù, per favore, fammi andare bene.

Oggi mi presento per primo, volontario. Mi piace andare volontario: sa di eroico. Invece la Cerutti mi chiede:

«Comment t'appelles-tu?»

Rimango secco, non mi esce neanche una sillaba una. Allora, gentile, mi fa la domanda di riserva:

«Quelle heure est-il?»

Gentile. La Cerbiatti è proprio gentile. Con le sue gambe così allampanate. Non mi viene di rispondere niente. Me ne resto tale e quale a prima, perché a me fa proprio uguale che mi chieda come mi chiamo o che ora è: pensavo di parlare di Verlaine, io, e invece guarda cosa mi va a chiedere. Mi sento disintegrare dentro, una specie di polveriera nello stomaco, uno che ti mira addosso e... sbrash, una carneficina interiore.

Il problema più grosso adesso è di far sparire questo maledetto libro di Verlaine che mi rigiro in mano e se potessi me lo inghiottirei. Me lo nascondo tra le gambe e lo faccio lentamente scivolare fino a terra. Poi lo pesto, cioè ci metto un piede sopra, così nessuno lo vede.

Invece quella Mirandola Marcella del primo banco, detta «la secchia», lo vede e si mette a gracidare che mi è caduto un libro, che lo sto tutto rovinando col piede e io vorrei proprio sotterrarla questa Mirandola Marcella, ma cosa posso fare, è davvero una secchia! Allora raccatto il mio pestato Verlaine, e la Cerbiatti così se ne accorge e mi chiede cos'è questo dannato libro.

«Ma niente...»

«Fammi un po' vedere... Verlaine? Ma tu... leggi Verlaine?»

Muto.

«Ma tu... sai già leggere in francese?»

Muto.

È sinceramente sbalordita. Io non so cosa farei per consolarla, ho voglia di dirle che è il quarto anno che studio francese e quindi certo che lo so leggere un libro. Però vorrei anche chiederle scusa e dirle che non lo farò mai più, ma per fortuna si riprende quasi subito e mi dice:

«Ah be'... non importa. Non ti devi affatto preoccupare, sai, qui si ricomincia sempre tutto da zero».

Di che cosa non mi devo preoccupare non lo so, non l'ho capito perché non sto capendo più niente. Il voto non me lo dà perché lei non crede nei voti. Ci dice sempre che dare un voto è discriminare, e secondo lei la scuola non deve discriminare proprio nessuno.

Finisce l'ora. Mi fa andare in sala insegnanti e mi tiene tutto un discorso strano di strumenti, cassette, recuperi... Cioè più o meno mi spiega che Verlaine non mi serve a niente, che non sono questi gli strumenti giusti, e che d'ora in poi dovrò solo seguire bene le sue lezioni, cioè ascoltare le cassette, compilare i dialoghi e cose così, che poi a forza di cassette vedrò, andrà tutto a posto perché sono un ragazzo intelligente, imparerò le basi della conversazione, tipo come ti chiami, dove abiti, cosa mangi. E naturalmente che ora è. Anzi, mi invita a fare il prossimo corso di recupero che sarà tutto sulla conversazione. Mi dice che è importante la conversazione, molto importante. Perché conoscere una lingua vuol dire districarsi nella vita, saper vivere, saper viaggiare, saper parlare con la gente... Per esempio è molto utile nella vita pratica sapere come si chiede un bicchier d'acqua o cosa si dice a un tassista. Bisogna relazionarsi con gli altri. Mi dice che relazionarsi con gli altri è la cosa più importante, e poi aggiunge: e questo, caro ragazzo, cioè voglio dire relazionarsi, non te lo insegna per niente il tuo Verlaine.

Qui fa una pausa. Io non so cosa dire, trovo solo che il verbo «relazionarsi» è... è... Se lo dice ancora una volta, giuro che la picchio. Poi mi sorride:

«Hai capito bene, Torrente?»

Le rispondo di sì. È una professoressa così gentile...

Mi accompagna alla porta e mi dice che comunque, se ho dei problemi, posso andare da lei quando voglio.

Quando torno a casa, mia madre sta facendo un pentolone di ragù.

Io odio il ragù. Mi dà fastidio ai denti trovarmi tra la pasta i pezzetti della carne. Mia madre mi chiede quanto ho preso di francese. Le rispondo: niente.

«Ma allora è andata male?»

«No, non è andata male.»

Mi dice di non fare il furbo con lei e di dirle tutto, per carità.

Zia Elsa se ne sta di spalle a qualche metro da noi. Non ci guarda neanche una volta, sta lucidando i vassoi per le pietanze di domani, la vedo che ci dà dentro a strofinare ma io lo so che sta ascoltando tutto e chissà cosa pensa, mi piacerebbe tanto chiederglielo, e chiederle anche se mi aiuta, ma come si fa?

Vorrei non dirglielo a mia madre del corso di recupero, perché chissà come ci rimane. Invece glielo dico, perché non ce la faccio proprio a tenermelo e, se non lo faccio uscire, sento che mi scoppia tutto dentro.

Ci rimane malissimo, lo sapevo. Mi dice:

«Ma allora non hai studiato!»

Ha gli occhi quasi disperati. Le parte tutto un discorso su che vergogna è adesso un figlio che deve fare il recupero, e noi che sacrifici facciamo e pensa a tuo padre laggiù, se lo sa tuo padre... Sta quasi per piangere e allora io non so come fare, cerco di spiegarle che non è così, che invece io ho studiato tantissimo, che le poesie di Verlaine le so praticamente a memoria, che avevo preparato una ricerca fantastica e che se solo me la lasciavano dire... Le dico che non ci voglio tornare più, a scuola.

Glielo dico perché se queste cose non le dici a una madre, allora a chi le devi dire? Ma forse non dovevo, perché lei si siede, si prende la testa tra le mani e mi chiede se allora per favore le spiego meglio, che lei non ci capisce più niente. E io allora le racconto tutto, anche questa storia che di latino io sono andato molto avanti e invece qui bisogna tornare così indietro, e che una versione chissà quando la faremo e allora cosa lo faccio a fare questo liceo, che quando sono interrogato non mi chiedono mai le cose che so e sembra anche che non gliene importi niente a nessuno delle cose che so, e che se studi o non studi fa proprio lo stesso qui, e io sono stupido perché è molto meglio studiare poco, così sei anche più simpatico...

Zia Elsa ha finito di lucidare vassoi, ma non si volta e rimane di spalle, senza fare più niente. Mia madre va a spegnere il ragù, torna a sedersi, si prende di nuovo la testa tra le mani e se ne sta così un bel po'. Vedo che è diventata enormemente triste. Enormemente. Le sono caduti i riccioli tutti sulla fronte e mi sembra anche che le sia sparito il biondo cenere, non so, è diventata buia.

Se ne sta così per un po', zitta a guardarmi. Intanto zia Elsa ha accumulato tutti i vassoi lucidati sul tavolo e adesso lo vedo che non sa più cosa fare, e se ne sta lì e basta. Poi mia madre mi dice:

«Ma allora Gaspare, se non ti trovi bene...»

Io lo so cosa mi sta per dire mia madre, e non voglio. Non voglio che mi dica: se è così, finiamola con questa scuola e torniamocene giù. Allora mi fermo. Basta, non dico più una parola e te lo giuro, Gesù, non dirò mai più niente alla mia mamma, perché non è giusto che lei diventi così triste.

Me ne vado di là, mi butto sul divano e me ne sto con gli occhi aperti al soffitto. Quando torno in cucina, è già sera, proprio quella sera che quando viene mi fa diventare tutto buio dentro. Zia Elsa ronfa davanti alla tivù e la mamma ha finito col ragù, adesso frigge una montagna di zucchini impanati e dal calore le viene la pelle tutta lucida che sembra fritta impanata anche lei e a me non piace vedere mia madre così. Un odore disgustoso come sempre riempie le due stanze, e mi sembra l'odore della mia vita.

Adesso sono veramente felice: ho trovato cosa fare durante gli intervalli.

La «soluzione panino al salame» non poteva durare, era monca: il panino ti finisce in un amen perché tu hai davvero fame, e allora cosa fai nel pezzo di intervallo che ti resta? A parte il fatto che secondo me tutti i giorni un panino al salame ti fa venire i brufoli.

A un certo punto ho visto il termosifone. Colpo di fortuna da pazzi.

Un normale termosifone in fondo al corridoio. Ovvio. Mi ci sono andato ad appoggiare, così, facendo finta di niente, ed era quella la soluzione: starsenc appoggiati al termosifone durante tutto l'intervallo.

L'ho chiamato «il piano termosifone».

Funziona. Tutti i giorni alle dieci meno dieci scatta il mio piano termosifone: mi appoggio, mi giro e mi rigiro, faccio finta di scaldarmi le mani, penso, guardo, mi giro, mi appoggio, penso, mi scaldo...

Così adesso sto bene, mi sento uno che sa cosa fare negli intervalli.

Solo che c'è un altro termosifone nel corridoio, dalla parte opposta. Uguale al mio. Non l'avevo visto, all'inizio. Adesso lo vedo.

E attaccato a quel termosifone c'è un tipo.

Uguale a me.

Cioè no, diverso. Perché lui è piccolo e porta gli occhiali. E adesso mi pare anche che stia guardando verso di me. Forse anche lui si è accorto che ci sono, cioè che c'è un altro termosifone nel corridoio con un ragazzo appoggiato su che sarei io. Io però non voglio che mi guardi, non voglio che mi veda che sono qua come lui, e allora entro in classe anche se c'è ancora intervallo.

Gli insegnanti arrivano sempre quei cinque dieci minuti dopo la campana e a me dà un po' fastidio, anche perché ne ho parlato a casa e zia Elsa ha detto che se lo faceva il suo povero marito di arrivare in ritardo in officina non c'era mica da ridere e magari lo licenziavano.

Così, mentre aspetto che arrivi quella di mate, mi faccio una specie di schema con tutti i calcoli, insegnante per insegnante, dei minuti che ci hanno mangiato finora. Un capolavoro. Ad esempio: scienze 84 minuti, ginnastica 56, lettere 289. Lettere così tanto, ma solo perché ha un putiferio di ore con noi, quella di lettere. Insomma un lavoro ben fatto, chiaro, schematico. Secondo me dovrei farlo vedere alla Preside, così lo sa e vede un po' lei cosa fare.

«Cos'è?» mi chiede Caritone, uno del primo banco che dorme sempre.

«Schema ritardi» gli dico.

«Ah se lo fai a me... c'è da divertirsi, io sono sempre in ritardo!»

Lo dice anche agli altri e vengono tutti a vedere cosa sto facendo, stanno un po' e se ne tornano a posto bofonchiando non so cosa. Vorrei spiegare che non sono i loro ritardi che conto, ci mancherebbe, ma non importa. Ci capiamo poco tra di noi. Da quando il prof di ginnastica mi chiama l'extraterrestre, poi... Tutto perché a pallacanestro a volte mi capita di correre dalla parte opposta, e un giorno sono addirittura andato a far canestro nel canestro sbagliato, cioè il nostro, e me la devono ancora perdonare adesso e da allora mi chiamano tutti così, anche quelli delle altre classi quando mi vedono mi dicono: ohè, ciao extraterrestre, come va?

Invece Tarlacco non se ne va via, rimane. Lui è uno che ogni tanto mi parla, anche perché è il più chiacchierone della classe, infatti l'abbiamo eletto rappresentante, e poi secondo me se ne fa due baffi dei miei 10 di latino. Il latino non gli piace niente, ma tanto non vuole continuare a studiare, vuole fare il carabiniere come suo padre. Gli piace molto la musica e appena può si ficca gli auricolari nelle orecchie. Lui vive perennemente così, fa parte degli Auricolati, credo.

« A te che musica ti piace? » mi fa.

« Mah... quella che viene » gli rispondo.

« Quella che viene come? »

« Dico alla radio... »

Si voltano anche gli altri che si erano allontanati: ma perché, tu ascolti la radio? mi chiedono. Faccio segno di sì.

« E lo stereo? »

« E il walkman? »

« Ma di CD quali hai? »

« Li masterizzi? »

Io come faccio con tutte queste mitragliate di domande?

« No... non tanto... » rispondo. Ma loro bombardano:

« Ma ce l'hai il masterizzatore? »

« E perché non lo usi? »

« Di che marca ce l'hai? »

Se ne vanno di nuovo tutti, anche Tarlacco. Peccato, mi sono giocato anche lui. Tutto per questa storia del masterizzatore... Però forse è colpa mia, potevo chiedergli anch'io qualcosa, così, per far durare la conversazione, ad esempio se lui ha un cane. O un gatto, un pesce rosso, un canarino, non so, qualcosa.

Aspetto il secondo intervallo e appena suona schizzo in biblioteca a prendere il dizionario. Cerco « masterizzatore »: non c'è. Si vede che è una parola troppo nuova, quindi me ne torno mogio al mio termosifone e me ne sto a guardare per aria, cioè a fare niente.

Quando usciamo, non vado subito a casa: corro al negozio di elettrodomestici sull'angolo, prima che chiuda. Entro e chiedo se hanno un masterizzatore. Mi guardano. Un masterizzatore?

« Hai sbagliato negozio. »

Li guardo.

« Devi andare in un negozio di computer. »

D'accordo, ho capito. Siccome è tardi, lascio perdere. Gli

spaghetti di zia Elsa staranno già cuocendo e se non mi sbrigo li scola, mi ci mette sopra un piatto rovesciato perché non si freddino e poi mia madre mi dice: ecco, hai fatto freddare gli spaghetti, lo sai che zia Elsa ci rimane male.

Ci vado nel pomeriggio al negozio di computer, anche se sta per piovere. Prendo il tram e vado in centro. Entro e chiedo se hanno un masterizzatore. Ce l'hanno.

« Per che computer? » mi chiedono. Siccome non ne ho la più pallida idea, dico che fa lo stesso e se per piacere me ne fanno vedere uno. Mi chiedono di che tipo, rispondo: il meno caro e domando come funziona. Vorrei sapere a cosa serve, ma mi sembra che se chiedo come funziona è meglio.

Infatti va bene, adesso so cos'è un masterizzatore e posso tornarmene a casa. Ma prima faccio un giro lungo il Po. È marrone. È sempre marrone quando c'è brutto tempo.

Stamattina, quando arrivo, sono tutti lì che mi aspettano in crocchio sulla porta, che mi sembrano una squadra di rugby china sul povero pallone. Mi sento quel pallone. Non che abbia paura, però me ne resto un attimo paralizzato, e mezzo sorridente come un cretino. Allora si fa avanti Masonti, ottanta chili circa, capelli rasati, camicia aperta sul teschio della t-shirt, catena che pende dalla tasca dei pantaloni.

« Hai fatto le frasi per oggi? » mi fa.

« Sì, perché? » Domanda inutile e stupida.

« Prova un po' a indovinare! Perché io non le ho fatte le frasi, e sai perché non le ho fatte? »

« No » bisbiglio.

« Perché ci sono quelli come te che le fanno. Quindi che bisogno c'è, giusto? »

« Giusto. »

Rispondo così: giusto. Ma per me non è giusto per niente, io non voglio dare le mie frasi agli altri, sono mie, le ho fatte io. E gli altri hanno solo da mettersi a studiare così vanno bene anche loro di latino, e se non vogliono studiare, fatti loro, che non studino, ma poi non pretendano di andare bene lo stesso, no?

Poi di nuovo tutti i giorni, stessa scena. Masonti è lì che mi aspetta con la manaccia aperta. Gli dico solo:

«Non copiare proprio uguale, cambia qualcosa per piacere».

Masonti mi risponde con un ghigno. Ha i denti gialli, e anche storti. E quattro anelli tutti di fila su un orecchio solo, sull'altro orecchio invece niente, chissà perché.

È così praticamente tutte le volte che c'è latino. E non solo Masonti. Anche gli altri, ormai è una processione. Vengono da me con la mano larga, otto meno cinque tutti in fila, e si passano veloci le mie frasi: il tempo che suoni la campanella, e se le sono copiate tutte.

Mi addosso al mio termosifone e vorrei che l'intervallo non finisse mai più.

Oggi c'è anche l'altro. Dico quell'altro tipo uguale a me ma più piccolo e occhialuto che se ne sta sull'altro termosifone anche lui appoggiato e non fa niente. Chissà cosa pensa. Chissà se per caso va bene anche lui di latino e anche a lui gli estirpano sempre le frasi. Potrei chiedergli come fa, se lascia copiare o no. Ma non lo voglio sapere perché a me di questo tale non mi interessa niente, ho altre cose a cui pensare, io. Ad esempio adesso mi sta venendo una specie di film mentale, tipo che io entro in classe e vedo Masonti impiccato alla lavagna: punito!

Punito. Che parola meravigliosa!

Dialogo con il Minotauro

Decido di andare dalla Preside. Perché la Preside in fondo è il capo e, quando una cosa non funziona, cosa fai? vai dal capo.

Ci vado per questi benedetti ritardi degli insegnanti. Ma forse ci vado per i compagni copioni. Non so, non mi è tanto chiaro.

È che vorrei parlare di un sacco di cose con la Preside: per esempio di questo fumo che esce dalle porte dei bagni e si vede un po' troppo secondo me, non si potrebbe diradarlo un pochino? Anche di quella di italiano che ci dice sempre: ragazzi domani vi porto i compiti corretti, e invece non ce li porta mai. O di storia, che siamo ancora ai dinosauri e non dobbiamo arrivare al medioevo?

Poi non so se gliele dico queste cose, vedremo.

Siccome proprio ieri mi traducevo per fatti miei un pezzo di Ovidio su Teseo, adesso mi sento un po' Teseo che va ad affrontare il Minotauro. La Preside però è una signora secca e minuta, col naso adunco e piatta come una sogliola: niente a che fare con un toro. Si mette sempre dei vestiti grigi con i bottoncini bianchi che le vanno dal collo fin quasi ai piedi. Mi sembra una bambina vecchia, di quelle che vanno al collegio tutta la vita.

Se io adesso le porto lo schema ritardi, lei di sicuro mi ringrazia, le monta un'onda enorme di indignazione e licenzia tutti gli insegnanti.

Invece non le monta un bel niente. Quando entro non mi guarda neanche. Io mi siedo davanti a lei e lei continua a firmare un centinaio di fogli accatastati davanti al suo naso.

«Qualcosa non va?» mi chiede senza alzare gli occhi.

«Sì.»

«Di che classe sei?»

Le dico la classe.

« Come ti chiami? »

Le dico il nome.

« Allora dimmi, cosa c'è che non va? »

« Gli insegnanti... »

« Dimmi bene. »

« ... arrivano in ritardo. »

« Dove? »

« In classe. »

« Ma di quanto? »

« Cinque dieci minuti. »

E qui mi frugo in tasca perché vorrei mostrarle il mio meraviglioso schema ritardi. Ma non so, ho le mani sudate, non riesco a muoverle, non trovo niente...

« E quali sarebbero questi insegnanti? » mi chiede.

Ma come, se vuole i nomi io come faccio? Non so più cosa dire, sono confuso. Per fortuna lei mi aiuta:

« Vuoi dire i tuoi insegnanti? »

« Sì... »

Smette di firmare i suoi fogli. Mi guarda.

« Ma non pensi che se i tuoi insegnanti arrivano in ritardo in classe è perché devono svolgere dei loro lavori fuori dalla classe? Non so, fotocopie, test, riunioni... Non pensi che stiano comunque lavorando per te? »

Mi sento tutto un sudore giù per la schiena.

« Non pensi che dobbiamo avere rispetto per il lavoro degli altri? »

« Sì... » le rispondo.

« Pensi di sì, vero? »

« Sì... »

« Ah ecco. Lo sapevo che sei un ragazzo responsabile. Bravo. »

Adesso si alza e io penso che sia finita lì. Invece mi mette una mano sulla spalla e mi chiede:

« E con i compagni come va? Eh? Dimmi, come va, come va? »

« Bene... abbastanza. »

« Perché solo abbastanza? »

«Ma no, bene...»

«Dimmi la verità...»

«È solo che vogliono sempre copiare...»

«E tu li fai copiare?»

Qui non so più cosa devo rispondere. Mi sento confuso. Cosa vorrà mai che io le risponda? Si può far copiare o è vietato? Si deve far copiare o è meglio di no? Non lo so, le dico:

«Un po' sì e un po' no...»

Sorride.

«Di che classe hai detto che sei?»

Le ridico la classe.

«Come hai detto che ti chiami?»

Le ridico il nome.

«Bene, Torrente, secondo me il problema è che non ti sei ancora tanto integrato. Sai, ci vuol tempo. Voi arrivate qui dalla scuola media, questo è un liceo, ci vuol tempo... Ma vedrai che ti integri, vedrai!»

Sulla porta mi dà una bella pacca sulla spalla, e aggiunge:

«E poi, Torrente... la scuola ha attivato un servizio che potrebbe davvero esserti utile. Lo sai, si chiama OA...»

Pausa.

«Lo sai vero, Torrente, che cos'è l'OA...»

Muto.

«D'accordo, Torrente, è l'Ora di Ascolto... Lo sai? C'è un'insegnante molto disponibile ad ascoltare se qualcuno ha qualche piccolo problema... Lo sapevi che c'era questo servizio? No? Bene, adesso lo sai, così magari..., cosa ne dici?»

Esco con una specie di ghiaccio dentro che non so, io non la voglio l'Ora di Ascolto, non la voglio! Vado diritto a chiudermi in un bagno. Appallottolo nel pugno il foglio dei ritardi, tutti i minuti di ritardo di tutti i miei insegnanti. Bravo, bel lavoro! Ne faccio una pallottola bestiale, la stritolo in mano più che posso e poi la butto nel water e tiro l'acqua. Tiro un'acqua gigante, una cascata, un diluvio universale, poi la tiro di nuovo l'acqua. E di nuovo! E di nuovo! Sto lì non so quanto. Perché fra una tirata e l'altra bisogna aspettare, la vaschetta dei water è così, bisogna sempre aspettare, così lei si riempie di nuovo. Tu la scarichi e lei... bshhhh, si ricarica, e allora quando è bella piena, giù di nuovo, giù di nuovo!

Io non la voglio l'ora di ascolto.

Io non so perché mi dà così soddisfazione tirare l'acqua del cesso, non so.

Oggi mia madre quando entro è seduta al tavolo e se ne sta senza far niente, cosa molto rara. Mi sorride. Mi chiede come va.

«Voglio dire come va 'sta scuola, dài, siediti e raccontami un po'.»

Non mi siedo, non capisco cosa voglia sapere. Le dico: ma niente, mamma, va tutto bene.

«Gaspare, lo vedo che sei sempre un po' strano...»

Mi guarda. Mi guarda soprattutto in basso, verso terra.

«Sono le scarpe, vero, Gaspare? Queste scarpe non ti vanno proprio, eh?»

Guardo sbalordito le mie povere scarpe con i lacci e la para, e poi guardo mia madre. Ma no, cosa ti salta in mente, le dico. Siccome oggi ha un po' di tempo perché è mercoledì e il negozio è chiuso, ha deciso che vuole farmi un regalo. Mi dice:

«Dài, andiamo a comprare 'ste scarpe!»

Io non me l'aspettavo una cosa così. Vorrei dirle di no, che non è il caso, che il mio problema non è questo... Solo che mi chiederebbe qual è il problema e io non saprei proprio dirglielo qual è il problema, cioè lo saprei anche, ma come faccio a raccontarle dei compagni, della Preside, e di tutto il resto?

Quindi andiamo a comprare le scarpe, che è meglio.

Compriamo un paio di Nike bianche come la neve. Mia madre, uscendo dal negozio, mi fa un sorrisetto furbo:

«Ma una volta le scarpe da tennis non si mettevano per giocare a tennis?»

E poi sul tram:

«E allora, di', sei contento?»

E io ero anche abbastanza contento. Solo che, quando me le metto per andare a scuola queste benedette scarpe, prima cosa: mi vergogno un po' di quanto sono bianche, cioè si può andare a scuola con ai piedi due affari così pazzescamente bianchi?

Cerco anche di sporcarmele un po', camminando sulle foglie marce del viale, ma niente, mi sa che ci vogliono giorni per farmele diventare un po' marronicce schifose.

Seconda cosa, il mio compagno di due banchi dietro mi fa:

« Ma sei scemo a comprarti le Nike? »

Lo guardo. Mi dice:

« Ma non lo sai? Le Nike adesso, se te le metti sei out... »

Bang!

Io credevo che le Nike erano di quelli giusti, non so se li devo chiamare Stretti o cosa, ma insomma quelli come vorrei essere io. Invece adesso vanno le Puma nere da calcetto, non le Nike bianche da tennis; e questo sarebbe da una quindicina di giorni. Così mi ha detto il mio compagno di due banchi dietro.

« Ma non ce le ha proprio più nessuno queste Nike? » gli chiedo.

« No no, qualcuno ce l'ha... »

Mi dice così per pietà, si vede lontano un miglio.

A volte mi prende davvero quel pensiero di lasciar perdere e tornare giù all'isola. Cosa sarà mai? Uno ci ha provato, ha visto come va e torna indietro, amici come prima. A mio padre glielo spiego e lui figurati se non capisce. Mi sembra proprio un discorso che si può fare tra uomini, questo.

Me ne sto seduto sul divano letto e mi accarezzo un po' le Nike. Sono un bel paio di scarpe. Niente da dire. Tra l'altro sì, sono davvero di pelle. Pelle bianca, con una righina blu. Le spolvero un po'.

Ieri i compagni mi hanno chiesto:

« Cosa fa tuo padre? »

Così di colpo, mi hanno preso impreparato. Gli ho detto: è all'estero, commerci con l'estero, cose del genere...

Non sapevo cosa dire. Non gli ho detto la verità. Ma io lo so, mio padre non è veramente un pescatore: è un re in esilio, ecco cos'è. Mi ha mandato in missione perché io sconfigga il drago. Mi ha detto: quando torni, se l'hai ucciso metti la vela bianca, se no metti la vela nera. Perché io sono Teseo, e un giorno arriverò con la vela bianca e lo libererò. Lui mi vedrà da lontano, e capirà che torno vincitore. Gli dirò: papà, sono diventato avvocato, puoi smettere di prendere pesci. E lui venderà la sua barca di legno diesel e mi abbraccerà. E se non sarò diventato avvocato, non so, sarò qualche altra cosa che adesso non mi viene, magari ingegnere o scienziato o architetto...

Zia Elsa è sulla porta. L'avevo lasciata socchiusa e adesso me la vedo lì che mi guarda, io mi sto ancora accarezzando le Nike e ho appena finito questo pensiero di mio padre, ma lei non lo può sapere. Anche se a volte mi sembra che sia capace di leggermi i pensieri. Non so da quanto tempo mi guarda. Siccome cammina silenziosa, io me la trovo sempre sulla porta che non so mai dire quando è arrivata.

Mi guarda che me ne sto qui seduto con le scarpe bene appaiate sulle ginocchia, non ho fatto in tempo a metterle giù, accidenti, mi sento scoperto. Ha il solito sorriso fisso, e ciondolando un po' la testa mi dice:

«Sei proprio una barca nel bosco».

Io non lo so com'è una barca nel bosco, ma non mi piace niente.

Il sogno dei topi stoccafissi

È soprattutto la notte che non è facile. E questo me l'aveva spiegato bene madame Pilou una volta che io avevo fatto un sogno terribile, con il mare che si staccava dall'isola e mi veniva tutto giù in testa, un'onda sola spaventosa che mi portava via non so dove. Ma forse era perché avevo paura di partire e allora madame Pilou mi aveva spiegato che la notte l'inconscio si libera e parla con noi e quindi facciamo i sogni. Io sono contento che ci sia almeno uno che parla con me, cioè questo benedetto inconscio; peccato solo che non mi ricordo mai cosa mi dice.

Così, cerco di andare a dormire il più tardi possibile. Mi metto a letto ma non dormo, traduco. Da un po' di tempo mi restano dei versi latini appiccicati nella mente, me li cantileno sempre, anche la mattina sul tram. Un po' di metrica la so perché, siccome le facevo una testa così su come bisogna leggere la poesia in latino, allora madame Pilou me l'ha spiegata un po' di metrica, ma non tantissimo perché mi ha detto che poi bene l'avrei fatta al liceo. L'ho chiesto al professor De Gente quando faremo la metrica, lui mi ha guardato dritto e mi ha detto: «Ma pensi solo a studiare?», poi mi ha dato uno scappellotto che era per scherzo ma mi ha fatto anche male, e mi ha spiegato che quelle sono cose da triennio, ma non sa se le faremo, perché tanto all'esame di quinta non ce la chiede nessuno la metrica.

Adesso per esempio mi si è attaccata in testa una certa poesia di Orazio e non se ne va più via. È quella che comincia: *Tu ne quaesieris, scire nefas, quem mihi, quem tibi finem di dederint, Leuconoe...* Mi sono messo a tradurla come pare a me, perché la traduzione che mi dà il libro non mi piace niente. Ma non è facile. Ad esempio quel *nefas*. Il libro dice: «tu non ricercare, è illecito saperlo, quale sorte gli dei abbiano dato a me, quale a te, Leuconoe». Ma non mi convince per niente quell'«illecito».

È mezzanotte passata. Di dormire neanche a pensarci. Forse mi sta venendo. Sì, forse metterei: «Non cercare di sapere, o Leuconoe. Sapere è ingiusto».

Però quel *nefas*...

Va bene tradurlo «ingiusto»? Non sarebbe meglio «impossibile»? Quasi quasi domani porto la traduzione a De Gente, così lui mi dà un consiglio.

No, meglio di no. Chissà cosa mi dice. Cioè mi dice che penso solo a studiare latino.

La mando a madame Pilou, con un'altra letterina. Non si sa mai che questa volta mi risponda.

Mia madre mi urla di spegnere la luce, che è tardissimo. Sempre così, accidenti. Se queste porte non avessero i vetri, lei non vedrebbe se ho la luce accesa o no e io mi finirei la traduzione in pace. Da grande, nella mia casa, vorrò avere solo porte senza vetri. Tutte porte massicce scure, e io che mi barrico ben chiuso dentro e se voglio traduco fino all'alba.

E anche fino all'alba del giorno dopo se mi gira, va bene?

Il problema è che io veramente, più che sogni, faccio degli incubi. E quelli me li ricordo sì, perché poi mi sveglio tutto sudato. L'altra notte ho sognato che veniva la Preside Sogliola con la scopa. Un'enorme scopa in mano, di quelle vecchie di saggina. Noi ne abbiamo una così sul balcone, e zia Elsa le ha messo in testa un pezzo delle sue calze di nylon. Credo l'abbia fatto perché la scopa non si arruffi. Un po' come una donna che la sera si mette la retina sui bigodi prima di dormire. Anche mia madre si mette i bigodi, poi ci dorme sopra, al mattino toglie tutto, si impiastriccia di lacca e così la piega le dura ancora una settimana. Questo lo dice lei, io non so. Quando mi viene a svegliare la domenica mattina col bicchiere di caffè, sento la puzza di lacca mentre si china su di me. Lacca e caffè mescolati: mi è diventato un po' l'odore della domenica.

Tornando al mio sogno, arriva la Preside e si mette ad agitare

la scopa. Poi apre tutti i cessi, si china e schiaccia a suon di sco-
pate i miei compagni che strisciano e sono diventati degli enormi toponi grigiotopo che puzzano di fogna. Più lei li schiaccia,
più loro diventano come nei cartoni animati: una specie di dise-
gnino di topo spiaccicato con le quattro zampe larghe e il muso
lungo in avanti. Poi nel sogno io li prendo tutti, così appiattiti
secchi, e li appendo al muro, ognuno al suo chiodo. Come gli
stoccafissi a seccare al sole. Mi siedo al mio banco, che è rimasto
l'unico e se ne sta al centro della classe, e me li guardo uno per
uno in silenzio, i miei compagni-topo-stoccafisso.

È grave?

Non so. Ho raccontato il sogno a un mio compagno detto
Flipper, così, tanto per raccontare qualcosa a un mio compagno, che se no mi sembra che non ci diciamo mai niente tra
compagni. Flipper mi ha guardato storto e poi mi ha detto:

«Ma sei fascista?»

Io non so, mi aspettavo: «ma sei scemo?» Qualcosa così. Invece: «ma sei fascista?» Siccome si vedeva che non capivo, ha
aggiunto:

«Hai il mito dell'autorità!»

Lo ha detto come uno che ti trova una brutta malattia addosso, non so la lebbra, o uno scarafaggio nelle mutande.

D'altronde... Cosa vado a raccontare il sogno proprio a lui
che porta la kefiyyah. Anzi, che ci vive con la kefiyyah avvolto-
lata al collo. Io poi, non ne avevo mai visti di questi tovaglioli a
quadretti legati al collo e non sapevo proprio cosa fossero, e anche adesso che me lo hanno spiegato, non ci ho mica fatto l'abitudine e ogni volta mi viene da chiedermi: cosa c'entriamo noi
con i palestinesi?

Forse però io ho troppo distacco dal Mondo. Dovrei inte-
ressarmene di più, invece di chiudermi nel mio stupido latino.

Ma noi extraterrestri abbiamo altri pensieri.

Ad esempio quel *nefas*, come diavolo lo traduco?

L'Ora di Ascolto

C'è un quarto d'ora buco, perché l'insegnante ha il solito ritardo. La Frullari si avvicina e mi chiede:

« Tu di che branco sei? »

Mi ha parlato! Mi ha fatto una domanda! E ora mi sta qui davanti e aspetta anche una mia risposta! La Frullari!

La Frullari è quella del banco dietro, con i capelli biondi che le vanno sempre sugli occhi e lei sempre a levarseli con una mossa che mi fa... Mi fa diventare matto, la Frullari.

La Frullari è quella che mi piace di più. Diciamo che me la frullerei volentieri... Cioè per iniziare me la porterei al cinema, poi vediamo.

Adesso però vorrei scappare dalla finestra perché non so assolutamente cosa rispondere. Io del branco o non branco non ne so praticamente nulla. Mi viene solo in mente il lupo, che è l'animale che preferisco e lui sì, fa branco. Ma io non lo so di che branco sono. Mi dispiace molto non saperlo, perché credo che se lo sapessi mi farei degli amici più facilmente, invece così è dura. Io non so se sono uno che va meglio con gli Stretti o con i Larghi, secondo me non assomiglio a nessuno di questi, anche se ad esempio adesso che ho le Nike bianche mi sento abbastanza uno Stretto, certo non è come avere le Puma nere, però sempre meglio di quell'orribile para marrone.

La Frullari alza le spalle e se ne va. Ci ho pensato troppo a cosa risponderle, così non le ho risposto niente e lei se n'è guizzata via. Mi capita anche con mio padre a volte, quando andiamo a pescare alla traina: abbocca un pesce e io lo sento che ha preso, allora dovrei tirare svelto la lenza in barca, ma ci metto troppo e il pesce si stacca dall'amo.

La Frullari è sicuramente una Stretta.

Nella mia classe sono tutti Stretti, non so perché. Forse è andata così e basta. Solo Tarlacco mi sembra un Largo, anche perché ascolta la tecnomusica e gli altri miei compagni invece più la discomusica, e hanno i jeans, le collanine al collo e parlano di motorini, discoteca e calcio. In altre classi invece so che sono quasi tutti Larghi: infatti vanno alle assemblee e, se ci sono, anche ai cortei; portano al collo la foglia di marijuana e camminano piano, ciondolando dentro i loro pantaloni immensi, con i tasconi immensi. Qualcuno dalle tasche fa pendere una catena di plastica bianca e rossa, come quelle che usano nei cantieri per i lavori in corso. Parlano di globalizzazione, guerre, multinazionali, America, cose così, del Mondo. Si occupano molto del Mondo, mi pare. Più degli altri.

Io di me non so. Forse dovrei scegliere. Avere le idee chiare. Che diavolo di pantaloni voglio, stretti o larghi? Invece no, porto degli stupidi pantaloni medi. Medi! Né stretti né larghi, una cosa imprecisa, ma si può?

L'unica idea chiara è che vorrei diventare amico del mio compagno Battisferri Sebastiano detto «il Seba». Cioè vorrei diventare come lui perché alla Frullari piace lui, e quindi penso che se io diventassi come lui, forse le piacerei.

Il Seba è un mito, il più mito di tutti. Tarlacco mi è simpatico, anche un po' Caritone. Ma il Seba è un'altra cosa, è un capo perché tutti stanno a guardare cosa fa lui e cosa dice lui, e io vorrei essere così. Viene in classe col telefonino nella tasca posteriore dei jeans, il giubbotto col bavero rialzato e gli occhiali a specchio sulla testa, oltre il ciuffo. Ma soprattutto nei jeans ha una meravigliosa cintura di pitone, con le scaglie tutte in rilievo che sono uno spettacolo. È un mito. I suoi possiedono tre fabbriche, una di cuscinetti a sfera, una di pentole inox e un'altra di tappetini per auto. E lui non studia mai, neanche una volta per sbaglio, viene sempre a scuola impreparato e dice che tanto poi quattro cose gliele inventa, agli insegnanti, si tratta solo di avere due palle così, dice. Infatti è bravissimo, e se anche prende qualche volta 4, poi va volontario e quattro cose le inventa e così prende 6, 6 più 4 diviso due fa 5. Sbatte un po' il ciuffo e ti dice: il 5 poi tanto te lo portano a 6, che problema c'è?

Io lo capisco perché alla Frullari piace il Seba.

A me piacerebbe molto diventare come il Seba. Cioè, non proprio uguale uguale, ma almeno assomigliargli. Solo che per essere un po' uguale al Seba io credo che mi manchino alcune cose abbastanza fondamentali: ad esempio la cintura di pitone.

Mi convoca la Preside. Così, a sorpresa. Mi fa sedere, mi sorride. Dice che ha pensato a lungo al mio caso e io ci rimango di sasso perché non me lo immaginavo di essere un caso. Mi dice che ha deciso di farmi frequentare un po' l'OA, una volta alla settimana, non di più. Mi rispiega che si chiama Ora di Ascolto perché in quell'ora uno va lì, parla di quello che vuole e c'è un'insegnante psicologa che lo ascolta, tutto qui. Secondo lei ne trarrò grande giovamento. Secondo me non si ricordava che me l'aveva già spiegato. Mi riaccompagna alla porta mettendomi un braccio intorno alle spalle.

«Bene... come hai detto che ti chiami?»

«Torrente.»

«Bene, Torrente, e di che classe hai detto che sei?

«Bene, Torrente, ciao.»

Ciao. Vado all'Ora di Ascolto.

Ho solo paura che non mi venga niente da dire, e che quindi non ci sia niente da ascoltare e allora bella figura, che razza di Ora di Ascolto ne verrebbe fuori?

Chiedo dov'è l'OA, ma nessuno me lo sa dire. Vago per i corridoi finché vedo un piccolo cartellino su una porta: OA. Entro. È una specie di sgabuzzino pieno di armadi. In fondo c'è una finestrella con le sbarre e i vetri smerigliati che non fanno vedere fuori. Davanti alla finestra c'è un banco e due sedie. Su una delle due sedie c'è qualcuno che ora si alza e mi viene incontro: dev'essere l'insegnante psicologa.

È una donna rotonda e gentile. Con una grossa capigliatura rossastra. Mi dice di sedermi. Mi siedo. Si siede anche lei. Vedo che ha al collo una collanina d'oro con una Madonna appesa. Ce l'ha anche zia Elsa una Madonna così, e quindi mi sento tranquillo.

Mi dice: parliamo un po'. E io lo so che vuole che sia io a parlare, ma non mi viene niente e le sorrido. Allora mi parla lei e io la sto ad ascoltare.

Andiamo avanti così quattro settimane, e io mi ci sto affezionando a questa insegnante ascoltante. Si chiama Annamaria Lo Gatto. Viene da Caltanissetta e ha tre figli, due già laureati. Parliamo molto. Cioè lei mi parla molto, mi racconta molte cose dei suoi figli e a me piace starla ad ascoltare. Il figlio più piccolo la fa un po' disperare perché non ha voglia di studiare e se ne sta tutto il giorno a giocare alla Play Station, ma io le dico che non deve preoccuparsi, fanno tutti così ma poi passa.

«Tu ce l'hai la Play Station?» mi chiede.

Le dico che non ce l'ho, ma che so benissimo che cos'è perché in classe gli altri ne parlano sempre e si trovano al pomeriggio per giocarci.

«E a te non piacerebbe giocarci?»

Me lo chiede con un'aria così dolce che le dico: sì, tanto. Allora si anima e dice: ma bene! e che assolutamente devo giocare alla Play Station con i miei compagni, che sarebbe bellissimo, e che se lo voglio ci riuscirò. Poi sta finendo l'ora e mi chiede:

«È quasi Natale, Gaspare, cosa vuoi per Gesubambino?»

Le dico che non voglio niente, ma vedo che s'incupisce un po'. Forse ho sbagliato risposta. Vorrei dirle la verità: che voglio andare giù da mio padre, che quello sarebbe il mio regalo preferito e non vedo l'ora. Ma non le ho mai parlato di mio padre, lei non sa dov'è e cosa fa e quindi come faccio a parlargliene, proprio adesso poi che è Natale...

Mi saluta senza nemmeno guardarmi. Se ne sta lì seduta, arrotolandosi con le dita la Madonna d'oro.

Lo so che l'ho profondamente delusa.

Stamattina all'inizio sembra una mattina come tutte le altre, e invece poi non lo è.

Intervallo, tutti fuori. Io mi metto come sempre attaccato al mio personale termosifone, quello in fondo al corridoio a sinistra. Sul termosifone in fondo a destra c'è come sempre l'altro, che si rigira certe robe in tasca, pietre o biglie, non so cosa.

Ormai mi ci sono abituato a lui, anche se faccio finta di non vederlo.

Comunque non sono triste perché m'è venuto un pensiero lampo su Giorgia, di quando avevamo tre o quattro anni, non di più, e io lo sapevo che le piacevo, perché una volta sono arrivato giù in strada tardi e l'ho vista che giocava con un bambino più grande di me, poi questo bambino la voleva baciare, ma lei s'è nascosta la guancia col braccio e l'ha guardato malissimo e l'ha mandato via come i cani. Con me non ha mai fatto così. Ma adesso Giorgia non so dov'è, e non vedo l'ora di andare giù a Natale così la rivedo.

A un certo punto interrompo il pensiero di Giorgia perché mi metto a guardare il Seba che se ne sta in mezzo a un bel crocchio di ragazze adoranti. Gli si avvicina Castagno Marco che è il suo migliore amico, lo tira da una parte, proprio vicino a me, cioè al termosifone, e gli dice con aria circospetta:

«Sai che sono arrivate le cinture di pesce?»

Loro non si sono accorti che io sono lì, e io non è che volessi ascoltare, però ascolto. Ne rimango fulminato. Primo, perché sono riuscito a carpire una notizia molto segreta e per questo mi pare di far quasi parte del branco. Secondo, perché Castagno Marco ha detto che le cinture sono «arrivate», ha usato il verbo arrivare ma in un modo che sembrava una cosa misteriosa e anche un po' epica, tipo il ritorno di Ulisse a Itaca oppure lo sbarco in Normandia.

L'unico problema è che non è chiaro «dove» sono arrivate queste benedette cinture. Anche un'altra cosa non capisco, perché non riesco proprio a immaginarmelo: come si può, da un pesce, fare una cintura. Ma questo, mi rendo conto, è un problema mio.

Le cinture di pitone d'accordo, chiaro cosa sono, si usano già da un po' fra gli Stretti. Ci sono anche le cinture di cavallino, tutte chiazzate di bianco e nero; ma a me non piacciono perché sono pelose. L'idea di una cintura pelosa da infilare nei passanti, con quel pelo ruvido da cavallo, mi mette i brividi; è come avere un animale morto addosso.

Ma queste cinture di pesce... è una notizia stratosferica.

Io penso: dev'essere meraviglioso avere una cintura di pesce nella vita.

E allora idea fulminante stratosferica: corro dalla Lo Gatto, la becco che è ancora a scuola ma si sta già infilando il cappotto, ha un magnifico cappotto arancione con il collo di marmotta. La blocco con un urlo:

«Professoressa!»

Niente. Ha preso le scale e s'incammina tra la massa enorme degli studenti uscenti. La richiamo più forte. Si volta, ma è ancora lontana. Mi butto giù per le scale, scavalcando migliaia di gambe altrui, le urlo:

«Ce l'ho! Ce l'ho una cosa che vorrei!»

Tutti che mi guardano. Lei si ferma. Ora è lì, in mezzo al fiume dei miei compagni, ma lei è una roccia, non si fa travolgere. Mi aspetta, la raggiungo. Le rotolo quasi addosso, mi fermo a un palmo dal suo cappotto, il pelo di marmotta quasi mi va nel naso. Le ripeto, piano:

«Volevo dirle che c'è una cosa che vorrei per Natale».

Mi guarda. Le viene subito un sorriso, mi chiede:

«Che cosa, Torrente, che cosa?»

«Una cintura di pesce!»

Glielo dico tutto d'un fiato, così. Finalmente. Esausto. Ce l'ho fatta. Vedo che adesso alla Lo Gatto le viene una faccia contenta, molto contenta:

«Ah ma bene, e cos'è, dimmi. È una cosa che hanno gli altri, l'hai vista addosso ai tuoi compagni, ti piace?»

Le spiego un po' com'è.

Diventa sempre più... contenta. Mi dice:

«Ecco, bravo! Chiedila per Natale, questa cintura di... di cosa hai detto?»

«Di pesce.»

«Ecco sì, di pesce. E poi potresti anche chiedere una Play Station, cosa ne dici?»

Mi abbraccia, ha quasi le lacrime agli occhi. Mi dice:

«Buon Natale, Torrente!»

Gli occhi del vino

Buon Natale un corno. Va tutto di schifo il Natale.

Intanto, per prima cosa, io non so come diavolo dirglielo a mia madre di questa storia che voglio una cintura di pesce, cioè proprio del tipo che manco mi sogno da che parte cominciare. Non mi vengono le parole. E quindi non glielo dico.

Invece la Play Station la chiedo, forse perché ha un nome inglese e si capisce meno cos'è e quindi è più facile chiederla una cosa in inglese. Fa una bella differenza dire: «voglio una cintura di pesce» o «voglio una Play Station». Vuoi mettere?

Comunque niente, mia madre dice:

«O torniamo giù per Natale o ti compro questa benedetta Play Station, io i soldi per tutte e due le cose non li ho».

Messa così, cosa dovevo dire? Dico: andiamo giù a Natale e addio Play Station. Poi glielo spiegherò alla Lo Gatto, anzi, ho fatto proprio male a non dirle niente di tutta questa mia storia, che io ho un padre che è rimasto giù sull'isola a fare il pescatore e tutto il resto.

E invece va storto. Perché poi non ci torniamo proprio per niente all'isola: zia Elsa si ammala e la mamma dice:

«Noi stiamo ospiti a casa sua, e poi l'unica volta che sta male la lasciamo sola?»

Dice che anche a lei costa non tornare, e anche papà poverino, che non vede l'ora di rivederci. Ma un sacrificio si può fare, per una come zia Elsa che si sta facendo in quattro per noi, no? Vorrei dirle che però zia Elsa vive sola da anni e potrebbe stare sola ancora questo Natale, cosa le cambia? Io invece mio padre ho veramente bisogno di rivederlo, perché lo so che posso telefonargli quando voglio, ma non è lo stesso. E poi vorrei anche cercare madame Pilou e chiederle perché mai una volta che mi risponda. E anche rivedere Giorgia...

Ma non dico niente di tutto questo, a mia madre. Così restiamo a curare zia Elsa, che s'è presa la bronchite.

L'ultimo giorno di scuola c'è di nuovo festa in classe. Patatine, coca, pizzette e popcorn. A me questa volta nessuno chiede di portare niente.

Nell'intervallo vedo il solito tipo al termosifone. Adesso so come si chiama perché un mio compagno lo conosce e me l'ha detto lui che si chiama Furio Avitano. Mi ha detto anche che però tutti lo chiamano «l'avulso Furio» e che ha iniziato quella di storia a chiamarlo così, solo perché, quando lei spiega, lui se ne sta nel suo mondo. Così dice lei.

Mi chiedo come si fa a vedere che uno se ne sta nel suo mondo, forse gli altri sono capaci di vedergli una specie di scatola intorno, o forse è la faccia, non so.

L'avulso Furio... Adesso che so come lo chiamano, meno che mai lo degno di uno sguardo, giuro. Perché, siccome a me mi chiamano l'extraterrestre, sarebbe il colmo «l'avulso Furio» e «l'extraterrestre» insieme, bel capolavoro!

Io voglio diventare amico del Seba, non dell'avulso Furio. Il Seba e i suoi per Natale avranno centosessantatré invitati nel loro cottage di montagna e il menu ce lo descrive piatto per piatto, ad esempio il caviale veramente russo, non quelle scatoline da quattro soldi del supermercato; e gli sformatini di pesce esotico. Io però adesso il pesce esotico non ce l'ho bene presente, anche se me lo immagino uno di quei pesci rotondi a righe per esempio gialle e viola.

Ogni tanto do qualche sbirciata di traverso, all'avulso Furio. Non vorrei, ma mi viene perché, con questa storia che se ne sta anche lui appiccicato al termosifone, come si fa a non dargli ogni tanto una sbirciata? Lui invece mi guarda di continuo e proprio dritto negli occhi, e mi pare anche che mi sorrida, poi continua a trafficare con quelle sue cose che si porta in tasca, credo davvero che siano biglie. Naturalmente il Seba non lo degna di uno sguardo, non sa neanche che esiste.

Chissà come lo passa il Natale, l'avulso Furio Avitano.

66

Noi passiamo un Natale senza Play Station e senza papà. Mangiamo antipasti, agnolotti, panettone e mandarini.

Zia Elsa fa gli agnolotti proprio come si facevano una volta qui in Piemonte, e cioè con il posteriore del coniglio, il cotechino, gli spinaci, il parmigiano e il pampesto. Si trita il tutto e si mette a bocconcini tra due fogli di pasta. Poi con una rotella dentata si tagliano uno per uno e ne vengono trentasei cuscinetti ripieni, perché la formina è da trentasei, ma tu la puoi rifare quante volte vuoi.

Passa tutta la vigilia a fare agnolotti; anche perché la bronchite le è un po' andata via. Io le dico: zia, guarda che siamo solo noi tre. Ma lei tranquilla:

«Durano».

E continua a spiattellarne tutto il pomeriggio. Credo siano almeno cinquecento. Poi li stende su un telo enorme sul tavolo della sala da pranzo, uno accanto all'altro che non si tocchino se no si appiccicano, e mi dice:

«Così si seccano».

E così io la notte di Natale dormo insieme a cinquecento agnolotti stesi sul tavolo, e ce li ho a venti centimetri dal naso perché lo spigolo del tavolo sta a venti centimetri dal mio cuscino, più o meno. Infatti sento un po' l'odore del ripieno, soprattutto del cotechino, ma non importa perché io penso a *nefas*.

Lo so che è pazzesco che uno la notte di Natale pensi a come si traduce *nefas*, ma io non riesco a togliermelo dalla testa. *Nefas* è tutto ciò che va contro la volontà divina, tutto ciò che è ingiusto, illecito, empio, ma anche impossibile. È il contrario di *fas*. *Fas* è la parola divina, la legge, l'ordine, il bene... Ma allora sapere non è soltanto ingiusto o impossibile. È sbagliato, sconveniente... è male! Sì, «è male sapere quale fine gli dei ti abbiano dato, o Leuconoe»...

Intanto madame Pilou niente, le ho mandato la traduzione e non mi ha risposto neanche questa volta, e allora buonanotte.

Come pranzo di Natale ci mangiamo praticamente solo agnolotti, e prima qualche antipasto tipo un piatto di salumi e i peperoni al forno con l'acciuga e l'aglio.

Durante il pranzo mamma e zia mi raccontano che gli uomini una volta li intingevano nel vino, gli agnolotti. Ad esempio nonno Bastiano lo faceva: ne infilzava uno per volta e giù nel bicchiere di barbera, che diventava a poco a poco tutto unto, cioè con gli occhi d'olio che galleggiano. Mentre me lo raccontano, mi viene da vomitare. Ma non so se è per il vino unto di nonno Bastiano. È che mio padre è da solo laggiù e noi non ci siamo andati e questo pensiero mi fa venire mal di stomaco.

Chiama prima del pranzo, ci dice di non preoccuparci per lui, che va a mangiare da nostra cugina Maria Beppa e poi vede, magari esce a farsi una partita a tressette o magari no, se ne va a dormire che è stanco, e ci ripete due volte di non preoccuparci che, in nome del Padre del Figlio e dello Spirito Santo, il Natale se ne sta già bell'e che andando e non ci dobbiamo pensare più.

Ma io ci penso sì, e non mi va tanto giù questa storia che adesso lui si fa il pranzo con la cugina Maria Beppa, che vive sola e io non l'ho mai capito perché vive sola e poi tra l'altro si mette sempre i vestiti stretti e, siccome è anche bella piena sul davanti e le si vede sempre tutto fin giù nella scollatura, non vorrei che adesso mio padre...

E penso anche a tutto quello che gli direi, che io qua non so se ci voglio stare, perché mi piace la Frullari ma io come il Seba non so se ci riesco a diventarlo però mi piacerebbe, e mi piacerebbe anche che mi crescesse la barba, invece ho quattro peli radi sul mento e inutile parlare di rasoio, me li tolgo con la pinzetta di mia madre. Però se fossi giù da mio padre, glielo chiederei sì il rasoio.

E insomma io tutto questo pensiero di mio padre lo tengo e lo tengo, ma poi non ce la faccio più e lo butto fuori: cioè vomito un po' degli agnolotti. Ma forse è per questa cosa orribile degli occhi d'olio nel vino. Allora zia Elsa si alza a tenermi la testa mentre vomito e mi dice:

«Sei proprio una barca nel bosco».

DUE

La cintura di pesce

È di nuovo settembre, ma le foglie quest'anno mi sembra che cadano meno, non quello sproposito di un anno fa. E il tram non lo prendo più alle sette, che era una vera esagerazione. Cosa arrivavo in anticipo a fare? Adesso il tram lo prendo alle sette e mezza, entro alle otto e cinque che la campana è già suonata, ma tanto nessuno dice niente e l'insegnante arriva sempre dopo di me.

Sono già in seconda. Voglio dire, ci ho messo nove mesi a decidere di chiedere a mia madre la cintura di pesce. È tanto, però adesso mi sento pronto e stasera gliela chiedo. Tutto merito della Lo Gatto.

In tutto questo tempo non ce l'ho fatta. Anche a sforzarmi, non mi venivano le parole: mam-ma-vor-rei-una-cin-tu-ra-di-pe-sce. Niente. Non lo so il perché. Me lo sono chiesto a lungo: perché?

Forse mi sembrava di essere un altro, se gliela chiedevo. Mia madre non mi conosce così. Lei conosce un altro figlio secondo me, voglio dire non un figlio che chiede una cintura di pesce. Un figlio così dovrebbe essere tutto diverso: avere altri capelli, altri occhi, muoversi in un altro modo... non so. Lei è abituata a me, come faccio a disabituarla? Con la Lo Gatto sì che ci sarei riuscito subito, ma lei non è mia madre.

Io vado molto d'accordo con questa Lo Gatto e vorrei fare proprio tutto come mi dice lei, solo che poi mi si forma nella testa l'immagine di mia madre, me la vedo con tutti i riccioli fuori posto e lei che se li tira quasi a volerseli strappare e urla: cosa ne devo fare di un figlio così, cosa ne devo fare! E allora io non riesco più a dire niente. È come se avessi due stanze nella testa: da una parte ci sta la Lo Gatto e dall'altra mia madre, che non si assomigliano proprio niente. A volte vorrei tornare a casa e vedere che a mia madre, per miracolo, è spuntata la faccia della Lo Gatto, oppure meglio ancora, è diventata lei. Mi piacerebbe la Lo Gatto come madre.

Sono tornato spesso da lei in tutti questi mesi: bastava segnarsi sul foglietto dell'Ora di Ascolto. Anche ieri ci sono andato. L'ho trovata tutta abbronzata e molto contenta di rivedermi. Per prima cosa mi ha chiesto cosa ho fatto di bello quest'estate e io le ho detto: ho viaggiato molto. Stop.

Non gliel'ho detto che i due mesi di vacanza li abbiamo passati sull'isola e io finalmente ho rivisto mio padre, sono andato tutti i giorni in barca con lui, però di parlargli non m'è venuto, anche se tante volte sono stato proprio lì sul punto di dirgli tutto e poi invece non gli ho detto niente, ad esempio che mi trovavo male e non volevo più farlo il liceo. Non le ho detto, alla Lo Gatto, che ho rivisto Giorgia, adesso lavora al ristorante Il Saraceno dove fanno la cernia arrosto più buona del mondo, quando mi ha visto è diventata rossa e mi ha chiesto: come stai, bene, e tu, niente, lavori qui, sì, e tu, la scuola, bene... Nemmeno le ho detto che ho scoperto che madame Pilou se n'è andata: ha lasciato la scuola e se n'è tornata al suo paese in Francia pieno di lavande, e buonanotte, il perché non l'ho capito, dicono che aveva raggiunto l'età della pensione ma io non ci credo perché non era così vecchia e poteva ancora continuare qualche anno, no? ecco perché non mi ha mai risposto, e io adesso dove la vado a cercare, accidenti a lei e anche al Fato, che Fato è mai questo, che prima ti scaraventa nella vita una madame Pilou e poi te la toglie... Ma non gliel'ho detto. Non le ho detto neanche che l'ultima sera prima di ripartire io ero già in pigiama e mio padre è venuto da me e mi ha dato un pacchetto, c'era dentro un rasoio, portatelo a Torino, mi ha detto, così ti fai la barba, non vedi quanta ne hai?

Non ho raccontato nessuna di queste cose alla Lo Gatto, perché come diavolo facevo a dirgliele, visto che lei di me non sa niente? Di mio padre per esempio le ho detto che fa il commerciante di vini ed è sempre in giro per il mondo, ma poi quando torna glielo faccio conoscere. Così, tanto per dire.

La seconda cosa che mi ha chiesto ieri è stata:

«Allora, l'hai poi trovata questa tua cintura di pesce?»

È da mesi che mi sta alle costole con questa storia. A gennaio subito dopo le vacanze mi aveva cercato in classe per chiedermelo se per Gesubambino l'avevo poi chiesta la cintura di pesce, e quando aveva saputo di no, stava quasi per arrabbiarsi. Di lì, ogni volta che sono andato da lei, giù una specie di interrogatorio: e quando te la compri, e quando gliela chiedi, e quando qui e quando lì. A un certo punto ho pensato: la vuole lei una cintura di pesce o cosa?

Comunque anche adesso non me la sono sentita di dirle la bugia. Così le ho detto la verità: no, non l'ho poi trovata la cintura di pesce. Lei ha scosso la testa a lungo. A lungo. Poi mi ha spiegato che è importante, che devo proprio sforzarmi, che se voglio ce la posso fare.

Dev'essere proprio una cosa importante per lei che io chieda a mia madre questa cintura di pesce. Molto importante.

E così stasera gliela chiedo. Prendo in mano la situazione, come si dice. Che sarà mai? è mia madre, e a una madre si può parlare sempre. Glielo chiedo dopo cena. Le dico:

«Mamma, tu pensi che una cintura di pesce mi distoglierebbe dagli studi?»

Mia madre sta preparando le polpette per domani. Per l'esattezza sta affondando le mani nella carne mista a parmigiano grattugiato, rosso d'uovo e un bel trito di prezzemolo.

Non le chiedo: mamma, mi compri una cintura di pesce? No, le chiedo: mamma, tu pensi che una cintura di pesce mi distoglierebbe dagli studi? Gran bella costruzione, complimenti: volendo strafare, potevo metterci una bella interrogativa retorica tipo: mamma, tu pensi forse che... O meglio: mamma, forse che tu pensi... E questo perché studio latino. Eh, eccome che il latino serve, caro mio professor De Gente. Me le ha insegnate Cicerone, queste cose. Quel gran figo di Cicero!

Però mi va buca. Mia madre smette di fare le polpette, solleva le mani intrise di quella melma rossobruna e mi guarda come se fossi un marziano. Non riesce nemmeno a chiedere cos'è, una cintura di pesce. E si rimette a fare polpette che Dio la manda.

Allora lascio passare qualche giorno, perché il tempo aiuta. Non devo mollare, e tutto questo benedetto coraggio io ce l'ho proprio per merito della mia amica Lo Gatto, è lei che me lo ha dato, perché se te lo dice una così che devi avere una cintura di pesce, una che a scuola fa l'Ora di Ascolto e ti ci manda la Preside in persona da lei, allora sì che la devi stare a sentire e se lei ti dice che tu la cintura di pesce la devi chiedere a tua madre, allora o ci riesci a chiedergliela oppure non sei nessuno.

Quest'altra volta mia madre sta cuocendo delle frittatine di non so cosa, mi pare di carciofi. Spegne il gas, si siede pulendosi le mani al grembiule e mi dice:

« Ma Gaspare, di pesce... puzza! »

Cosa a cui non avevo minimamente pensato.

« E poi cosa te ne fai di una cintura, hai quella di tuo padre e non la metti perché dici che le cinture a te ti tagliano la pancia... »

« Ma questa è di pesce, mamma! »

« E quella di tuo padre è di vitello, vuoi mettere il vitello con il pesce? »

Io non voglio mettere proprio niente. Cioè sì, voglio mettermi una cintura di pesce come quella del Seba. « Mai sentita una cosa così... » bofonchia tra sé mentre si alza e se ne torna dalle frittatine. In questo momento mi sembra più interessata a loro che a me, niente da fare, c'è più affetto tra lei e quelle quattro stupide frittate. Comunque poi mi chiede: e quanto costerebbe? E io non ho la minima idea di quanto costi una cintura di pesce. Mi invento una cifra, tenendomi piuttosto bassino, ma non serve, lei si mette a urlare e poi, disgrazia nera, si brucia anche con l'olio perché il momento di girare la frittata è il più delicato, ti può cadere tutto via oppure ti cola l'olio sul braccio. Mi ci ha fatto provare una volta, e mi son visto l'uovo ancora ben liquido che se ne andava giù tutto nel buco del lavello e spariva in un amen. È incredibile quanto sono scivolose le frittate.

Per fortuna non s'è fatta male, e mi chiede: si può sapere cosa te ne fai? E io domando di cosa, così, tanto per prendere tempo, e lei mi dice: di... quell'affare di pesce! E si vede che è arrabbiata viola.

Difficile rispondere. Io per me ne farei anche a meno, non è poi che la voglia a tutti i costi quella benedetta cintura di pesce. Cosa me ne importa? E poi è vero che odio le cinture: mi tagliano la pancia.

Ma... primo: l'ho promesso alla mia amica Lo Gatto.

Secondo: nessuno m'invita a giocare alla Play Station, e allora ho pensato che una cintura potrebbe aiutarmi. Se fosse di pesce. Infatti se nessuno m'invita mai a giocare alla Play Station, secondo me è solo perché non ho una cintura di pesce.

«Pensa a studiare che è meglio...» mi dice disponendo con amore le frittate sul vassoio, che sono venute proprio belle. Niente, gli vuole proprio bene a quelle sue frittatine. E poi mi aggiunge:

«Se lo sa tuo padre...»

Però stasera che è sabato e mio padre chiama, sento che gli dice:

«Tutto bene, Adriano. Il bambino sta bene. Sì, pensa solo a studiare. Sì, tutti bei voti, adesso te lo passo».

«Ciao papà, come va? Sì, benissimo. Il latino una meraviglia, vedessi che roba.»

Metto giù. Come sarebbe?

Guardo mia madre. Lei guarda me. Io credevo che glielo dicesse di questa storia della cintura di pesce e invece niente. Non so, non la capisco. Vorrei chiederle perché è stata zitta, ma non dico niente. E lei nemmeno, e allora va bene, ciao, stiamo zitti tutti.

Difficile. L'impresa si fa difficile.

Però secondo me non sta affatto andando male, anzi. Mi sembra stia andando decisamente bene: intanto, sono già due volte che affronto l'argomento, quindi è il segno che le cose si sono già messe a girare in un modo che non l'avrei mai detto, ed è tutto merito della mia amica Lo Gatto. Accidenti se funzionano le Ore di Ascolto, bisognerebbe metterle dappertutto, anche sui tram, nei bar, nelle piscine d'estate!

Infatti mia madre non mi ha detto in modo chiaro: no, non te la compro questa cintura di pesce. Quindi penso che devo agire. Che devo portarmi avanti. Cioè non devo perdere tempo, mentre aspetto che mi dica di sì. Perché lo sento che mi dirà di sì, lo sento.

Cerco di capire dove mai la vendano una cintura di pesce, e parto alla ricerca. Mi sento una specie di 007, come quando da bambino giocavo all'agente segreto e dovevo andare per il mondo a cercare una cosa importantissima, che se non la trovavo il pianeta scoppiava o qualcosa del genere.

Risultato: zero.

Inizio dalla mia zona e mi faccio praticamente tutti i negozi che possono c'entrare un po' con le cinture, tipo i negozi di borse e portafogli e i negozi di pantaloni. Entro, chiedo con bel garbo se hanno per caso da vendere una cintura di pesce. Mi guardano tutti come un povero scemo. Una commessa si mette anche quasi a urlare: Di pesce, che schifo!

Mi sento triste, ma anche felice: è buon segno che non ne abbiano mai sentito parlare, vuol dire che è davvero una rarità stratosferica. Però trovarla...

Mi faccio tutti i numeri delle pagine gialle, settore abbigliamento. Niente. Vado alla Standa, all'Upim, alla Rinascente e anche alle Gru, un posto lontanissimo in una specie di landa desolata fuori città. Niente. Sono disperato.

Non posso parlarne con nessuno in classe, perché se no addio sorpresa.

Però ieri che mi facevo la solita fila dei bagni e stavo rimirando gli anelli di fumo degli Spinellanti chiusi dentro, mi sono trovato accanto una ragazza non della mia classe, che mi pareva abbordabile. Le ho chiesto così di brutto se sapeva dove trovare una cintura di pesce. È diventata tutta rossa, ha detto: non so... Ma poi si è animata tutta, ha chiamato la sua amica Deborah, le ha alzato la maglia e mi ha fatto:

«Dici una cintura così?»

Aiuto. Vedevo davanti a me una cintura colorata lucida con le scaglie... ho pensato: sarà di pesce?

«È di pesce?» ho chiesto.

«Certo che è di pesce, se ti dico che è di pesce, è di pesce!» mi ha risposto questa Deborah. Un po' isterichina.

Allora ho detto sì, che pensavo una cintura così.

«Hai provato da Muffy and John's?»

«Ma non è un negozio di dischi?»

Sì, è un negozio di dischi ma sai, non si sa mai, mi hanno cantato le due in coro.

Sono corso da Muffy and John's. In effetti era un negozio di dischi, ma era pieno di altre robe pazzesche, tipo jeans semirotti, orecchini usati, una sparata di cinture di tutti i tipi possibili. Tranne che di pesce. Cinture di pesce niente.

Quattordicesimo giorno di scuola, stamattina succede una cosa pazzesca.

Mi faccio il solito latte caldo al buio.

Mi siedo a tavola e sopra la scodella mi trovo un pacchetto. Zia Elsa arriva quatta quatta con la sua camicia da notte di lana rosa: è l'unica cosa che ha di non nero, però, siccome è senza maniche, da sotto le escono tutte le bretelle di non so che cosa, nere. Si mette in piedi vicino al gas. Mi guarda serissima.

Apro il pacchetto e ci rimango di sale.

Mi ha regalato la cintura di pesce, non ci posso credere. E adesso è lì, più contenta lei di me, come se il regalo glielo avessi fatto io a lei.

«Si può sapere dove l'hai comprata, zia?»

«Eh...»

Non c'è verso, sorride fissa e basta. E questo lo sento che mi rimane: «il segreto di zia Elsa».

Appendo la mia nuova cintura a un chiodo sopra il divano, così stasera me la guardo prima di dormire. Non voglio mettermela subito perché, una cosa così, ho paura di sprecarla.

Ma poi non ce la faccio, oggi la metto, mi sento il padrone del mondo e credo che non me la toglierò mai più. È una bellissima cintura rossa. Di pelle di pesce. Non si capisce così bene che è di pesce, sembra di lucertola, ma io lo so di cos'è, e poi forse anche le lucertole una volta erano pesci, o comunque tra rettili e pesci c'è una certa affinità storica che ho anche studiato, ma ora non ricordo bene.

Ogni tanto glielo richiedo, a zia Elsa:

«Ma si può sapere dove l'hai comprata?»

«Eh...»

Non me lo dirà mai, lo so.

Mia madre da qualche tempo non ha più l'aria contenta, e anche il suo biondo cenere mi sembra un po' più spento, non so, le fa meno luce sul viso. Le chiedo cos'ha e lei mi risponde:

«Niente, ho il cattiv'umore».

Quando mia madre ha qualcosa che non va, dice che ha il cattiv'umore. Da bambino pensavo che il cattiv'umore fosse una cosa piccola e nera che le entrava dentro e lei non riusciva più a togliersela; allora me ne stavo da una parte senza parlarle e aspettavo che quella cosa le andasse via. Infatti a un certo punto le andava via e, quando poi le tornava il sorriso, basta, era finita.

Oggi mia madre ha avuto il cattiv'umore tutto il giorno. E stasera sono qui che studio sul divano e sento che in cucina viene spenta di colpo la tivù. Strano, perché è presto. Dev'essere stata mia madre, perché subito comincia a parlare:

«Elsa, ascoltami bene. Ci penso io a come tirarlo su quel ragazzo. So io cosa ci vuole. Non che adesso arrivi tu e gli compri tutto quello che vuole».

Pausa.

«Si può sapere cosa t'è venuto in mente di comprargliela 'sta cintura? E senza chiedermi prima! È figlio mio, non tuo! Tu... tu cosa ne sai, non ne hai di figli!»

Adesso c'è un silenzio lunghissimo. Poi risento la voce di mia madre:

«E non tirarmi fuori la storia che tanto tu hai la pensione! Non è per i soldi, santoddio! Lo vedi che non capisci niente? È quello che gli metti in testa, tutti 'sti grilli, la cintura e che ne so io!»

Sento che adesso cade a terra qualcosa di pesante, non so, una sedia? Poi mia madre sbraita delle parole in piemontese che non capisco bene, del tipo: e non tirarmi fuori il mare e la nostalgia adesso, tutte storie! Spiegami come fa, una stupida cintura, a ricordargli il mare solo perché è di pesce, ti rendi conto di cosa dici?

Qualcosa così. Poi sento mia madre che entra in bagno e sbatte forte la porta. Un attimo, e poi in cucina c'è di nuovo la tivù che va.

I genitori di Castagno Marco hanno un maneggio fuori città, con una specie di cascina-hotel; è un Centro di Relaxing Life per manager stressati. Pare che vengano da mezzo mondo per dimenticare il lavoro, i soldi, le mogli. Solo prati e cavalli, e verdurine alla brace la sera accanto al fuoco, in cerchio come tanti bravi boy scout. Un'idea geniale. Per divertirli, gli fanno anche dei corsi di polo che fa molto english.

Il mio compagno parla continuamente dei suoi genitori e del maneggio che si chiama Oasi Perduta. Chissà perché perduta. Hanno un'ottantina di cavalli. Castagno Marco li nomina uno per uno: Freccia, Tabacco, Nero Wolfe, Patata, Pistacchio, Fiordaliso.

Castagno Marco non è antipatico, anzi, è allegro contagioso, un po' gradasso semmai, ma pazienza. Siccome con il Seba mi sono messo il cuore abbastanza in pace, cioè che non diventeremo mai amici, mi sto ficcando in testa che almeno potrei farmi amico questo Castagno Marco che è amico del Seba.

Quindi gli mostro la cintura di pesce, nello spogliatoio della palestra dopo l'ora di ginnastica. Gliela mostro perché, pur mettendola da giorni, nessuno l'ha ancora vista; infatti il guaio delle cinture è che non si vedono. Cioè possono anche non vedersi mai, se tu ci porti la maglia sopra. Quindi mi alzo un po' su la maglia e gli dico:

« Hai visto? »

Fa solo un cenno col capo, come fanno i muli. Allora gli dico:

« Ti piace? »

Fa un altro cenno da mulo.

*

Secondo me, noi siamo poveri.

Castagno Marco ce l'ha da un pezzo la cintura di pesce. Se l'è comprata subito insieme al Seba, infatti è amico del Seba ed è anche lui molto ricco. Adesso però loro due non la mettono più, perché non va più bene, non ce l'ha più nessuno, di quelli giusti. Adesso quelli giusti hanno la cintura militare, quella color verdemarcio. Non certo la cintura di pesce. Ma io questo non lo sapevo. Non me n'ero accorto. Dovrei guardarle di più, certe cose. Se no, rimango indietro.

Io non ho mai pensato alla ricchezza e alla povertà fino a ora. Giù da noi non ti viene da pensare a queste cose: sei su un'isola, il mondo è un'altra cosa. Sull'isola è tutto chiaro: ognuno ha davanti il mare e ha in porto la sua barca. Stop. Sì, la barca può essere più grande o più piccola. Ma importa poco, perché il mare è sempre lo stesso. Solo quando arriva l'estate diventa importante quanto hai grossa e veloce la barca, perché porti più turisti e quindi fai più soldi. Ma poi passa. L'estate passa e si porta via tutta quella gente.

E poi a me sembrano tutti ricchi. Mamma dice che è perché chi non è ricco finge di esserlo. Allora non è così facile distinguere. Ad esempio i poveri, per non sembrare poveri, la comprano sì la Play Station ai figli, anzi, gliene comprano anche due, per strafare, e questi sarebbero i ricchi finti. I ricchi veri ne comprano solo una e possibilmente usata, molto usata, così sembrano poveri: e questi sarebbero i poveri finti. Cioè i ricchi veri. E allora come si fa a capirci qualcosa?

I poveri veri chissà dove sono andati a finire. Qui per esempio ci sono solo gli extracomunitari e a me viene da chiedermi se di semplici comunitari ce ne sono, o sono tutti extra. I comunitari poveri, ad esempio? Non so, io non li vedo.

Secondo me i poveri veri siamo noi. Perché io me la vorrei comprare sì la Play Station, così divento uguale agli altri. Ma mi dico anche: sei stupido? con tutti i sacrifici che facciamo!

I sacrifici però qui non si usano, sono cose da deficienti e infatti nessuno lo dice mai che fa i sacrifici. Invece secondo me i

80

poveri veri sono quelli che lo dicono ancora di fare dei sacrifici e non cercano di far finta che non li fanno.

Io fino a ora non ho mai saputo chi sono o chi non sono. Non pensavo che ci si dovesse porre il problema di chi siamo o non siamo, del nome che portiamo, di quanti soldi abbiamo. Qui al liceo invece la prima cosa che ti chiedono è cosa fanno i tuoi genitori. È lì che ci stai male come un cane. Io ad esempio cosa sono? Io sono uno fuori dal mondo: nessuno ha il padre pescatore, a Torino poi...

Per questo, quando mi son trovato la cintura di pesce sulla scodella, ci sono rimasto di sale.

Nonostante la cintura, continuano a non invitarmi a giocare alla Play Station. Comincio a pensare di essere un caso grave.

Per consolarmi mi leggo le *Odi* di Orazio, la sera prima di addormentarmi. Poi mi viene sonno, spengo la luce e come sempre prego quel mio strano Dio che non vuole aiutarmi.

Sentimi bene, Padre nostro che sei nei cieli, facciamo così: tu mi aiuti a pescarmi un po' di amici, neanche poi tanti, forse me ne basterebbe anche solo uno, forse. Uno straccio di amico tanto per fare due chiacchiere, cosa ti costa? Facciamo così: se mi fai questo piacere, io ti giuro che da grande in cambio ti costruisco un altare. E sia santificato il tuo nome e liberami dal male. E anche dall'odore di polpette, che non ne posso più. Amen.

Mentre aspetto che la preghiera faccia effetto, decido di comprarmi un paio di jeans stretti e anche una felpa. Perché non ci si deve mai arrendere, dice mio padre, anche di fronte al cattivo tempo.

I jeans mi fanno un po' male tanto sono stretti, ma non importa, mi abituerò. Tutti si abituano. La felpa me la prendo giusta: corta, bicolor e con la zip, cioè esattamente come ce l'hanno i miei compagni. Se no, se me la prendo diversa, cosa me la prendo a fare? La pago con i miei soldi, cioè quelli che mio padre mi ha dato il giorno prima che partissi: «così quando sei a Torino nella grande città, ti compri un regalo mio». Quindi non li chiedo a mia madre i soldi, ma non importa, le viene lo stesso il cattiv'umore e mi guarda storto. Quando a casa mi provo la felpa, mi dice:

«Ma non è troppo corta quella felpa? Non ti viene mal di pancia?»

Non capisce perché non voglia più mettere i maglioni di lana; ne ho due, tutti e due beige. Mia madre adora il beige, dice che sta bene con tutto e fa sempre fine.

Zia Elsa invece mi guarda senza parlare, grossa com'è se ne sta in piedi con la mano appoggiata al tavolo. Mi guarda uscire, rientrare, mangiare. Mi guarda mettermi qualsiasi cosa, la cintura, la felpa, i jeans stretti. Non dice niente, sembra perennemente in attesa. Un pescatore sul molo che aspetta il pesce.

Oggi decido di mettermi felpa e jeans nuovi. E nei jeans ci ficco la cintura di pesce rossa, un capolavoro. Quando entro in classe con una felpa così giusta, cioè così bicolor e corta che non mi arriva neanche alla pancia, così tra parentesi anche la cintura di pesce si vede proprio bene, io penso che tutti si alzeranno in piedi e mi diranno: accidenti Torrente, che felpa! Oppure: che cintura! Oppure: che jeans!

Invece niente.

Niente perché entro che il prof sta distribuendo i compiti di latino e i voti diciamo che vanno più o meno dall'1 al 4. A parte il mio 10, che non c'entra, perché i miei 10 ha detto De Gente che «non fanno testo».

Nell'intervallo mi metto in piedi praticamente sulla porta, ma nessuno neanche mi vede. Sembro invisibile. Mi passano a un palmo senza neanche accorgersi che esisto, altro che la mia felpa! Borbottano tra di loro, sono preoccupati, non sanno come fare a recuperare latino, e io mi sento inutile, uno che proprio cosa ci sta a fare qui.

Il Re delle Frasi

Siccome andiamo avanti sempre uguale e qualsiasi cosa io faccia o mi metta addosso è lo stesso, cioè non esisto; e siccome io di questo mi sono proprio stufato, mi viene un'idea, cioè me la faccio venire.

E l'idea è questa: potrei diventare quello che offre le frasi di latino a tutti.

Ne farei un po' di copie così, da distribuire in giro a chi ne ha bisogno. Potrei diventare il Re delle Frasi. Una specie di Robin Hood che ridistribuisce il maltolto. Come fa lui, che toglie ai ricchi per dare ai poveri.

Chi sarebbero poi i poveri e i ricchi in questa storia, anche qui lasciamo perdere. Cioè mi sa che il ricco sarei io e quindi toglierei a me stesso...

Masonti stamattina mi presenta come al solito la sua mano aperta larga, e io allora, invece di dargli il solito quaderno da copiare, provo a dirglielo:

«Senti, Masonti, perché non facciamo una cosa: ogni volta che c'è latino, prendiamo le mie frasi di compito, andiamo svelti a fare delle fotocopie, prima che suoni la campana delle otto, distribuiamo le fotocopie a tutti e così tutti hanno le frasi giuste, che ne dici?»

Masonti mi piazza due occhi spalancati davanti e ha proprio l'aria di chi non ha capito niente. Se lo deve far ripetere altre due volte quel che ho detto, poi se ne esce con un:

«Gaggio, Torrente! Gaggio secco!»

Cioè approva. Mi batte anche la mano sulla spalla, che a momenti mi fa cadere. Sì, approva, è molto contento e dice che possiamo andarci insieme a fare le fotocopie, anzi, ci troviamo otto meno dieci davanti al portone e appena apre schizziamo su dai bidelli, così siamo i primi alle fotocopiatrici e non ci fregano. Tutto questo me lo dice tormentandosi continuamente l'orecchia sinistra e io lo capisco perché: si è messo una saetta nella cartilagine e adesso gli prude o gli dà fastidio, non so. Tanto è pieno di questi come lui, che secondo me sarebbero i Saettati perché si saettano le orecchie con questa specie di frecce o fulmini o lance, qualcosa del genere, comunque adesso a scuola ce l'hanno in tanti.

Sono contento che la mia idea piaccia a uno come Masonti, cioè ci vado anche un po' fiero. Non che sia un'idea chissà cosa, però non è male: io ho solo pensato di fare un lavoro un po' più professionale, invece di passare il quaderno e i miei compagni giù a copiarsi le frasi come possono, che poi così all'ultimo non se le copiano mai bene e neanche mai tutte. Invece facciamo una cosa ben fatta. Così loro si prendono un po' di bei voti e recuperano, e si tolgono questa preoccupazione, e quando hanno recuperato basta, la smettiamo.

Cominciamo subito. Oggi otto meno dieci ci fiondiamo a fare le fotocopie e le distribuiamo sulla porta della classe. I compagni prendono i fogli guardandoci scombussolati, e meno male che c'è Masonti con me se no non ci capirebbero niente, invece lui gli dice:

« Ohé, visto all'extraterrestre cosa ci salta nella zucca? Visto l'extrafigo... Così vedi come ce la sfanghiamo con lui... »

E tutti fanno di sì con la testa, si acchiappano la fotocopia e ci battono un cinque, e lo battono anche a me.

Forniamo anche delle forbici, noi, e qualche tubetto di attaccatutto, così ognuno si ritaglia la fotocopia formato pagina e se la incolla giusta sul quaderno di latino. Un capolavoro. Siamo due molto gaggi, Masonti e io.

Il professor De Gente entra e interroga. Chiede una frase a ognuno ed è un trionfo: tutti hanno fatto le frasi e le dicono giuste. De Gente è molto soddisfatto, ma qualche sospetto lo deve avere perché ci dice: ma guarda guarda come siete diventati bravi...

Va avanti bene per due settimane. Tutti sono molto felici e io anche, perché adesso negli intervalli mi fermano e mi dicono: che bella cintura! Oppure anche: che bella felpa!

Solo Alessia Cipulli mi dice:

«Che razza di felpa ti sei preso che non ha nemmeno il cappuccio!»

Da quando me l'ha detto, non faccio altro che guardare le felpe degli altri, perché Alessia Cipulli è quella che ne sa di più di queste cose e infatti si veste superbene e poi è anche amica della Frullari, e allora mi accorgo che è vero, tutte le felpe corte e bicolor degli altri hanno anche il cappuccio, direi che c'è proprio un esercito di Incappucciati e solo io ho una felpa senza cappuccio, non so proprio come l'ho fatto un errore così, cioè di prendermi una felpa che poteva essere giusta e invece per un pelo, cioè per un cappuccio, non lo è. Comunque tanto adesso sono il Re delle Frasi, e anche senza cappuccio, va bene lo stesso.

Ma poi succede un disastro, tutto per colpa di Caritone che è sempre addormentato e per giunta è al primo banco. Niente, Caritone riceve come sempre la sua fotocopia, la ritaglia di grandezza pagina e l'appiccica sul quaderno. Solo che l'appiccica tutta storta e con le pieghe, le orecchie e un mucchio di adesivo che s'impiastriccia con la pagina davanti. Insomma, una porcheria mai vista, che bastava ci dicesse, a me o a Masonti, di aiutarlo ed era bell'e che fatta, invece niente. Così il professore se ne accorge, per forza e dice:

«Caritone, cos'è tutto quell'impiastro che hai sul quaderno?»

Così Caritone deve portargli a vedere il quaderno e lui capisce. Allora si alza, va in giro per i banchi e scopre che tutti hanno la fotocopia delle frasi incollata, e adesso è bello arrabbiato e si mette anche a urlare che l'abbiamo sempre preso in giro e cos'è questa storia e adesso o salta fuori il colpevole oppure...

Silenzio di gelo.

Lui nel gelo ripete la domanda:

«Allora si può sapere chi è stato?»

Io non muovo un pelo. Vorrei guardare Masonti cosa fa, che magari mi fa un segno di cosa devo fare io, ma niente, sto fermo attaccato al banco peggio che se mi avessero incatenato. Poi il prof dice che non ce ne andiamo di qua finché non viene fuori il colpevole. E siccome nessuno dice niente, allora fa chiamare la Preside.

Io quel cretino di Caritone lo strozzerei.

La Preside arriva con il suo vestitino grigio con tutta la fila dei bottoncini fino alle caviglie. Fa una specie di discorso alla classe, sull'onestà, la lealtà, la voglia di studiare, il futuro che ci aspetta, che noi saremo il mondo di domani, che su di noi... Poi chiude con una specie di minaccia, che se nessuno dice niente, allora...

Ma non conclude la frase.

Allora penso che cosa farebbe Robin Hood davanti alla mia Preside e non ho dubbi: mi alzo e dico « sono io ».

Non so se la Preside mi riconosce, però le esce un: Tu!? così pieno di sorpresa che credo di sì, che mi abbia proprio riconosciuto. Però non so, perché mi chiede:

« Come ti chiami? »

E io le dico il nome, e allora mi fa andare da lei alla cattedra, e anche De Gente è molto sorpreso e turbato e si vede benissimo che né lui né la Preside sanno bene cosa dire e cosa fare e io voglio proprio vedere adesso cosa mi dice la Preside.

Mi dice di uscire un momento in corridoio che mi deve parlare. In quel momento si alza Masonti, tutto sudato e mi sembra anche che balbetti e dice:

« Anch'io! »

De Gente gli chiede: anche tu cosa? E lui dice che anche lui è colpevole, e si alza dal banco e viene con me fuori in corridoio dalla Preside. Che amico!

La Preside ci dice che quello che abbiamo fatto è negativo, è molto negativo dice, non è per niente da ragazzi maturi, e non dobbiamo farlo una seconda volta, se no lei prenderà provvedimenti, adesso non li prende ma poi li prenderà.

Le promettiamo tutto per bene, e cioè che non lo faremo mai più.

Io la guardo con l'aria colpevole ma anche un po' fiera, e non lo so perché mi sento così fiero, ma è così. Diciamo che mi sento a posto, uno che per la prima volta è al posto giusto, non so. Vorrei dirle: ha visto come mi ha fatto bene l'Ora di Ascolto? è tutto merito suo, cioè veramente è merito della Lo Gatto, ma siccome è lei, Preside, che mi ci ha mandato dalla Lo Gatto, allora è anche molto merito suo e io non so se la dovrei persino ringraziare. Perché adesso li lascio copiare sì i compagni, e secondo me lei in questo momento non mi sta rimproverando davvero, fa solo finta. Cioè recita la sua parte di Preside, ma in realtà è molto contenta di me, che mi sono comportato male. Cioè, volevo dire che forse per lei mi sono comportato bene...

Quando rientriamo in classe alcuni compagni ci fanno persino l'applauso.

Non so se è per farsi perdonare, ma oggi Caritone mi si avvicina nell'intervallo, io sono fermo al mio solito termosifone, e mi dice:

«Se vuoi ti insegno a cammellare un po'. Ti manca, sai?»

Cose inaspettate che ti piombano lì gratis e tu non sai perché.

Non so assolutamente cosa voglia dire cammellare, ma lui è uno del branco e lo trovo fantastico che uno così voglia insegnarmi una cosa.

Mi porta in cortile in un angolo deserto e, senza che nessuno ci veda, m'insegna a cammellare. Si tratta di camminare curvi, lo sguardo a terra, spostando spalle e testa ritmicamente in avanti e all'indietro, e molleggiando anche con falcate decise. Una vera impresa. Ci metto un bel po', almeno una settimana, ma ci riesco. Non capisco cosa c'entrino i cammelli, ma arrivo a cammellare benissimo.

Cammello negli intervalli, su e giù per il corridoio. L'unica cosa che non va è l'avulso Furio che continua a fissarmi come se avesse visto un UFO e io vorrei dirgli di farsi gli affari suoi per piacere, ad esempio giocare con quelle sue biglie che si tiene sempre in tasca e di non stare lì a guardarmi come se io poi facessi chissà che: cammello, e allora?

Cammello anche in classe, ad esempio nell'ora di diritto. Tanto il prof di diritto non fa mai lezione: con lui vediamo solo film, porta certe sue videocassette tipo la serie di Perry Mason o roba legal thriller, l'importante è che sia attinente alla sua materia. Fa così in tutte le classi del liceo, e quindi è tutto uno spostare la tivù, opportunamente dotata di ruote, in lungo e in largo per i corridoi, di classe in classe. Quando vediamo uno che caracolla dietro al carrello della tivù, sappiamo che la sua classe sta per avere l'ora di diritto.

Al pomeriggio non mi va più tanto di starmene a studiare, chiuso nel retrobottega. Ma non ho voglia nemmeno di uscire, che tanto non so dove andare. Me ne resto spesso su, a far niente. Ore e ore di far niente, cioè guardo fuori, apro il frigo e mi sgranocchio una merendina, accendo la tivù e poi la spengo, mi chiudo un po' in bagno, mi lavo i denti, mi esamino i peli nuovi sul mento. Cose così. Poi mia madre alla sera mi dice:

« Cos'è adesso 'sta storia che non vieni più giù e te ne stai in casa a bamblinare? »

Quando mia madre vede che me ne sto senza far niente, mi dice sempre che bamblino e perdo tempo. Secondo lei, la cosa peggiore che uno può fare è perdere tempo. Me lo dice fin da quando ero piccolo, di non bamblinare. Ma allora io pensavo fosse «bambinare» e cioè che, siccome ero ancora bambino, lei mi diceva di non fare tanto il bambino.

Adesso comunque va un po' meglio, ho quattro cose giuste: i jeans stretti, la cintura, la felpa e la cammellata. E a me sembra già molto. Infatti cominciano a prendermi in una certa considerazione. Soprattutto le ragazze. L'altro giorno, all'uscita di scuola, Francesca Bindi ha fatto addirittura il tragitto fino al pullman con me. Mi sembrava che tutti ci guardassero. Non lo so se era proprio vero che ci guardavano, ma io mi sentivo fiero come un generale romano nel giorno del trionfo. Anche se a me non piace la Francesca Bindi, a me piace la Frullari.

Allora mi faccio coraggio e decido di invitare la Frullari a uscire con me.

Ma uscire dove?

Io non me la sento di dirle: senti, vuoi uscire? Perché uno dovrebbe anche saper dire per andare dove, e io invece non lo so, mica posso portarmela nel mio retrobottega. Allora mi viene un'idea che non è un granché, però sempre meglio di niente: invitarla a prendere un pezzo di focaccia quando usciamo di scuola all'una che io ho sempre la pancia lunga dalla fame, e nell'altro isolato c'è proprio una panetteria che fa la focaccia buona. A me questa sembra un'idea passabile, comunque è l'unica che mi viene, e allora le dico:

« Vuoi venire con me in panetteria? »

Mi risponde:

« Va be' ».

Tra l'andare in panetteria, fare la coda e accompagnarla alla fermata riesco a stare con lei quasi diciotto minuti. Torno a casa felice.

L'unico pensiero è: ma l'avrà saputo che io ho una cintura di pesce? Perché secondo me, se lo sapeva che io ho una cintura di pesce proprio come il Seba, allora forse non dico che s'innamorava di me, ma quasi. Quindi non era meglio mostrargliela? Ma in che modo? Stupidamente oggi avevo una t-shirt lunghissima e larghissima, di quelle che si usavano un millennio fa, e non è che uno, così come niente, possa alzare la maglietta e mostrare una cintura, in mezzo alla strada poi... Certo che se avessi messo una maglietta un po' più corta. Oppure se fossi come Enea... Anche lui nessuno lo ha visto bene quando è entrato a Cartagine, perché una nube lo avvolgeva, ma poi è arrivato un dio che gli ha squarciato la nube e lui è apparso tutto splendente e infatti Didone è lì che si è innamorata persa di lui. Io anche sono Enea. Un Enea con la cintura di pesce nascosta sotto la nube. Solo che da me non arriva nessun dio che me la squarcia, la nube.

Comunque tra i compagni, come fama, ne sto uscendo benissimo, cioè strabene. E anche tra i compagni delle altre classi, Stretti e Larghi non importa. Dopo l'evento della focaccia, mi hanno detto:

« Strafigo! »

E anche:

« Straserio! »

È un po' di mesi che si usa questo « stra » davanti a quasi tutte le parole. Si usa tra noi del branco, voglio dire.

Però forse non dicono sul serio, cioè ho come il dubbio che mi prendano un po' in giro. Un gruppetto ad esempio mi aspetta all'angolo:

« Te la sei inchiumata per bene quella là? » mi chiede uno di loro, le mani nei tasconi ciondoli delle brache.

Lo guardo inebetito. Non mi danno neanche il tempo di intuire il significato di quel verbo, che un altro già incalza:

«Vuol dire se te la sei poi sgroppata, inciufecata, cicciata insomma la tua punza, ti torna?»

Ho un bagliore mentale improvviso: punza! Eccola lì la parola che dice sempre Giumatti: voleva poi dire ragazza, ma certo.

Contemporaneamente un altro mi prende per la guancia e mi biascica:

«Svegliati, ostrica! Le sai almeno cipollare le punze o no?»

Capisco che sto entrando nel gruppo: mi rivolgono la parola! L'emozione è così intensa che mi sembra di non riuscire più a respirare. Il problema è solo che io quelle parole lì non le conosco, cipollare ad esempio cosa vorrà mai dire?

Decido che è ora di darmi una mossa e prendere le cose seriamente. Queste parole da branco le devo assolutamente imparare, almeno il maggior numero possibile, e per il resto farò finta di capire anche se non capisco un accidenti.

Mi rivolgo dunque a Masonti per un corso accelerato. Chiedo, e ottengo. Masonti, dopo la storia delle fotocopie di latino, mi adora perché anche lui ha fatto molti punti nella classe, non che lui ne avesse bisogno, però non fa mai male fare punti... È stragentile con me, dice che mi dedicherà una settimana buona di intervalli.

Ce ne andiamo a spasso per bagni e corridoi, come due fratelli; io pendo dalle sue labbra, letteralmente, visto che lui è alto e grosso il doppio di me. Mi metterei anche volentieri un anellino o anche una saetta nell'orecchio per diventare un Saettato un po' come lui, tanto gli sono grato.

Mi insegna parecchie espressioni complesse, tipo: «non mi sgretolare le palle», «ci stai dentro una cifra», «mi piaci un pacco», «quanto ci cacci che faccio ciuffo». Quest'ultima veramente si riferisce alla pallacanestro, ma può servire in tantissime occasioni generiche: «far ciuffo» significa far canestro senza toccare l'orlo metallico della rete, quindi far centro esatto, capito?

Mi insegna anche moltissime parolette isolate, da usare qua e là nella vita: stragaggio, troppo secco, paiùra (che sta, non so perché, per paura), sgavettato, scafare, sculo... Mi sembrano tutte molto utili, ma devo prima imparare a usarle nel modo giusto.

Soprattutto m'insegna la parola «sclerare». Dice che sclerato lo ficchi dove vuoi e fai sempre un figurone. Tipo un tuo amico dice che è stanco e non vuole uscire e tu gli fai: ma sei sclerato?! Oppure parli di tua madre che ti controlla sempre i compiti e dici: mia madre mi sclera!! Oppure vai a letto alle tre e ti alzi alle sette tutto pesto di sonno e quindi: se non sclero oggi, non so!

Ma a me quella che piace di più è «una cifra». Mi sta venendo di mettercela ovunque, quella parola. Tipo: mi piaci una cifra, mi sbatto una cifra, di pasta ne mangio una cifra, ci state una cifra... A volte la uso anche sbagliata, ma non importa. Come l'altro giorno prima del compito in classe, mi sono girato dietro e ho chiesto alla Bindi:

«Sballami quel foglio una cifra, gnocca!»

Non è stato un capolavoro, lo ammetto. Cioè ho voluto strafare. Volevo solo chiederle se mi dava un foglio protocollo. Però quando faccio così mi sento un dio.

In genere mi alleno in bagno davanti allo specchio: provo a fare certi discorsi tutto difilato con il linguaggio branchesco infarcito qua e là di rutti, parole in inglese, onomatopee cretine. Una cosa tipo: Fanta, che sballo! Gaggio se vai speedy... nooooo... caccia il piatto... vruuum-vruuum... Bashd!

In capo a una quindicina di giorni sono già in grado di sostenere un dialogo con il branco dai cinquantadue ai settantacinque secondi circa.

Solo con le parolacce va ancora piuttosto male, non faccio uno straccio di progresso e questo fa proprio arrabbiare il mio amico Masonti. Per quanto mi alleni, rimango inceppato. Un giorno mi esce un patetico «Cappio!», che fa ridere tutta la classe. Insomma non riesco a dire neanche un «vaffanculo», che sarebbe proprio il minimo.

Cerco di aiutarmi con un'espressione che sento dire spesso a zia Elsa. Quando c'è un sole sfolgorante e si crepa di caldo, ad esempio alle due del pomeriggio sul balcone, la zia dice:

«C'è un sole che spacca il culo ai passeri».

Quello riesco a dirlo, e quindi mi esercito a ripeterlo il più possibile. Anche adesso che è inverno e non c'è affatto un sole che spacca il culo ai passeri. L'unico problema è riuscire a non soffermarsi su quel che l'espressione vuol dire, se no quei passeri poi mi fanno pena.

L'altra cosa che fa arrabbiare Masonti è che io non ci ho ancora capito niente dei gruppi, secondo lui.

«Cos'è 'sta storia degli Spinellanti, Saettati e Incappucciati...?» mi dice.

Dice che sono una bestia e che lo sanno tutti come sono i gruppi, possibile che solo io? Allora mi porta dai suoi amici e insieme mi spiegano chi sono gli Alterna e i Cabina, per esempio. Gli Alterna si chiamano così perché sono alternativi. Chiedo alternativi a cosa. Mi rispondono che non importa, basta che ti senti diverso. Diverso, alternativo. Ad esempio ti metti i pantaloni larghi che ci navighi dentro, la catena dei lavori in corso e ti spinelli qualcosa in bagno ogni tanto: così ti senti diverso. Gli Stretti o Incappucciati invece sarebbero i Cabina, perché si trovano sempre davanti a una certa cabina telefonica in una zona ricca della città, ma adesso non più, però gli è rimasto il nome Cabina. O Cabinotti. E io mi chiedo cosa si può mai fare davanti a una cabina del telefono, ma credo niente tutto il giorno o si sta seduti sulle moto e basta. Comunque sarebbero quelli fighi e ricchi come il Seba e Castagno Marco, cioè come vorrei essere io, anche non ricco, non importa. Chiedo se i ricchi sono tutti Cabina perché mi sembra di sì, invece loro mi dicono che non è detto, che anche tra gli Alterna ci sono gli straricchi. Mi spiegano che a volte sono anche più ricchi dei Cabina, ma siccome pensano che nel mondo non ci dovrebbero essere i ricchi e i poveri, allora si vergognano di essere ricchi e diventano Alterna.

Trovo tutto molto complicato.

Chiedo a Masonti cos'è lui, perché non riesco a vedermelo bene cos'è. E tutti in coro scoppiando a ridere mi dicono:

«Lui è un Truzzo, non lo vedi?»

E lui non dice niente, ma mi sembra che ci sia rimasto un po' male. Quindi i Saettati sarebbero i Truzzi, ma non sono sicurissimo d'aver capito perché di saette ne ho viste anche ai Cabina, e di chiedere ancora, con Masonti qui davanti che non mi sembra così felice, non ne ho voglia. Non lo chiedo, ma me lo spiegano lo stesso: i Truzzi sono quelli che vorrebbero fare i Cabina ma non ci riescono, quelli che si mettono le cose dei Cabina quando ormai sono out e i Cabina non se le mettono più. Guardo Masonti che non dice niente. A me però Masonti piace com'è, a parte la saetta.

C'è un altro nostro compagno che non capisco proprio di che gruppo sia, e cioè Cartonzi Federico. Perché lui non è tanto come gli altri, ad esempio porta i pantaloni di velluto a coste, la camicia da uomo e mai una felpa, solo certi golfetti girocollo, ha i capelli corti con la riga da una parte, gli occhiali e ti sembra sempre che ti faccia un gran piacere quando per caso ti parla. Per non dire delle scarpe. Lui ha delle scarpe scamosciate alte con i lacci, che pare arrivino dall'Inghilterra e hanno anche un certo nome che adesso non mi ricordo. Mi dicono che lui non c'entra e forse è un Radical chic. Io di radicali so solo che esiste un partito politico e poi i radicali liberi, che ti vengono se mangi poca verdura o le cose fritte e bruciate, ed è un pericolo perché poi può anche venirti un tumore. Ma tutto questo non c'entra con Cartonzi Federico e quindi me ne sto zitto.

Comunque Masonti è una vera stella. Perché non solo mi insegna cose nuove, ma mi spiega anche cose vecchie che io non ho ancora capito. Tipo: cipollare una ragazza vuol dire toccare. Baccagliare una ragazza invece vuol dire corteggiarla. Io ad esempio avevo capito esattamente l'inverso e un giorno ho preso la Leporello amica della Frullari e le ho confidato che io la Frullari me la volevo cipollare un po'. Io intendevo corteggiare, che però si dice baccagliare, e così... La Frullari ha poi detto alla Lepo che lei non ci viene mai più a prendere la focaccia con me.

Mia madre mi becca che, non so perché, tornando da scuola sto cammellando più che mai. Lei è in ritardo, con tre borse della spesa, e poi una volta a casa mi dice:

«Mi sono proprio vergognata di te».

E me lo dice sminuzzando le patate per l'insalata russa. Ma è così nervosa che fa i pezzi troppo grossi, e allora poi si arrabbia e li riprende e li taglia così piccoli che si fa male anche alle dita.

«Mamma, dài...» Le spiego allegramente che faccio solo come gli altri. Mi chiede quali altri. I compagni, le dico. Niente, non mi fa parlare. Le è presa una furia di parole che le devono uscire a tutti i costi:

«Non me ne importa niente dei tuoi compagni, se loro sono stupidi devi fare anche tu lo stupido? E io che lavoro come una matta per un figlio stupido... Ma non ce l'hai un po' di orgoglio?»

Parola-schiaffo. Mi ricorda mio padre che il giorno della partenza mi saluta sul molo e mi dice: Sono orgoglioso di te.

Quando telefona mio padre, io non ci capisco più niente, perché mia madre, invece di dirgli della cammellata, gli fa:

«Gaspare? È bravissimo, pensa che oggi per strada avevo tre borse della spesa e mi è corso incontro per portarmele lui...»

La ragazza viola

Mi invitano a una festa, per Capodanno. Non so come sia potuta avvenire una cosa simile, ma comunque è successa. Dev'essere andata più o meno così, che un tale ha invitato un amico di Masonti, il quale ha invitato Masonti, il quale ha invitato me. Una cosa del genere.

Quindi io non ci voglio andare giù all'isola per le feste. Cioè, ci vorrei andare eccome, perché sarebbe il mio terzo ritorno e se me lo perdo devo aspettare fino a quest'estate, però per me adesso è troppo importante andare a una festa. Così imploro mia madre di lasciarmi qui. È un anno e tre mesi che aspetto una cosa così, e adesso non me la posso perdere. Tanto, l'isola sta ferma ed è sempre lì nel mare che mi aspetta, una festa invece va via come il vento e non l'acchiappi mai più.

Non lo capisce. Mi dice che non se la sarebbe mai aspettata una cosa così, che chissà mio padre come ci resta di avere un figlio tale e lei non sa neanche come dirglielo. Questo fatto di come dirglielo effettivamente mi sembra un problema.

«Digli che sono malato.»

Mi viene spontaneo, non so, mi sembra una buona soluzione. Invece mia madre si mette quasi a piangere. «Questo non è più mio figlio!» continua a dire con la testa tra le mani, e zia Elsa dietro di lei in piedi che le posa una mano sulla spalla e mi guarda come se mia madre l'avessi presa a coltellate. Scene apocalittiche.

Alla fine mia madre parte da sola, una mattina alle sei che fuori è buio e freddo. Io mi sono alzato per prepararle il caffè, ma poi niente, non le dico neanche una parola, perché cosa vuoi mai dire a una madre che se ne va da sola a rivedere la nostra isola e mio padre?

96

*

Questo tale che dà la festa si chiama Paolo Boni e abita in collina, e queste sono le due sole cose che so di lui.

In compenso conosco abbastanza bene la collina torinese, è uno strano fenomeno locale, che ho potuto analizzare grazie ai miei compagni, visto che abitano quasi tutti in collina e io per una ragione o per l'altra, ad esempio portare un libro o i compiti da copiare, almeno una decina di volte sono andato da loro.

Ogni volta dici: questa strada la so. E non è mai vero. Sembrano tutte uguali e sono centomila strade diverse, che s'inerpicano, curvano, discendono. Perché ti sembra una collina sola, quando la vedi dal centro, una parete verde compatta che fa da sfondo alla città, e invece no, sono tante colline diverse, incomunicabili tra loro, per cui se prendi una strada poi non puoi passare in un'altra. Ad esempio strada del Mainero, strada Valsalice, strada del Rigolino: sono tutte colline diverse, e sembrano tutte la stessa. Un impiastro.

Ma la cosa straordinaria sono le madri. Madri in fuoristrada, enormi pachidermi 4×4 adatti a un safari in Kenya, invece loro le usano per accompagnare i figli e gli amici dei figli. Madri gentili, che accompagnano i figli ovunque a qualsiasi ora, li vanno a portare e li vanno a riprendere. Feste, compleanni, pizzerie. Anche alle tre di notte davanti alla discoteca. Stanno lì fuori a rombare ferme, così se tengono il motore acceso, dentro l'auto si muore meno di freddo. Agili, sinuose come anguille, prendono ai settanta all'ora queste stradine strette di collina, curve, a saliscendi, cieche. E tu che ti aggrappi al sedile e preghi: dio non farlo, non fare che ci sbuchi un'altra macchina ti prego. E in effetti non sbuca mai, almeno finora quando ci sono io lì sopra ai pachidermi. Mai che succeda una frittata, forse esiste un dio della collina torinese.

Io non ce l'ho una madre che mi porta. E quindi vengo portato. Mi vergogno un po', io prenderei volentieri il pullman, ma non c'è sempre dappertutto sulla collina un pullman che ti porta, e quindi prendo i passaggi in auto, è colpa mia se loro abitano in questi posti intricati e invisibili? Sì perché non si vede mai niente: il bello della collina torinese sono tutte queste benedette ville che non vedi perché se ne stanno lì protette dai cancelli, muraglioni, allarmi, cani da guardia, servitori, cancellate in ferro battuto, videocitofoni. Tu non vedi niente. E sai che dietro si aprono saloni, prati, piscine, campi da calcio, padiglioni cinesi.

«C'è anche la piscina, zia» dico per informarla della festa di questo Paolo Boni.

«E cosa ve ne dovete fare di una piscina a Capodanno?» Risposta, razionale.

Per l'occasione mi compro un berrettino blu con la visiera. Mi serve per calarmelo sugli occhi, usa così tra noi Cabina.

Vado a questa festa che mi sento un re. Perfettamente incorporato. Cioè non escluso, non avulso: molto terrestre.

Ci vado con Masonti, attaccato a lui che sembro appiccicato con la colla. Arriviamo che ci sono già un'ottantina di persone e altre ottanta circa ne stanno arrivando. A un primo colpo d'occhio, così, mi accorgo che non conosco nessuno. Io. Masonti invece sì, e infatti sparisce subito e non lo vedo più.

Vago tra la gente, mando cenni di saluto più o meno al vuoto e bevo molte birre perché le mani non so proprio come tenerle, e una bottiglia in mano può servire. Alle undici me ne sono già fatte tre o quattro di birre e non so più cosa inventarmi. Continuo a vagolare. Intorno gente che si fa di canne e di vino, e si avviticchia. Una coppia è anche finita in piscina, sul fondo azzurro della piscina vuota, e lì si rotola. Mi sembrano due che lottano nella sabbia a ferragosto. Ecco cosa farcene di una piscina a Capodanno, devo dirlo a zia Elsa. Io, fosse per me, me ne andrei. Ma è la magica notte di Capodanno, vuoi mica perderti la magia. E poi chi mi fa uscire di qui, chissà in quale collina mi trovo, e in che pezzo del labirinto, e che madre mai avrà pietà di me e mi darà un passaggio.

Neanche l'ombra di una madre.

Ci fosse almeno la Frullari...

Mi sto assordando di musica fin dentro lo stomaco, anzi, me lo rivolterei come un guanto, lo stomaco, così mi tolgo tutto questo peso che m'ingombra dentro. Esco a prendere una boccata d'aria e di silenzio, saranno dieci gradi sotto zero. Ci sono le stelle.

Sul fondo turchese della piscina vuota brancolano decine di

corpi, avviticchiati a coppie. Sembrano enormi scarafaggi. Bella una festa in una «villa con piscina».

Rientro, e la musica mi riammazza il cervello. Mi sembra ci sia meno gente, ma è solo che si sono rintanati nelle stanze: vomitano, perlopiù. Si accasciano lungo i pavimenti e vomitano insieme, e tutto il vomito si unisce in un'unica brodaglia spessa, violacea. Mi chiamano con loro, sì, grazie, è un piacere... penso che vomiterò con voi, ragazzi.

E adesso sento i botti, le risate, le madonne e i cristi che si lanciano gli altri di là, per festeggiare. È mezzanotte, grazie mille di tutto. Buon anno. Vado in bagno. Intasato di gente. Aspetto.

È lì che mi raggiunge: una ragazza alta, magra come una canna di lago senza vento, cioè dritta. Ha una maglia viola dolcevita, le maniche fino alle unghie e la pancia scoperta; una gonna anche lei viola fino ai piedi, gli anfibi slacciati... Una ragazza viola, aiuto. Mi mette le braccia al collo, mi spinge contro il muro, del bagno. Sento le piastrelle fredde da sotto la felpa. Odio le donne con gli anfibi, mi fanno pensare alla guerra, alla fame, alle malattie, non so perché. Non voglio saperlo, il perché. Odio anche le piastrelle del bagno e tutta questa gente che ci passa quasi sopra per andare al cesso. Mi sento un cesso. Anche tu... come ti chiami, io no, non te lo dico, cosa mi tocchi, hai la mano fredda, mi baci, accidenti, il primo bacio, non lo voglio... Mi viene un fiotto dentro, aiuto, irresistibile, come faccio...

Non volevo, la sua maglia viola, mi spiace. Non volevo vomitarle addosso. Non volevo. Non voglio che sia lei la mia prima ragazza. Non voglio avere una ragazza viola, lunga, con le mani adunche, che non so neanche come si chiama, non ho capito il nome, io poi il viola lo odio...

Sono fuori da tre quarti d'ora. Tutti se ne stanno andando, con la moto, con l'auto, con qualcuno che li viene a prendere. Vedo qualche 4×4 ferma a rombare sul ciglio della strada. Sarà qualche madre gentile che viene a prendere il figlio. Alle cinque del mattino. Adesso mi faccio avanti. Non mi vedono, hanno fretta, hanno sonno, e io non ho voce, non ho forza. Mi incammino per la strada, buia, in discesa. Da qualche parte andrà. Non ci sono più le stelle, il cielo imbianca.

*

Quando arrivo a casa, mi lavo. Mi faccio una doccia infinita, lascio che l'acqua mi porti via lo schifo. Vorrei diluirmi, sparirci dentro quella doccia. Mi butto sul letto avvoltolato nell'accappatoio, marcio. Sento zia Elsa che lievemente russa. Mi piace sentire quando russa, mi dà sicurezza, mi sento come in una tana calda. Poi si alza, va in bagno, si veste. Viene da me, sorride: «Ma bravo che ti sei già lavato, alzati che ti preparo il latte».

Oasi Perduta

Dovrei smettere di andare bene di latino. Questo fatto mi stona con tutto il resto, non mi aiuta di certo.

Dovrei smettere di barricarmi nel mio retrobottega-studio e starmene per ore come uno scemo a tradurre Orazio. Va bene che non lo sa nessuno, però non si fa. Credo che mi faccia anche male.

Solo che non riesco a smettere. Sono sempre appiccicato a quel *Tu ne quaesieris Leuconoe*. Che bel nome Leuconoe: vuol dire «colei che ha la mente bianca». Anche a me piacerebbe conoscere una ragazza con la mente bianca, e scriverle: Tu non cercare di sapere quale fine gli dei ci abbiano dato... *Scire nefas*.

Scire nefas è bellissimo.

Ma è difficile, molto difficile. Soprattutto quel *nefas*. Vuol dire dieci cose e qui bisogna scegliere, quando ti metti a tradurre devi sempre scegliere la cosa migliore. Non è facile. E poi da *nefas* viene anche «nefasto», ma c'entrerà qualcosa? Posso dire: «o Leuconoe, è nefasto sapere»?

Allora capisco che non c'è niente da fare, tradurrò tutta la vita se vado avanti così, e non andrò mai male di latino. Ci penso per giorni a come uscirne, e finalmente mi viene un'idea geniale.

«Mamma, posso andare male almeno di una materia?» chiedo a mia madre.

Mi domanda se sono diventato matto. Credo che non abbia capito. Peccato, perché è proprio geniale quest'idea di andare a vincere da un'altra parte, anche perché poi è un'idea di papà.

Mio padre dice sempre che il mare non lo devi mai prendere di punta, se no vince lui. Non ti mettere contro, assecondalo, fai finta di dargli ragione e poi zac, lo freghi. Ad esempio se c'è vento e tu hai il mare contro, inutile che ci vai addosso come un carrarmato: il vento non ti fa passare e tu ti trovi le onde in barca. Invece se prendi il mare per obliquo, arrivi dove vuoi.

Spiego a mia madre che io adesso la voglio prendere per obliquo, la scuola: assecondo i miei 10 di latino, e invece vado male di un'altra materia; così arrivo lo stesso dove voglio, ma per obliquo. Semplice, no?

Mia madre adesso si siede, mette le mani giunte sulla tavola, mi pianta addosso due occhi di fuoco e mi dice:

«Sentimi bene, Gaspare. Io non lo so cosa ti passa per la testa. Io so solo che se non hai più voglia di studiare allora facciamo le valigie e ce ne torniamo giù e basta, ci mettiamo una bella pietra sopra, che io non ne posso più di stare qua e sono stanca morta, e se tu studi è un conto, ma se non studi allora parliamoci chiaro, e poi quel povero diavolo di tuo padre mi fai il santo piacere di lasciarlo stare, che figurati se te le ha insegnate lui tutte queste stupidate! E adesso fila a dormire che è meglio!»

Lascio passare qualche giorno. Io la capisco mia madre. Però capisco anche me: devo provarci anch'io ad andare male a scuola. Lo fanno tutti, e dev'essere perfino facile. Io dico solo un po', mica tanto. Chiedo solo una materia, una...

Ormai siamo verso la fine di febbraio, e oggi mi sembra la giornata buona: ho fatto niente tutto il pomeriggio, cioè saltellato qua e là in negozio, mangiucchiato qualche ciliegia di mozzarella e ascoltato musica nel retrobottega. Adesso andiamo su per cena, zia Elsa e mia madre che affettano carote e io in un angolo zitto, cupo, nero.

«Non hai fatto molto oggi, vero?» mi chiede mia madre.

«Già...»

«E hai bamblinato tutto il giorno...!»

«Già...»

«Non hai studiato niente...!»

«Già...»

Mia madre smette di affettare e mi guarda. Io guardo le carote. Dopo un po' mi chiede, secca:

«Si può sapere perché non hai studiato?»

« Perché nessuno studia scienze, mamma. »

È vero. Abbiamo una supplente di scienze, una biondina appena laureata che non sa niente e quando le facciamo una domanda, diventa tutta rossa e mette su uno slavato sorrisino di scuse, come a dire: e perché lo chiedete a me? Forse non le è ancora chiaro che lei è l'insegnante. Non è ancora entrata nella parte, capito? Non dev'essere così facile, soprattutto da giovani. Noi infatti non siamo per niente arrabbiati con lei, semplicemente nessuno studia, tranne la ranocchietta occhialuta del primo banco, cioè Mirandola Marcella che poi è davvero la secchia della classe.

« Bravo, così adesso prendi 5, è questo che vuoi? » mi dice imbufalita mia madre. Siccome io sto zitto, lei cerca vanamente rifugio in sua sorella:

« Elsa, di' qualcosa santocielo! »

Ma zia Elsa continua ad affettare imperterrita carote su carote, zitta.

« Gaspare, io cosa vuoi che ti dica... Non ti conosco più! Fai pure tutto come vuoi... Però voglio proprio vedere, se prendi 5... sei poi contento di prendere 5? »

Mi metto anch'io a tagliar carote. Ne faccio un bel mucchietto sul tavolo. Incredibile come tagliar carote aiuti a calmarsi.

No, non sono contento per niente di prendere 5. Mangio solo un piatto di minestra e una porzione di carote fritte, e me ne vado di là. Studio scienze tutta la notte, ma non basta; per prepararmi decentemente avrei dovuto cominciare a studiare almeno una settimana prima.

Prendo 5 della verifica.

« Contento? » mi chiede mia madre.

« No. »

E invece sì. Il 5 di scienze mi frutta un evento eccezionale: Castagno Marco mi invita alla sua Oasi Perduta. È fatta, ho trovato la strada.

Mi resta solo un problema: il piumino giallo polenta che mi ha comprato mia madre al mercato prima di partire e che secondo lei, bello gonfio com'è, mi teneva un gran caldo qui al nord. Grazie tante. E io adesso ci devo andare così all'Oasi Perduta?

Trovo il coraggio e chiedo a mia madre se non possiamo comprarmi ad esempio un giubbotto blu da vela come hanno tutti. Vuole sapere cosa me ne faccio di un giubbotto da vela, se mi sembra che siamo al mare o cosa. Vedo sulla sua faccia una specie di amara delusione, come di chi ti ha fatto un regalo che trova bellissimo e tu gli sputi sopra. Io sto sputando sopra il suo bellissimo piumino giallo polenta.

Le spiego che ci vuole qualcosa più... più da cavallo.

«Da cavallo?» mi chiede. «E un giubbotto da vela sarebbe più... da cavallo?»

Ammetto che mi sono incagliato, e dico:

«Volevo dire tipo una cosa sportiva».

«Ma poi scusa, devi proprio andare a cavallo, adesso?» mi dice.

Qualche ora dopo se ne viene di là con una giacca in mano. È la sua giacca primaverile di velluto a coste, dice che per l'occasione me la impresta. È in effetti una bella giacca sportiva, con quattro tasconi abbottonati. E per colmo di fortuna è anche blu.

«Ma è da donna!» esclamo sopraffatto dalla realtà.

Zia Elsa in un angolo mi fa degli strani segni come a dirmi «tu non ti preoccupare, ci penso io». E in effetti ci pensa lei: stacca i bottoni e li attacca dall'altra parte, ricucendo le asole. Da abbottonatura femminile ad abbottonatura maschile. Geniale. Così non ho più scampo. Questo fatidico pomeriggio, che mi ero prefigurato come il giorno del mio trionfo, esco conciato che mi sento una vecchia zia travestita da uomo. Per fortuna sotto mi sono messo la felpa nuova e quindi, appena arrivato, mi tolgo la giacca e me la appallottolo sotto il braccio in modo che si veda il meno possibile, così rimango in felpa.

Fa uno di quei freddi nebbiosi che secondo me ci sono solo qui a Torino ed è come se ti entrasse l'acqua dalla pelle e ti senti infradiciare anche l'anima.

Ci sono molti altri ragazzi, tutti amici del mio compagno Castagno Marco, e tutti amici tra di loro, si vede benissimo.

Io me ne sto poco lontano, le braccia conserte e le spalle rattrappite dal freddo. Gli altri, montano tutti a cavallo.

Una ragazza coi jeans verdi mi chiede perché non monto anch'io.

Già. Non monto perché nessuno mi ha detto di farlo. Secondo, io non son capace di andare a cavallo, e questa cosa Castagno Marco la sa benissimo. Perché mi ha invitato, per lasciarmi qui come un cretino a guardare lui che va a cavallo?

Non se lo ricorda nessuno che io sono il Re delle Frasi? Non vale niente questo?

Rimango due ore a guardare lui e i suoi amici impettiti sui loro cavalli fare infiniti giri dentro e fuori il recinto. Alcuni saltano anche gli ostacoli. La nebbia si taglia a fette, come una polenta. Come il giallo del piumino che mi sono evitato al pelo. Mi sento anch'io così: una specie di polenta smollenciata sfatta, che si sta sciogliendo sul tagliere. La ragazza sparisce al bar, se Dio vuole, e io mi ritrovo solo con me stesso.

Solo.

Cioè, non proprio solo: accanto a me c'è un cane. Per fortuna.

È un cane spelacchiato e lo hanno legato alla palizzata. Dev'essere il vecchio Polpetta. Lo accarezzo e mi salta addosso riempiendomi di leccate fin sul collo. È molto contento, lui, che io ci sia, davvero molto contento, direi un cane veramente felice!

Beato lui.

Alla fine Castagno Marco mi si avvicina e mi dice:

«Senti, noi andiamo tutti a casa del Bela, ci vieni?»

Accidenti, che botta! Quando dici, gli imprevisti della vita...

Mi sento il cuore a 100 all'ora, accidenti, invitato dal Bela! Il Bela è una specie di Seba al quadrato. Intanto è di terza e si chiama Belardi Filippo e poi... Poi non è che ne sappia molto di più, però è il massimo andare dal Bela.

Gli dico solo che non so come arrivarci, ma Castagno Marco mi fa capire che è ovvio, mi portano loro. Cioè un gruppetto di madri che accompagna tutti. Poi avrei anche il problema di non tornare troppo tardi a casa, ma questo non glielo dico, vedremo.

Dal Bela si gioca alla Play Station.

Che giornata! Invitato a casa del Bela, e a giocare alla Play Station. Proprio vero che i sogni si avverano.

Giochiamo per due ore e mezza alla Play Station. Cioè giochiamo a turno, perché tutti non ci stiamo davanti al video e poi i joystick sono pochi. Il gioco consiste nell'abbattere dei mostri che spuntano dalla terra e tu sei su una specie di astronave che sputa missili e devi stare attento ai meteoriti che ti arrivano di colpo e anche alla Valanga Verde, che sarebbe la saliva del Mostro Grrr...een con tre erre, che poi vorrebbe dire appunto Verrr...de, e ti può venire addosso in qualsiasi momento e allora sei fottuto, mi spiegano. Io prendo il joystick ed è la prima volta nella mia vita e non so tanto bene come fare. Comunque abbatto due mostri e per il resto mi becco tantissimi meteoriti e quindi, dopo l'ottava volta che vengo colpito, i compagni decidono che basta così e tocca a un altro. Io mi faccio il conto che più o meno avrò giocato diciassette secondi, ma comunque va benissimo perché non ne potevo più. E il resto delle due ore e mezza lo passo a guardare gli altri e ce ne sono alcuni proprio davvero bravini, che di mostri ne abbattono un macello, beati loro. Comunque dopo un po' mi stufo, anzi, veramente io sono stufo marcio e mi dico anche: sarebbe questa roba la famosa Play Station? E adesso finalmente ce ne andiamo. Io il Bela non lo saluto perché non me l'hanno neanche presentato e non sono sicurissimo di aver capito tanto chi è. Invece poi giù in strada Castagno Marco mi saluta e mi fa:

«Be', allora ciao».

«Ciao, e grazie» gli rispondo.

E quel «grazie» mi è proprio scappato. Non so come mi sia sgusciato fuori, e quando me ne accorgo è tardi. Ma grazie di cosa? Di cosa?

A casa sono tornato tardissimo che mia madre, dice, stava solo più per chiamare la polizia. E adesso comunque non mi sgrida neanche tanto, perché ho la febbre e il raffreddore, sto malissimo e mi ficco subito a letto. Ovvio, al maneggio sono stato due ore con la sola felpa. Che non arriva neanche alla vita. E poi in quella casa si crepava di caldo.

Zia Elsa sta in piedi al fondo del letto. Mi guarda. Lei mi guarda e basta. Ogni tanto mi chiede se voglio un po' di brodo. Io odio il brodo. Mi fa sentire malato.

Squilli, teschi e parolacce

L'onda è solo acqua che si muove, dice sempre mio padre. Ho sempre avuto un po' paura delle onde, soprattutto da bambino quando mio padre mi portava a pescare e io me le vedevo enormi davanti alla barca e mi dicevo: ecco, adesso ci sommergono e ciao. Allora papà mi spiegava che l'acqua si muove soltanto in alto e in basso e basta. Infatti è vero: nessuna onda ci ha mai sommerso, ci tirava su e poi ci rimetteva giù.

Quindi mi faccio coraggio, della serie nulla è perduto, e faccio il passo decisivo: chiedo al Seba se viene una volta con me in birreria.

Bang!

Così di brutto. Che sarà mai, mi dico, tutto questo terrore di parlare al Seba? Sarà mica Dio?

È una specie di sfida, di doppia sfida: andare per la prima volta in birreria, e andarci col Seba.

Lui mi squadra dalla punta dei capelli ai piedi, è pazzesco che abbia osato chiedergli una cosa simile. Comunque, storcendo leggermente la bocca, mi fa un cenno che io intendo come un sì.

Per l'occasione mi sono comprato un altro cappellino con la visiera, questa volta dei Bulls, nero con un toro rosso sul davanti, così, tanto per non andarci del tutto impreparato con il Seba, e me lo sono calcato sul naso fino a non vederci niente. Si fa così, e mi sento perfetto, «perfettamente appusto» direbbe Masonti.

Arrivo in anticipo all'appuntamento. Aspetto un'ora e tre quarti. Non ci voglio credere che il Seba non si faccia vivo, continuo a chiedermi se ho sbagliato il luogo, o il giorno o l'ora. Forse, mi dico, quando il Seba ha storto la bocca, non voleva dire di sì. Forse voleva dire che storceva la bocca e basta. Ma io sono nuovo al linguaggio dei segni, sono uno appena nato nel mondo dei branchi, cosa posso saperne?

La birra me la bevo da solo. E poi, visto che sono proprio solo e mi sento anche molto solo, me ne bevo altre tre, di birre. Accidenti, credevo di essermici abituato alle birre da quella maledetta festa di Capodanno e invece niente. Sarà che sono a digiuno, mi sento lo stomaco andarmi giù fino ai piedi. Vomiterei volentieri...

E infatti, vomito.

Così non prendo il tram, vado a piedi barcollando e torno a casa che danno già il telegiornale, e mamma e zia Elsa sono a tavola che si freddano la minestra col fiato, cucchiaio dopo cucchiaio, mute. Ma poi mia madre non ce la fa più e mi dice:

«Cosa diavolo ti sei messo sulla testa?»

Mi ero dimenticato di togliermelo, il cappellino dei Bulls con il toro.

Mi chiudo in bagno e mi rimetto a vomitare. Vomito più o meno tutta la notte, ma per fortuna nessuno se ne accorge perché vomito molto piano.

Decido di non studiare mai più e di comprarmi un Nokia 3210, con sei cover una diversa dall'altra, naturalmente.

Se non hai esattamente questo modello di cellulare, sei un perfetto cretino. O meglio, un coglione, come dicono gli altri. Gli altri che riescono a dirla, quella parola lì. E devi avere anche un bel set di cover. Cioè copertine di ricambio per il cellu. Il perché non lo so. So che si fa così e basta, e se non hai le cover di ricambio sei di nuovo un cretino. Cioè un coglione. Non so, ce ne sono di tigrate o metallizzate, o tutte blu con sopra disegnati degli spaventevoli fulmini gialli tipo film dell'orrore.

Il Nokia 3210 lo trovo usato, cioè me lo vende Castagno Marco che, dice lui, mi fa un buon prezzo perché siamo amici. Io mi chiedo perché me lo venda visto che è ancora nuovo, ma poi vengo a sapere che è per comprarsi il modello appena uscito che si chiama Nokia 3310 invece che Nokia 3210 e pare sia uno sballo, e chi rimane col Nokia 3210 è un povero sfigato, o coglione. Ma a me fa lo stesso, tanto poi, a pensarci bene, cambia solo un numero tra 3310 e 3210.

Sono tre mesi che mi metto da parte i soldi. Ho detto a mia madre che devo mangiarmi un panino al salame al giorno, se no a scuola svengo dalla fame, così lei mi dà i soldi e io non me lo compro il panino al salame, neanche mezzo, mai. Semplice, così adesso i soldi ce l'ho e mi prendo il Nokia vecchio di Castagno Marco. Lo pago lo stesso abbastanza; secondo me, Castagno Marco non mi fa affatto un buon prezzo, ma questo non glielo dico perché siamo amici, o almeno così dice lui e quindi va bene.

Imparo subito a mandare i messaggini con i disegnini, e anche a fare lo squillo. Fare lo squillo è bellissimo: fai il numero di chi vuoi chiamare e spegni al primo squillo, così l'altro legge sul display il numero di te che l'hai chiamato e sa che lo stai pensando. Fanno tutti così, per non spendere.

Mia madre non ci capisce niente.

« Ma se gli devi parlare a questi tuoi amici, allora telefonagli davvero! Cos'è questo fargli il numero e basta? »

Come spiegarglielo? Si è creato una sorta di Pensiero Squillante Collettivo nell'etere, un dirsi un continuo, martellante e sempre uguale « ti penso, ti penso, ti penso... » A me piace. Mi piace soprattutto ricevere gli squilli: mi piace sapere di essere pensato, mi sento meno solo. Non che così io possa dire di avere degli amici, questo no. Ho però dei numeri di telefono. Meglio che niente. Chiedo il numero a tutti, anche a ragazzi che vedo per la prima volta. Poi gli faccio uno squillo, così hanno anche loro il mio numero e io posso sperare che mi chiamino. Oppure gli mando uno small message, del tipo « Ciao, come va? », e aspetto la risposta. Che di solito è « Bene, ciao » oppure a volte « Tutto ok e tu? »

Un mondo meraviglioso.

Sto meravigliosamente socializzando.

Ormai passo le giornate così; libri se Dio vuole più niente. Soprattutto il latino non se ne parla, mi viene la nausea solo a pensarci e al diavolo anche Orazio che poi, con questa storia che lui era figlio di un liberto e se ne vantava pure, va' a sapere se era vero che se ne vantava e comunque lui è una cosa e io sono un'altra. Vivo col cellulare davanti agli occhi, aspettando squilli e messaggini. C'è anche una specie di gara tra di noi a chi riesce a mettersi in rubrica il maggior numero di numeri telefonici. Ma io sono ben lontano dal vincere, ho appena incominciato, c'è gente che squilla e messaggia da anni: i maghi del cellu.

Mia madre mi guarda quasi con le lacrime agli occhi. A volte scoppia e mi dice:

«Smettila con quell'affare!»

A volte mi sembra che si penta e quasi mi chieda scusa:

«Non ti chiama nessuno oggi?»

Osserva che batto all'infinito su questa microscopica tastierina, tutto il pomeriggio, tutta la sera. Allora dice a sua sorella:

«Elsa, non so. Devo fare qualcosa? Dimmelo tu...»

Zia Elsa invece è molto interessata a questo strano oggetto, e ammira la mia abilità. Non capisce come faccia a scrivere intere frasi usando un telefono. Mi chiede se c'è dentro una macchina da scrivere.

Io le insegno a usare i tasti, ma lei non impara neanche ad accendere e spegnere correttamente il telefono, figuriamoci inviare gli SMS! Una volta me lo manda in blocco perché ha inavvertitamente cancellato il codice PIN.

Sabato telefona mio padre e io sto messaggiando come un treno, seduto in cucina. Risponde mia madre, sento che gli dice:

«Gaspare in questo momento non c'è... è andato a comprarmi il pane».

Mette giù. Prepara la tavola. Mangiamo. Poi mi prende da una parte e mi dice:

«Senti Gaspare, io non lo so... vuoi andare a cavallo? Facciamo qualche sacrificio e ci vai, basta di non vederti più così tamburellare con quel coso».

Ci dà ancora più dentro con la gastronomia, che adesso va proprio a gonfie vele. Ha ormai una bella clientela, soprattutto per via delle polpette che spadella almeno tre volte al giorno. Mi dice che vuole raddoppiare la produzione e fare sei padellate al giorno, per mandarmi a lezione di cavallo. Vengono anche da lontano a comprare le polpette, e a volte c'è la coda fuori per averle appena fatte, croccanti.

Ci siamo trasformati in una specie di polpettificio a getto continuo. Lasciamo perdere l'odore. A me ormai sembra di vivere in un'immensa padella. Anche di notte, a volte mi sveglio unto, e ci metto un po' a capire che è solo una suggestione.

Mi compra una maglietta nuova, una polo a righe col colletto bianco, che secondo lei è «da cavallo». Cioè fa tanto equitazione. Me la fa trovare come regalo, «poi vedrai che verranno anche le lezioni», mi dice. Infatti ormai spadella come una matta, fino a tardi la notte, e io ho paura che poi, a forza di lavorare così tanto, alla fine si ammali e muoia. Allora mi sono inventato un rito: che alla sera, se riesco a stare sveglio e a dire il maggior numero possibile di preghiere, mia madre non morirà mai. Riesco a dire anche cinquanta avemarie, ma poi arriva sempre un punto in cui non ce la faccio più e mi addormento. E io spero che bastino le preghiere che dico, perché se no non so proprio come fare.

La polo a righe mi sta da cani. Anche perché io odio le righe. Sembro una ragazzina del collegio, e non ce l'ha nessuno una cosa così.

Ma come faccio a dire a mia madre che non è questione di andare o no a cavallo? Che cioè sì, è anche quello, ma la faccenda è molto più complicata. Complicata come, poi, io non lo so spiegare. So solo che ad esempio adesso non me li manda quasi più nessuno, i messaggini. E neanche gli squilli. Ma forse è perché te li mandano tutti subito, e poi più niente perché te li hanno già mandati e non è che uno possa continuare a mandarsi sempre per tutta la vita cose del tipo «ciao come stai e tu!»

Invece, strafigo, oggi mi chiama Salpinge sul telefonino, uno di 4ª D a cui devo restituire un CD. Non mi fa uno squillo né un messaggino, mi fa una vera telefonata.

«Allora, mi cachi questo CD delle palle?» mi dice.

Io dico sì. Poi lui parte in un racconto megastorico sui fatti suoi. Io non ci penso che sono nel retrobottega e che, se non ci sono clienti, mia madre può sentire tutto. E quindi siccome lui adesso mi parla dell'altra sera in discoteca, le pere, le gnocche e tutto il resto, e io non so cosa dire perché di cose così non ne ho neanche mezza da raccontargli, mi sembra bene almeno dargli qualche cenno d'intesa, tanto per essere all'altezza. E quindi intercalo:

«Minchia... minchia... minchia... minchia...»

Arriva mia madre con le mani nei capelli, intrise di gelatina. Le mani, dico. E questa volta è arrabbiata forte perché si scompiglia i ricci e ha gli occhi fuori dalle orbite. Deduco che ha sentito il mio intercalare. Difficile comunque spiegarle che volevo solo, appunto, intercalare.

Dice che quella parola lei non la vuole sentire mai, che non l'ha mai sentita nella sua famiglia e che adesso cosa succede, proprio con suo figlio doveva capitarle una cosa così. Le spiego che io devo dire quella parola:

«*Devo*, mamma, capisci?»

«No» mi risponde, arruffata.

Le spiego che la dicono tutti quella parola lì, e allora io cosa devo fare, il diverso? Ma lei fa di no con la testa tutta piena di ricci, dice che non vuole nemmeno stare ad ascoltarmi, che dico solo stupidaggini e che una parola così meridionale poi, proprio io che sono meridionale, almeno trovassi una parola piemontese..., dice.

E qui mi sforzo di farmela venire, una parola piemontese che stia per minchia. Ma davvero non so come si dica, forse in piemontese non esiste.

«E poi, sai almeno cosa vuol dire?» mi chiede. «No perché voi giovani parlate parlate e non sapete neanche cosa dite.»

«Certo che so cosa vuol dire, mamma, che domande mi fai?»

«Allora dillo, cosa vuol dire, dillo!»

«Ma ecco... è la... sì insomma, la farfalla, per farla breve la...»

Mia madre sgrana gli occhi, non so se vuole ridere o piangere:

«Vedi che non lo sai cosa vuol dire? Sei proprio un salame...»

Mi spiega che è proprio il contrario di quel che penso. Come sarebbe il contrario?

«Vuol dire... Sì insomma per farla breve... pisello» aggiunge, confusamente. Molto confusamente.

Come sarebbe pisello?

Che io debba imparare queste cose da mia madre... Mi sento morire. E poi... a me non suona che minchia sia pisello. È una questione di maschile e femminile, possibile che una cosa così tanto dei maschi si dica con una parola femminile, possibile un disordine del genere?

È quasi Pasqua, e potrei anche essere felice di questa aria primaverile.

Se non fosse che mia madre oggi mi aspetta al varco in cucina con l'aria nera. Cosa diavolo sarà successo?

Plumbee nuvole si addensano sul tavolo, sul gas, sul frigo, ovunque. E zia Elsa non c'è, non so, si sarà chiusa in camera. Dunque, neanche uno scoglio a cui appigliarmi.

La tempesta inizia: mia madre mi ha trovato il diario.

Imprevedibile disastro.

L'avevo tutto ricoperto di uno spesso strato di tempera nera, e al centro ci avevo dipinto un orribile teschio bianco con i denti da dracula che colano sangue. Non so perché l'ho fatto. Forse perché tutti pasticciano il diario, è da sfigati lasciarlo pulito. Non solo. Dentro, sul cartoncino interno, ho preso a inciderlo con le tacche dei giorni. Come il mio compagno di banco Giumatti, dal quale mi faccio prestare il trick per le unghie. Provo, da un po' di tempo, un immenso piacere a incidere la carne del mio diario: è un po' come ferire quei giorni di scuola, un po' come ucciderli.

Mentre mia madre piange, arriva zia Elsa. Per fortuna. Però ha l'aria più spaesata di me, è ovvio che non sa cosa dire. Le pende dalle mani un orribile gilet che mi sta facendo, con una serie di righe sul davanti modello arcobaleno. Mia madre allora le dice tra una lacrima e l'altra:

«Gliel'avevo comprato io, il diario, sai la cartoleria qua sotto... gli avevo scelto il più bello, con i fumetti di Lupo Alberto...

era tutto azzurro, che sembrava un cielo... e adesso guarda lì che roba... Elsa, cosa faccio adesso io? cosa faccio...»

E io, cosa faccio io? Non l'ho mai vista piangere, mia madre. Potessi farlo riaffiorare quell'azzurro del Lupo Alberto, cancellare quel nero... Ma è indelebile. Mi pare che quel nero sia dentro di me, e una parte è sgorgata fuori ed è finita tutta sul diario, ecco com'è la storia.

Forse dovrei poi andarlo a dire un giorno o l'altro, alla mia amica Lo Gatto, che adesso mia madre piange. E piange perché io la faccio piangere. Ma la vedo sempre così contenta di me, la Lo Gatto, quando passo nei corridoi mi saluta e mi fa un ok con la mano grosso come una casa. È così soddisfatta di me, di come sto venendo fuori, che adesso così su due piedi non vorrei darle un dispiacere...

E poi forse è giusto così. È giusto che i figli facciano un po' piangere le madri. Un po' dico, solo un po'...

E i padri?

I padri non sanno niente, per fortuna.

Ma se sapessero, piangerebbero i padri?

Io non lo voglio un padre che piange.

Ma non è finita.

L'altro ieri prendo un «impreparato» di francese, ma non lo dico a mia madre. La Cerutti aveva dato una delle solite schede da crocettare. E io non l'avevo crocettata. Mi becca e mi manda a posto in malo modo e io, a pochi passi dalla cattedra, bofonchio un:

«Grazie, strega!»

Non so perché. M'è venuto. Non credevo lo sentisse. Volevo fare il figo. Non lo so.

So che lei lo ha sentito benissimo, anche se poi ha fatto finta di niente e si è messa a scartabellare il registro. Strano: non avrebbe dovuto mandarmi dalla Preside per una cosa così? Ma forse lo sa che la Preside non mi farebbe niente, perché la Preside, qualunque cosa fai anche di tremendo, ti dice solo di non farlo più.

Tra i compagni è stato un vero trionfo, mi hanno accolto con applausi e striscioni. Nell'intervallo sono venuti a trovarmi anche dalle altre sezioni per complimentarsi.

Ormai sono un eroe. Sono quello che non solo è felicemente impreparato, ma dice anche «strega» all'insegnante. Un dio! Cioè, quasi un dio: diciamo che se le dicevo stronza invece che strega era meglio, ma... riuscirci!

Adesso entro ed esco da scuola a testa alta, con la certezza d'essere salito su un podio dal quale non scenderò mai più.

Però l'impreparato me lo becco sul diario. Cerco subito di cancellarlo col bianchetto meglio che posso, cioè male. Tanto male che mia madre lo scopre.

Scena pietosa. E anche sfiga.

Ma non è solo questo. È che nell'attimo in cui lo scopre, a me parte un imprevedibile e fulmineo:

«Cazzo!»

Non so come. M'è partito.

Finalmente!

E adesso?

Vuoto. Bianco. Apnea.

Un silenzio spaziale. Come quando apri il portello dell'aereo e ti devi buttare di sotto, col paracadute, e ti sembra che l'universo si sia fermato per aspettarti. Una cosa così, credo. Ecco, io mi sono appena buttato. Senza paracadute.

Questa, lo sento, è più grave della volta di minchia. Infatti mi arriva un ceffone megagalattico. Non mi fa niente male, però.

Ah ah... Mi viene da ridere.

Non mi fa male.

Che ridere.

Mai presa in vita mia, una sberla così.

Mai detta in vita mia, quella parola.

Non so come mi sia venuta.

Oh, e dire che ci ho provato per mesi e mai, mai una volta che mi sia riuscito. Mai. Mi deve venire proprio qui, davanti a mia madre?

Sì, proprio qui. Forse sono grande.

Forse mia madre ha perso.

*

Ma non è ancora tutto. Per colmo di disgrazia oggi è sabato. Un tiepido sabato di inizio aprile. Mio padre telefona tutti i sabati sera, puntuale come un orologio. Sente molto la nostra mancanza. È sabato, è sera, e quindi mio padre telefona. Sono chiuso in camera e sento le parole che mia madre gli dice:

«Non ti devi preoccupare, sai, lui sgobba tutto il pomeriggio e anche la notte, a volte lo trovo sui libri ancora tardi. No no, non gli manca niente, sta' tranquillo, è un tesoro».

Un tesoro...

Mia madre che gli dice sempre bugie. Mi viene da strapparle il telefono e urlare a mio padre che non è vero niente, che lui non sa, che qui è un inferno, che io sono... Cosa sono? Non so più se per amore è meglio dirgli la bugia o la verità. Non so più niente, cosa devo o non devo fare.

Bussano alla camera. È zia Elsa, le dico di entrare e questa volta, stranissimo, entra. Sempre con il gilet pendulo in mano. Si siede sull'orlo del divano e mi dice tutta contenta che domani è Santa Rita e mi porterà alla festa e mi comprerà la rosa benedetta, come mi aveva detto.

Non so più quando me l'aveva detto, quanto tempo è passato, mi sembra una vita. Adesso dovrei chiedere la grazia impossibile alla Santa degli Impossibili. Ma non mi viene niente, non so. Mi sembra tutto... troppo impossibile.

Vado in bagno a mettermi il pigiama e vorrei non uscire mai più da quel bagno. Mi rannicchio sul coperchio del water, la testa tra le ginocchia. Rimango così non so quanto. Quando mi alzo, mi sento intontito e stanco. Come se mi avessero picchiato.

Poi, improvvisamente, un lampo. Improvvisamente mi viene la soluzione di tutto, e mi risiedo sul coperchio. Lampo sul water, che roba!

È molto semplice, molto. Quasi banale. Si tratta di restituire il maltolto. Chiaro. Tanto, fra poco ci torniamo sull'isola, e quindi questa volta davvero gli parlo, a mio padre. Ce ne andiamo sul mare io e lui, e gli dico: «Senti papà, non è andata come volevi tu, mi spiace. Io adesso non sono più bravo a scuola, non so cosa dirti, è andata così, e allora grazie mille ma basta così, insomma io torno e vi restituisco tutti i soldi che fino adesso avete speso per me. Ecco».

Idea straseria! Perché mi sono veramente rotto, e adesso metto insieme tutto quel che posso, e glielo rendo. Così andiamo in pari e io mi libero da questo peso. Come dire: scusate, bocce ferme, non è successo niente. Avete speso tot? E io vi ridò tot! Chiuso. Amici come prima. Ad esempio potrei mettere un banchetto e vendere alla gente la mia collezione di conchiglie rare... Potrei venderle davanti alla scuola. No, davanti alla scuola proprio no. Davanti a casa meno che mai, mia madre mi prende a legnate. Davanti alla chiesa...

Davanti alla chiesa, ma certo! Domani è Santa Rita e ci sono i banchetti, centinaia di banchetti dove vendono le rose, le statuine, i portachiavi, i fazzoletti... Se mi ci metto anch'io, che male c'è? Mi porto uno sgabello, ci piazzo le scatole delle mie conchiglie e le vendo. Mi faccio una fortuna, nessuno vende conchiglie alla festa di Santa Rita... Sto lì anche tutto il giorno, poi alla sera torno con il gruzzolo e lo darò a mio padre e starò per sempre sull'isola con lui e non ci tornerò mai più a Torino, non prenderò mai più l'aliscafo...

L'aliscafo. Mi viene in mente un'altra cosa. Sempre così, di colpo. I soliti pensieri che mi attraversano. Questo è il pensiero di quando mi hanno premiato. Chissà perché mi viene in mente adesso, io non l'ho mica chiamato questo pensiero, cosa c'entra?

Fine della terza media, siamo stati convocati per la premiazione. Mio padre non ci credeva, si rigirava tra le mani la lettera della Cassa di Risparmio e non gli usciva mezza parola.

Mi premiavano perché ero risultato il primo di tutte le scuole medie del mio Comune. Quello con i voti migliori, insomma...

Mi convocavano per una tal domenica mattina al Teatro Comunale del nostro capoluogo. Mia madre tirò fuori il suo solito tailleur blu che teneva da parte per tutte le occasioni importanti. Ad esempio lo aveva messo per il battesimo di mio cugino Bob, il figlio di zio Gero, quello che si è sposato un'inglese. Era un bel tailleur di raso con tutta una ramata di fiori disegnati in rilievo, me lo ricordo. Molto elegante.

A me e a mio padre invece ci portò subito dal sarto e ci fece fare un vestito grigio per uno, gessato grigio scuro per mio padre, gessato grigio più chiaro per me. Era il mio primo vestito da uomo. Quel giorno salimmo sull'aliscafo che sembravamo i reali di Francia. Mio padre s'era messo anche l'impermeabile di quando da giovane andava a ballare, e ora sul molo gli si gonfiava di vento come una vela.

«C'è un pizzico di Ponente» diceva tastando l'aria col naso come fanno i cani. È stato il più bell'aliscafo della mia vita.

In quel teatro c'erano tante altre famiglie: le famiglie di tutti i primi della scuola, di tutti i Comuni della Provincia. Tutti vestiti eleganti. Nessuno con un vestito da uomo come il mio.

Ci fecero salire sul palco uno per uno, chiamandoci per nome; ci davano una busta con un assegno dentro e ci stringevano la mano dicendoci: complimenti. Mi sentivo fiero e spaventato. Mi sembrò che da grande sarei diventato non so cosa, minimo uno scienziato da Premio Nobel.

Quando tornammo a casa, sul molo c'era mezzo paese che guardava. Molti sorridevano, erano fieri di noi. E mio padre a casa prese l'assegno e mi disse:

«Questo te lo metto in banca, per quando studierai all'università».

Non so perché ora mi viene quel ricordo. Mi fa male come una puntura di vespa.

No, non mi metto davanti alla chiesa a vendere conchiglie, non lo posso fare questo a mio padre.

Esco dal bagno e vado a dormire, zitto.

La ragazza francese

Mio padre lo dice sempre: guarda che poi tutto all'improvviso cambia. Lui parla dei venti, ma secondo me può andare bene anche per la scuola.

Infatti finalmente oggi a scuola succede una cosa diversa, che io penso: speriamo che mi cambi un po' la vita.

Finisce l'intervallo e c'è l'ora di francese, la Cerbiatti entra in classe e si vede subito che entra in classe in un altro modo. Di solito entra piazzando sulla cattedra l'uovo del registratore e noi per un'ora lì ad ascoltare e a guardarle le gambe da cerbiatto.

Oggi invece, pazzesco, arriva senza il registratore.

Oggi la Cerutti, cioè la Cerbiatti, di audiocassette non ne ha neanche una. Rimane in piedi e ci guarda da insegnante che deve fare un annuncio stratosferico. Infatti si raschia un po' la voce e ci annuncia:

«Ragazzi, faremo gli scambi culturali».

Tutti i miei compagni si alzano mettendosi a urlare di gioia e anche lei mi sembra molto contenta perché non dice niente, ma ci lascia urlare e anche battere un cinque con le mani. Io invece rimango seduto perché non lo so cosa sono gli scambi culturali.

«Scemo, alzati!» mi scuote la Frullari.

Mi spiega che vuol dire che noi per un bel po' non facciamo più francese, perché vengono gli allievi di una scuola francese qui ospiti da noi e poi andiamo noi da loro. Uguale: quindici giorni di vacanza, più la settimana prima e la settimana dopo di ambientamento. Che farebbe un mese.

«Ambientamento?» le chiedo.

Sì, dice che vuol dire che prima dobbiamo abituarci a quel che verrà, e poi dobbiamo riabituarci a quel che c'era prima.

Adesso la Cerutti-Cerbiatti assegna a ognuno di noi il nome di chi ospiteremo. A me tocca: Corinne Dessalle.

Segno sul diario: Corinne Dessalle.

E la mia vita cambia.

Cioè lo sento che cambierà, me lo sento da pazzi perché adesso tutti hanno qualcuno da aspettare, e la cosa pazzesca è che ce l'ho anch'io proprio come tutti gli altri e quindi adesso sono uguale preciso ai miei compagni.

Torno a casa che mi credo di vivere a un miliardo di metri da terra. Lancio lo zaino nel solito angolo e dico esultante a mia madre:

«Facciamo gli scambi culturali!»

Risposta:

«E cosa sono?»

Spiego a mia madre che una ragazza francese verrà da noi una settimana.

«Ma la conosci?»

«No.»

«E allora cosa viene a fare?»

«A imparare l'italiano.»

«Ma tu non devi imparare il francese?»

«Appunto, poi vado io da lei in Francia.»

«Ah...» mi fa mia madre, impastando la pastafrolla per la crostata.

«È per imparare la lingua.»

«Ma non la impari già a scuola?»

Guardo mia madre che impasta e raccoglie a sé tutta la farina sparsa sul tavolo, così non ne rimane neanche uno sbaffo.

Io lo so che il problema è solo che mia madre sta facendo una crostata. Ma non è la crostata in sé: potrebbe anche fare i pomodori ripieni o le acciughe al verde; il problema è che mia madre, da quando ha questa benedetta gastronomia, o sta in negozio, oppure è a casa a impiastricciarsi in qualche impasto o brodaglia, e quindi io ho una madre perennemente impiastricciata, e come fa uno a spiegare gli scambi culturali a una madre impiastricciata?

«E quando verrebbe questa ragazza?» mi chiede, impastando ai cento all'ora.

«Aprile. Aprile dell'anno prossimo.»

Mia madre fa un sospiro di sollievo e le scappa un: Ah be', allora ce n'è di tempo.

In effetti sì, c'è un bel po' di tempo, quasi un anno. A me però non sembra così tanto, giusto il tempo per prepararsi. Cioè sì, è un po' lunga, ma per fortuna: così mi dura di più questo pensiero di aspettare una ragazza.

Mi piace molto avere questo pensiero, di una ragazza che arriverà da me, ma che adesso non c'è ancora e quindi è come se non esistesse. Cioè adesso non è ancora una ragazza, è solo un nome, ma va ancora meglio, così me la immagino come voglio e insomma non ho problemi.

Invece un problema ce l'ho. Io non ci ho pensato neanche un secondo, ma zia Elsa dice a mia madre:

«E dove la mette a dormire?»

Isola

Ad agosto torniamo finalmente giù.

Vorrei portare zia Elsa con noi, ma mia madre mi prende da una parte e mi spiega che la zia non si è mai mossa e le fa paura viaggiare, le verrebbe il batticuore.

Anche il secondo anno di scuola se Dio vuole è finito. Non è andata malissimo: sono riuscito a non avere il mio solito 10 di latino, ho preso 9; e anche delle altre materie ho solo 7, tutti 7. Tranne il 6 di scienze. Di scienze veramente avevo 5, ma ha ragione il Seba: il 5 te lo portano sempre a 6, e quindi va bene, direi che ho una pagella abbastanza decente, insomma da non farci brutta figura con i compagni. Non so, per dire: Mirandola Marcella la secchia ha la media dell'8, allora sì che uno può spararsi. Ma Mirandola Marcella è una secchia mica per niente.

Cartonzi ha rigorosamente tutti 6. Dice che i suoi genitori sono molto fieri di lui, dicono a tutti i loro amici che il figlio se l'è cavata egregiamente quest'anno, con risultati davvero dignitosissimi. Dicono così: dignitosissimi. Ora andranno in vacanza negli States e poi un breve giro in Canada per vedere le balene e infine un po' di bagni alle Seychelles.

Invece Masonti, Castagno e il Seba hanno tre debiti ciascuno, sembra si siano messi d'accordo. Masonti però è contento, per il fatto che tra i suoi debiti non c'è latino. Dice che lo deve a me, che sono un amico, e che lui con latino sulla groppa poteva anche suicidarsi. Dice che quando torniamo m'insegna ancora un sacco di parole gagge, tipo ad esempio se una ragazza è brutta, puoi dire che è una cozza oppure un cancello. Dice che mi spiega anche frasi più complesse, tipo: «l'hanno biffato che dragava nel water come un balcone fiorito». Biffato cosa? mi viene da chiedergli. Ma glielo chiederò a settembre.

Castagno andrà a studiare inglese in Irlanda. I suoi genitori gli hanno trovato un buon college e dicono che non c'è problema per i tre debiti: lì in Irlanda studierà moltissimo, e poi è l'inglese che conta, l'importante è dare ai propri figli una buona base d'inglese. Certo, facendo anche sport, che fa sempre bene: un po' di tennis, equitazione e golf, così per rilassarsi. Poi affitteranno un caicco con una ventina di amici per fare un giro delle isole turche; infine una settimana di riposo a Sharm-el-Sheik, con puntatina nel deserto e snorkeling tutto il giorno. Io snorkeling non so cosa sia, ma non importa, lo sento sempre dire in questi discorsi di vacanze, quindi dev'essere una cosa molto divertente e nello stesso tempo sportiva, non so, tipo trekking o footing.

Il Seba lo manderanno a lavorare quest'estate, mi pare a togliere patate da un contadino, così impara, dice sua madre. Io l'ho conosciuta sua madre, è una donna alta e magra, biondissima e sempre abbronzata, con soprabito smilzo di pelle nera, possibilmente. Possiede due alberghi a Venezia e alcuni palazzi a Roma, cioè è miliardaria. Ma dice che il figlio le cose se le deve guadagnare, ci mancherebbe che li riempiamo di soldi noi genitori. Ad esempio niente paghetta settimanale e niente felpe firmate. Infatti il Seba si compra tutto con i soldi che gli regala sua nonna, e anche con quelli che spilla ai compagni, perché tanto, non so come, a uno come lui i soldi glieli danno sempre tutti.

Mia madre invece non dice niente. Ha smesso di parlare di me, e anche alle clienti non racconta più niente di come vado a scuola. Dice che in un anno ha capito molte cose; ad esempio che a nessuna madre fa piacere sentire di una madre che ha il figlio che prende sempre 10 di latino mentre il proprio figlio non studia e pensa solo alle ragazze e ai motorini. Dice che vedeva le facce di queste madri, che poi erano le sue clienti, contorcersi per le smorfie. Soprattutto nessuna comprava più polpette e allora chi me lo fa fare? ha detto, adesso mi faccio furba. E io penso: finalmente, era ora.

Ma tanto io non lo prendo più 10 di latino. E forse lei è per questo che non ha più voglia di parlare di me.

*

124

Mio padre ci aspetta in porto, sulla Camilla. Lo vedo appena l'aliscafo si ferma, curvo sul motore che secondo me fa finta di mettere a posto, in realtà tiene d'occhio quando scendiamo. Poi ci viene incontro, e ci porta subito a casa. Lo trovo più gobbo, più magro. Ma non so, forse me lo ricordavo diverso.

Facciamo il giro dei parenti, a salutare. Andiamo anche dalla cugina Maria Beppa che appena ci vede allarga le sue belle braccia sode. Ha uno di quei suoi vestiti a fiori grandi colorati, bello spaccato sul petto che si vede tutto, e io spero che mio padre... Ma veramente lui non la guarda neanche, almeno adesso, poi si spera.

Tutti i giorni vado in barca con lui, come sempre. Però mi stufo anche un po'. Pesci, non ne prendiamo mai molti, qualche pesceto magro che poi ributtiamo in mare. E parole anche, non ne facciamo tante. Non gli dico niente, insomma. Lui aspetta che io gli racconti, lo vedo che è lì che aspetta. Ma io niente, non mi viene. Non so come dirglielo, tutto quello che gli devo dire. E così aspetto che lui mi chieda, ma lui non mi chiede niente.

Invece succede che una sera mia madre ci versa la pasta con le sarde e mi fa:

«Gaspare, glielo hai raccontato un po' della scuola a tuo padre?» e mentre me lo dice, ammicca come a un nostro segreto, tipo: guai se gli dici la verità, ti ammazzo.

E allora gli racconto tutto. Gli racconto che vado bene a scuola, che il latino mi piace da morire e tutti mi dicono che sono bravo, che il mio migliore amico si chiama Sebastiano che è un nome anche nostro di qui, ma noi in classe lo chiamiamo il Seba, è uno buono e generoso, che mi invita sempre a casa sua, anche a pranzo, e poi insieme facciamo le versioni e ce ne andiamo a passeggiare lungo il Po e ci beviamo una Coca in due, se ci va.

Mia madre accompagna tutto quello che dico, facendo di sì con la testa, come a dire: bravo, va bene così. Io l'ho capito che c'è una specie di patto segreto tra di noi: non gli diremo mai niente, a mio padre, mai, per tutta la vita.

Con i ragazzi dell'isola non gioco più. Si fanno avanti circospetti, mi salutano, mi chiedono come va a Torino, io racconto, li guardo. Hanno tutti il gel nei capelli, ossigenati. E le t-shirt senza maniche sui bicipiti gonfi. Chissà di che branco sono, non ne ho mai visti di così nel mio liceo. Anche loro guardano me. Vedono la mia cintura di pesce, la toccano, ridono:

«Ma cosa ti sei messo addosso? Una lucertola rossa?» mi dicono.

Stanno un po' e poi se ne vanno, spariscono per i vicoli e non mi dicono più, come una volta: vieni con noi. Tanto cosa importa, siamo cresciuti e non ci andiamo più a spaventare le vecchie per i vicoli, né a prendere i granchi con i piedi tra le alghe morte putride del porto.

Quando non ci lavora mio padre, prendo la Camilla e me ne vado da solo in mare. Ma non sottocosta dove ci stanno i turisti a rimpinzarsi di sole e di panini. Vado al largo, dove c'è solo il mare e me ne sto lì delle ore. Ogni tanto mi immergo con le pinne, vado giù fin che posso. È il mio modo di nascondermi dal mondo. La sera invece mi rintano in un anfratto del porto vecchio e guardo la luna. Vorrei tanto incontrare Giorgia, ma al Saraceno non l'ho vista e non ho osato chiedere a nessuno dov'è.

Però gliela posso ancora dire la verità, a mio padre. Ho solo rimandato un po', ma me ne restano ancora di giorni. Qui sul mare mi provo il discorso, lo provo anche dieci volte di seguito, e mi viene proprio bene, perché è tutto facile quando te ne stai da solo su una barca in mezzo al mare, che problemi hai? Nessuno. Lo so già anche a memoria, questo benedetto discorso. Credo proprio che uno di questi giorni glielo dirò tutto difilato.

Invece non glielo dico e l'estate passa, e mi sembra che io non ho fatto proprio niente, sono stato solo a guardare questa estate che passava.

L'ultima sera papà ci porta al ristorante. Per fare festa, dice. Ma abbiamo tutti il cuore sotto le ginocchia, altro che festa. Prendiamo la cernia arrosto. Mamma ride, ride persino troppo, si vede che vuole fare a tutti i costi quella che è contenta, con il suo bel biondo rifatto di fresco. È proprio bella la mia mamma, altro che Maria Beppa, e mio padre stasera se la mangia con gli occhi.

Mi dispiace che domani gliela porto via.

TRE

Felix ovvero la mia prima e-mail

A settembre, siccome fa bello, vengono tutti in motorino a scuola. E allora io per entrare mi trovo davanti una selva di motorini parcheggiati e ogni tanto m'intrappo nei manubri, specchietti e anche nelle ruote che sono sempre messe storte.

Anche il Seba ha un motorino. Rosso fiamma. E qualche volta ci porta la Frullari che gli si appiccica tutta dietro che sembra un francobollo. Non so se lui la porta perché abitano vicini o cosa. Io non vorrei che poi la Frullari si mettesse col Seba...

Comunque, adesso che comincio il triennio mi servirebbe abbastanza un motorino. Soprattutto per portarci le ragazze in collina. Ad esempio c'è un posto che è il Monte dei Cappuccini, tu ci arrivi, ti fermi davanti a un muretto, guardi giù e hai tutta Torino ai tuoi piedi. Una cosa così da far vedere a una ragazza sarebbe bellissima secondo me. Per esempio potrei portarci Corinne...

Solo che oggi la Cerbiatti me lo rovina questo pensiero di settembre e il motorino, perché entra in classe di nuovo con l'aria degli annunci importanti. E infatti ci annuncia che possiamo iniziare a scrivere ognuno con il proprio compagno francese, ovviamente via e-mail usando il computer.

Ovviamente.

Non è un problema perché il computer ce l'hanno tutti.

Ovviamente. Tutti tranne me.

Quando detta gli indirizzi di posta elettronica e io mi trascrivo quello di Corinne, mi viene il seguente quadro mentale: tutti che si scrivono e si mandano foto, musiche, messaggi, e io con il mio stupido indirizzo lì che non so cosa farmene... cosa faccio, me lo mangio?

Nel corridoio neanche a farlo apposta c'è l'avulso Furio.

Ovvio, vive attaccato al termosifone, lui... Non come me. Io ormai sono uno che va in giro negli intervalli. Lui invece non se n'è mai staccato da questo benedetto termosifone, mi fa anche un po' pena. Perché va benissimo che uno si attacchi al termosifone se siamo d'inverno e fa freddo e quindi il termosifone è acceso, così sembra normale che tu ti vuoi scaldare un po', ci posi le mani sopra e nessuno può dirti niente. Ma nei mesi caldi bel problema, tipo maggio e settembre. Lì non c'è uno straccio di riscaldamento e quindi si vede benissimo che fingi, che stai sul termosifone perché non sai dove altro stare. E adesso è settembre, appunto.

Oggi l'avulso Furio ha un'aria un po' speciale, tanto che io mi dico: speriamo non venga verso di me, mi ci manca solo lui, con tutto questo problema che ho adesso.

E invece sì, viene verso di me. Lo vedo staccarsi di colpo dal suo termosifone, ha l'aria da niente, ma tanto è chiaro sputato che si sta proprio lanciando sparato verso di me. Faccio finta di non vederlo, ma niente. Mi arriva a venti centimetri dal naso e mi spalanca davanti il palmo della mano:

«Quale preferisci?» mi chiede.

Mi vedo davanti una manata di biglie di vetro, di tutti i colori, grosse e piccole. Azzeccato! Erano davvero biglie quelle che si manovrava sempre nelle tasche. Ne scelgo una a caso:

«Questa».

«Va bene, allora gli farò gli occhi così.»

«Gli occhi a chi?» gli chiedo.

«A Lap.»

Guardo che non ci sia nessuno accanto. Bene, nessuno nel raggio di tre metri almeno, allora gli domando:

«E chi sarebbe questo Lap?»

«Un coniglio.»

Gli sgrano gli occhi addosso e allora mi spiega che lui fabbrica pelucchi, e che il lavoro che gli piace di più è trovare gli occhi ai suoi pelucchi. Naturalmente voleva dire peluche. Ha gli occhi grandi e scuri e porta degli occhiali enormi, questo avulso Furio, ed è più piccolo di me. Quindi è davvero molto piccolo.

E proprio a me mi doveva capitare una cosa così, cioè uno come lui!

130

Camminiamo a lungo per il corridoio, io zitto, le mani in tasca e gli occhi a terra, un po' discosto come se fosse per caso che facciamo la stessa strada. Lui invece parla, non la smette un attimo di parlare. Mi racconta che non è facile mettere gli occhi giusti, dipende tutto da che pelucco è. Mi dice: è incredibile come tutto dipenda dagli occhi, se sbagli occhi hai rovinato il pelucco perché lui non è più lui.

Questo Furio non mi sembra poi così tanto avulso.

Lui mi parla e io lo sto a sentire e vorrei proprio tanto dirglielo quanto sto male e cioè la storia che non ho il computer e quindi non so proprio come finirà con Corinne, ma ho paura che smetta di parlarmi e se ne vada, perché come si fa a parlare e magari anche diventare amico con uno che non ha il computer?

Non sentiamo neanche la campanella e arriviamo in ritardo ognuno nella sua classe.

«Con chi parlavi?» mi chiede il mio compagno di banco Giumatti.

«Ah niente... Nessuno.»

Lo dico a casa, del computer. Zia Elsa vorrebbe fare delle rate e comprarmelo, ma mia madre le ha detto: abbiamo già le rate dell'enciclopedia e pesiamo troppo su quel pover'uomo di suo padre. Secondo zia Elsa però mio padre sarebbe d'accordo. Il problema è trovare il coraggio di chiederglielo. Io non ce la faccio a dirgli: senti papà, mi piacerebbe tanto che venisse una ragazza francese qui da me, solo che per farla venire ci vuole un computer...

Consiglio di classe. Ci vanno tutti i genitori, cioè perlopiù le madri perché i padri perlopiù lavorano. Ci va anche la mia di madre, non so perché. Chiude la gastronomia, dice che ci tiene a conoscere gli insegnanti e vuole capirci qualcosa di questa mia scuola. E dei computer, aggiunge. Covo funesti presagi.

Prendiamo il tram, io lontano un metro e mezzo buono perché mi vergogno di fare il figlio accompagnato dalla mamma, e lei che mi ripete: perché non vieni qui che stiamo vicini? Mi sento addosso gli occhi di tutto il tram.

Ordine del giorno: situazione generale della classe, svolgimento dei programmi, criteri di valutazione, corsi di recupero.
Invece parlano delle «uscite». Cinema, musei, mostre e, se va bene, le gallerie di Pietro Micca. Serpeggia un moto di decisa soddisfazione tra i miei compagni; in effetti, fatto un rapido calcolo, appare chiaro che «usciremo» molto.

«Ma quando studiate?» mi bisbiglia mia madre. Gliel'avevo detto di non venire, che lei non è una madre preparata, non sa niente delle innovazioni didattiche, è ferma a un tempo da antidiluvio universale dove si stava in casa chini sui libri. Roba da trogloditi con i paraocchi.

Poi toccano l'argomento scambi culturali e vedo mia madre che si agita sulla sedia, stringe la mascella, si ravvia i capelli nervosamente, insomma l'argomento la prende, anzi, probabilmente è l'argomento che l'ha portata fin qui, adesso mi è abbastanza chiaro e, prima che io me ne renda conto e possa fare qualcosa per fermarla, alza la mano e interviene:

«Chiedo scusa, questi scambi culturali, ecco... chissà come sono poi questi ragazzi che verranno da noi, per carità tutti bravi ragazzi, ma mi chiedevo anche le famiglie, cioè quando i nostri figli andranno... ti può andare bene o anche male...»

Sta sudando. Sono seduto vicino e vedo il sudore che le cola impercettibile da sotto il ricciolo della tempia sinistra. Vorrei che non continuasse, che soccombesse annegando nel sudore. Continua:

«Certo una volta..., cioè mi chiedevo se la gita, dico la gita scolastica quella che si faceva... Non so, potrebbero andare a Parigi, mio figlio per esempio non l'ha vista Parigi... Perché il computer certo, il computer è una cosa che bisogna avere, oramai oggi... ma mi chiedevo se per imparare il francese...»

Non finisce il discorso. Ma signora cosa dice, ma gli scambi culturali, ma ci sembra un'occasione da non perdere, ma è un'esperienza, una crescita, un'apertura mentale...

Aiuto, che raffica. Mia madre ha tutti i genitori contro. Gentili, ma contro. Diciamo gentilmente contro. Soprattutto per questa storia dell'esperienza, è la parola che dicono di più. Ho tenuto il conto, l'ho sentita esattamente sedici volte: tutto fa esperienza, anche le esperienze brutte contano, è sempre

132

un'esperienza, è importante che i figli nella vita facciano esperienza...

Riprendiamo il tram, muti. Lei offesa perché io non ho capito che lei lo fa per il mio bene. E io... be', lasciamo stare.

Invece colpo di scena. La Cerutti cioè Cerbiatti chiama alla cattedra me e Cartonzi Federico e dice a lui che, siccome io non ho il computer, lui potrebbe farmi andare a casa sua ogni tanto per usare il suo. Lui dice sì. Io mi sento risucchiare le viscere dal pavimento. Ma non basta. Si alza la secchia Mirandola Marcella e dice stridula: Mi scusi, professoressa, ma ci sarebbe anche la sala computer per chi non ha il computer...

E soffocarla nella culla?

«Ma no, ti ringrazio, Mirandola, ma sai» risponde la Cerbiatti, «fa molto più socializzante se vi trovate tra compagni il pomeriggio.» Grazie. Vorrei trovare chi l'ha spifferato alla Cerbiatti che io non ho il computer. Credo sia il momento più brutto della mia vita, almeno scolastica.

Poi vengo a sapere com'è andata veramente la faccenda: mia zia è andata a parlare alla Cerbiatti. Non ci posso credere! Notare che zia Elsa non esce mai di casa, a parte a mezzogiorno per la spesa e il sabato sera per andare a messa a Santa Rita. «Visto che tua madre non ha ottenuto niente con questi computer...» mi ha poi spiegato. Quindi ha preso addirittura il tram, e sono sicuro che si è messa anche il suo orologino «mega» al polso. Ha trovato il mio liceo, si è fatta chiamare la Cerbiatti, che non era neanche nella sua ora di ricevimento e soprattutto non si chiama Cerbiatti, e quindi la bidella le ha detto: Signora, qui non c'è nessuna Cerbiatti... E tre ore per capire che la Cerbiatti in realtà è la Cerutti, bella figura che mi ha fatto fare, e poi finalmente ha ottenuto di parlarle e le ha spiegato che siamo tutti felici degli scambi culturali, che sono tanto una buona cosa e anche mio padre dall'isola manda a dire che è contento, però io non ho il computer e quindi trovi lei, che è l'insegnante, una soluzione. Capito?

Non so, mi turba questa mia zia Elsa che sembra un parallelepipedo inerte e poi invece se ne va per il mondo ed è anche l'unica che risolve i problemi, ad esempio ti trova la cintura di pesce, ecco, non la capisco questa sua seconda vita, è un po' come avere un agente segreto in casa. Vestito da vecchia zia.

Comincio ad andare da Cartonzi una volta alla settimana, il mercoledì dopo ginnastica.

Cartonzi abita in corso Duca degli Abruzzi, al secondo piano. Di sotto si vedono le chiome enormi dei platani del controviale. Suo padre è avvocato e sua madre pediatra. In casa loro si parla sempre piano, e si mettono i pattini per non rigare la cera dei pavimenti: è una famiglia ovattata.

Anch'io appena entro devo mettermi quei due rettangoli di feltro sotto i piedi e pattinare per la casa come fosse un lago ghiacciato. «Sai, questa è una casa di professionisti» mi ha detto la madre una volta che il telefono aveva suonato e nessuno di casa andava a rispondere, allora ci ero andato io e avevo detto: «Pronto?» Cos'altro dovevo dire? Uno va al telefono, alza e dice: «Pronto», no? Chiedevano di parlare con il padre del mio compagno e io allora, visto che il padre non era in casa, avevo detto: «No, non c'è», giusto? Invece è arrivata mamma Cartonzi che mi ha preso da una parte, mi ha portato in salotto, è semiaffondata nella poltrona di velluto blu zucchero, mi ha invitato a sedermi, e quando sono stato bene seduto, ha accavallato le gambe che si vedeva mezza coscia, si è accesa una sigaretta e mi ha detto:

«Scusa caro, so che sei nuovo di qui, ma se per caso succedesse ancora che vai tu a rispondere al telefono, per favore devi dire: 'Pronto, casa Cartonzi' e poi 'No, l'avvocato non c'è'. Devi dire: l'avvocato, hai capito bene?»

E siccome io la guardavo inebetito, è lì che mi ha proferito la frase:

«Sai, questa è una casa di professionisti».

Era la prima volta che sentivo pronunciare la parola «professionisti», l'avevo sempre solo letta sui giornali, tipo «Professionista ucciso a coltellate in un vicolo», «Stimato professionista vittima di un ricatto», cose così. Infatti credevo non esistes-

134

se nella vita reale la parola professionista, e quella volta mi ha fatto un po' ridere e un po' pena.

Comunque Cartonzi è figlio di professionisti, ed è un ragazzo lungo e smilzo che cammina un po' gobbo, porta sempre quei suoi vestiti radicali o come diavolo si dicono, tipo la polo bianca o al massimo azzurrina, e ha la erre moscia. Gentile. Freddo e gentile.

Quando me ne vado, gli dico sempre «grazie», non riesco a non dirlo perché mi sembra mi faccia un piacere enorme a invitarmi per il computer, e lui mi risponde sempre: «niente».

Ci sto circa due ore a casa di Cartonzi. All'inizio mi insegnava a usare Windows, Internet e Outlook Express. Adesso invece mi apre solo il computer, sta i primi cinque minuti in piedi dietro di me a vedere che tutto funzioni e poi per fortuna sparisce, perché io non oserei mai scrivere a Corinne con lui dietro le spalle come un brutto corvo.

Non mi sta simpatico Cartonzi. E neanche i platani del suo controviale.

Dobbiamo fare la scheda di autopresentazione, dice la Cerbiatti.

Nome, indirizzo, età, ritratto fisico, studi, hobby, lavoro dei genitori, musica preferita, libri, film, cibi... Così, dice, mandando e-mail ai nostri compagni francesi, impareremo la lingua.

Mi sembra giusto.

Ci penso per giorni e giorni a come farla. C'è qualcosa che devo risolvere, anzi, parecchie cosucce, tipo nome e cognome per esempio. Ci rifletto molto. E poi scrivo:

> *Mi chiamo Felix Torrent.*
> *Sono nato a Torino, ma la mia famiglia è di origine francese.*
> *Mio padre è un professionista ingegnere, ha una ditta di cosmetici ed è sempre in giro per il mondo.*
> *Mia madre dà lezioni private di latino.*

Una volta eravamo andati in gita in un posto molto turistico sulla costa. A spiaggia vicino a noi c'era una famiglia tedesca con un figlio biondo di nome Felix. Mi parve bellissimo quel nome. Forse perché avrei tanto voluto essere anch'io biondo. Alto e biondo. Invece sono scuro e medio.

E adesso questo Felix m'è tornato in mente per l'e-mail a Corinne. Mi sembra meglio chiamarmi Felix. E di cognome Torrent. Perché ci vuole un cognome francese, se uno è di origine francese, no? E poi io adesso non mi sento più Gaspare Torrente, e quindi basta.

Mi sembrano meglio anche tanti altri dettagli, così li ho sistemati un po', come per esempio il lavoro dei miei, le origini e come sono fatto, dico di fuori e anche un po' di dentro.

Continuo:

Sono alto 1,86, biondo con i riccioli (pochi).
Mi piace il calcio, la Play Station e le tette.

No, le tette no. M'è scappato, ma poi non l'ho scritto. L'ho pensato ma non l'ho scritto, lo giuro.

Mi piace il calcio, la Play Station e la Nutella.

Traduco in francese e spedisco. Poi torno a casa fischiettando e dico a mia madre, che sta strofinando le padelle per le polpette:
«Da oggi mi chiamo Felix».
Sbagliato. Sbagliato a dirglielo. Mi fa: ma cosa sono 'ste storie, e continua a strofinar padelle.

Oggi ricevo l'e-mail di Corinne. Con il titolo: autopresentazione a Felix. Mi dice che è piccola e magra, ha «un casco di capelli neri con frangione», le piace il mare, la birra e la panna montata.

Da adesso in poi vivrò immaginandomi un frangione nero sugli occhi con sfondo turchese mare e due coni di panna che si avvicinano tra loro, il suo e il mio...

Anche a me piace la panna.

Solo la birra non so bene dove metterla. Secondo me non c'entra.

136

I *tubi del riscaldamento*

Oggi torno a casa e di colpo vedo i tubi. Accidenti, non li avevo mai visti.

Infiniti tubi che escono dai muri e salgono, scendono, tranciano praticamente tutte le pareti. Partono dai termosifoni e zac, camminano in tutte le stanze, una specie di foresta rampicante.

Un disastro, questa casa è piena di tubi. E adesso come faccio con Corinne?

Cioè: come fa una ragazza francese che si chiama Corinne, come fa a venire a vivere in una casa così, con i tubi di fuori?

Chiedo subito a mia madre se li possiamo togliere. Non mi sembra una domanda chissà cosa, invece lei diventa una furia: «Secondo te la gente se li toglie i tubi del riscaldamento?»

Ho solo scelto il momento sbagliato: sta girando la besciamella, ed è quando sta per arrivare il bollore e devi stare all'occhio che non cuocia troppo se no impazzisce. A me piacciono molto i cibi che possono impazzire, come la besciamella o anche per esempio la maionese: me li sento vicini, più umani, ci devi stare attento insomma, non come l'arrosto o la peperonata che non gli succede mai niente, al massimo bruciano.

Anche in bagno è un disastro, perché ad esempio sulle piastrelle ci sono delle decalcomanie di farfalle che ha appiccicato zia Elsa per noi, cioè per me; la sera che siamo arrivati a casa sua mi ha detto che così quando faccio il bagno nella vasca guardo le farfalle.

Mi metto di nascosto a grattarle via, ma ci riesco solo a metà. Così adesso abbiamo delle decalcomanie rovinate, di schifo. Un capolavoro.

Io, per me, lo saprei come fare. Cambierei tutti i mobili, e i pavimenti li farei di marmo come nella sala di casa Cartonzi e poi metterei i tendoni di velluto azzurro abbracciati ai lati delle finestre, perché Cartonzi li ha così i tendoni nel salotto, e ha anche un bel po' di antenati alle pareti, quadri e anche fotografie ingiallite.

Ma dove me li trovo, io, gli antenati? Quindi chiedo a mia madre:

« Possiamo mettere una moquette? »

Risposta:

« Si può sapere cosa ti prende? »

Ha l'aria spaventata, se potesse mi misurerebbe la febbre. Zia Elsa invece, che sta guardando la tivù, mi sorride felice facendo di sì con la testa. Credo che una moquette faccia parte di quei sogni segreti che mai le verrebbe in testa di dire a nessuno, neanche a se stessa, perché sono sogni che non sa nemmeno di avere.

Con i tappeti non ci provo neanche, perché so che sono carissimi, la moquette invece mi sembra una cosa più alla nostra portata. E poi la vedo sempre alla tivù, nella pubblicità: tutte le case hanno la moquette, con i bambini che ci giocano sopra senza scarpe e il cane che dorme e non prende freddo alla pancia. Mi sembra indispensabile una moquette. Soprattutto copre le schifezze, una moquette. E poi fa molto famiglia, anche senza cane. Perché il cane, tanto, non oserò mai chiederlo.

Non penso ad altro. Mi immagino ogni minimo dettaglio. Corinne arriva, io le prendo lo zaino, lei dirà no no grazie, ma io insisterò, le dirò: « de rien », sì, credo si dica così, « de rien », però è meglio che chieda alla Cerbiatti. Poi prendiamo il tram insieme e io comincio a mostrarle la città, ad esempio corso Vittorio col monumento gigante di Vittorio Emanuele che sta in piedi sopra una specie di coperta di bronzo con le frange. Mai capito perché gli hanno messo quella roba sotto i piedi. Poi arriviamo a casa, io le presento mia madre e mia zia, le faccio vedere la casa, ed ecco la meraviglia: i suoi piedini affondano leggeri nel pelo gonfio e confortevole di una stupendissima moquette verde acqua, io li vedo i suoi piedini nel pelo, e ci godo, poi anche lei la nota, la stratosferica moquette, e dice: non vorrei sporcare, naturalmente in francese, e io: ma no, figurati, è un piacere; cioè: Mais non, qu'est-ce que tu dis, c'est un plaisir pour moi, c'est-à-dire pour la moquette...

Insomma, cose così. Ma poi la smetto di fantasticare, perché mia madre mi dice:

«Gaspare smettila, cosa sei, una bambinetta?»

Vorrei dirle, primo che non mi chiamo più Gaspare, mi chiamo Felix. Secondo che basta, tutte le volte che chiedo qualcosa che non serve per la mia stretta sopravvivenza, per mia madre sono una bambinetta, quando va bene. Quando va male, una femminuccia. Ci ho pensato a lungo: vuol dire che le femminucce possono chiedere le cose inutili ma belle, tipo una moquette, noi maschi no. Noi maschi siamo condannati a una vita senza moquette. Forse per questo ci sposiamo. Perché così c'è una femminuccia in casa che vuole la moquette e anche noi finalmente avremo una moquette. Ma adesso, campa cavallo.

Un disastro.

Vado a passeggiare lungo il Po fino a sera, per disperazione. Io e lui, cioè io e il Po. Basta andare nella sua stessa direzione, scorrere insieme, e lui ti tiene un po' di compagnia.

Poi prendo il solito tram e mi trovo la minestra fumante e qualche avanzo buono della gastronomia.

A proposito, adesso mi vergogno da pazzi della gastronomia. Questo antro maleodorante intriso di unto. L'unica sarebbe chiuderla per qualche giorno, almeno fino a quando Corinne riparte. O far finta che non sia nostra:

«La gastronomia? Quale gastronomia? Ah sì... quella di sotto, non me ne parlare, Corinne, una vera iattura...»

Ne parlo con Furio, di questo problema della casa, vediamo un po' cosa mi dice. Aspetto che si attacchi al suo termosifone e poi come se niente fosse mi avvicino e gliene parlo. Lui mi dice che se voglio posso fare andare Corinne a casa sua, e anche dormirci io, tanto loro due letti in più ce li hanno. E hanno anche la moquette, loro. Senza cane, però.

Solo che io non la trovo una buona idea, perché Corinne deve venire da me e non da lui, e non è che uno può fingere di abitare da un'altra parte. Allora mi consiglia di aspettare, che un'idea ci verrà. Io gli chiedo quando, e lui dice che le idee vengono quando vogliono e quindi bisogna stare tranquilli.

Lui è uno che dice sempre che bisogna stare tranquilli. Tanto che non mi viene neanche di parlargli di certe cose che invece a me non mi fanno per niente stare tranquillo, come ad esempio questo fatto che adesso vanno le cinture nere con le borchie e il Seba ne ha una nuova proprio così, e anche la Frullari se l'è comprata uguale o forse gliel'ha regalata lui, e allora io cosa me ne faccio della mia vecchia stupida cintura di pesce?

Non sto tranquillo per niente. Perché io lo so che va a finire che si mettono insieme, il Seba e la Frullari.

E poi mi piacerebbe molto ridare la tinta alle pareti: fanno schifo. Ad esempio in cucina c'è una macchia marroniccia che sarà lunga un metro.

Anche questa benedetta sala da pranzo barocco piemontese, non se ne può più. Lo dico a mia madre e a zia Elsa che potremmo venderla, tanto a cosa ci serve una sala da pranzo se non ci mangiamo mai, barocco piemontese poi, figuriamoci. Con il ricavato potremmo comprare una cameretta moderna con un vero letto ad esempio con la testiera.

Zia Elsa guarda per terra e non dice niente. Mia madre mi fulmina:

«Eh già, adesso, solo perché viene 'sta francese, ci mettiamo a rifare casa! Te lo do io di vendere il barocco!»

Ma non finisce lì. La sera aspetta che zia Elsa sia andata a dormire, poi mi chiama e mi fa sedere al tavolo, io da una parte e lei dall'altra, e mi dice:

«Ma si può sapere cosa ti è venuto in mente, come hai potuto dire una cosa così, che offende la memoria del povero zio Ciano?»

Io qui vorrei chiederle cosa c'entra zio Ciano, cioè la sua memoria. Ma per fortuna non apro bocca, perché quando mia madre è così, meglio star zitti e vedere come finisce. Tanto, prima o poi finisce. Infatti mi dice solo, alla fine:

«Allora Gaspare, hai capito?»

Le dico di sì, e che però mi chiamerei Felix adesso, capito?

Alberi

È stata una pubblicità del Natale. Veramente ci mancano due mesi a Natale, ma cominciano già a fare la pubblicità e hanno tappezzato le strade di un certo cartellone, niente di speciale, solita scenetta: una famiglia felice che scarta il Galup sotto l'albero. Ecco, appunto: l'albero. È il solito pino, ma è enorme, riempie quasi una parete e ci fa anche l'ombra...

Poteva venirmi ben prima questa idea, visto che proprio accanto alla gastronomia c'è un negozio di piante. Anzi, non so proprio come ha fatto a non venirmi subito questa benedetta idea, semplice, geniale. Mi precipito al termosifone di Furio e glielo dico:

«Furio, m'è venuta l'idea!»

«Gaspare!»

Gli dico che aveva proprio ragione lui, è stramaledettamente vero che le idee ti vengono quando vogliono loro. Oggi l'idea mi è arrivata così, di colpo: bang, colpito in testa, folgorato.

«Furio, è semplice: comprare una pianta!»

«Gaspare!»

E basta anche lui con questa cosa che mi chiama Gaspare novanta volte al giorno, adesso poi che mi chiamo Felix! Forse però dovrei dirglielo che non mi chiamo più Gaspare, se no come fa a saperlo?

Glielo dirò dopo. Adesso gli spiego l'idea: ovvio, se non posso mettere né quadri né tappeti né moquette né piastrelle... allora ci metto una bella pianta. La sbatto contro il muro dove ci sono le macchie o i tubi ed è fatta.

«Furio, cosa ne pensi? Non dico un pino, che fa troppo Natale. Ma una pianta... una pianta generica.»

«Gaspare, è magnifico! Gaspare... Gaspare!»

Basta. Prima che mi gasparizzi del tutto, me ne vado.

Mi precipito dalla fioraia.

La fioraia ha il negozio proprio attaccato al nostro, e si lamenta sempre che le nostre polpette rovinano il profumo dei suoi fiori; invece secondo me è la puzza dei suoi orrendi fiori marci che rovina le nostre polpette.

La fioraia è una donna grassa con gli occhi da bue, e io non la sopporto, non solo per gli occhi da bue, ma anche perché sta sempre sulla porta e sembra che mi controlli. È che non sono poi molti quelli che comprano fiori, quindi lei cosa deve fare, se non starsene sulla porta a guardar fuori? Io la capisco anche, ma mi dà fastidio lo stesso. Comunque entro, e le dico che voglio una pianta.

«Che pianta?» mi chiede buttandomi in faccia gli occhi da bue.

«Non so, una pianta generica.»

«È per tua madre?»

«No.»

«È per Natale?»

Rispondo di sì, ma solo per non insospettirla: tanto è davvero Natale fra poco, e quindi perché no? Non mi chiede altro e alza le spalle; sparisce dietro e ritorna portandomi una pianticina con un enorme fiore rosso in mezzo.

Mi dice che è una stella di Natale. Non so un fico secco di stelle di Natale e le chiedo quanto ci mette a crescere una cosa così.

«Un po'...»

«E quanto dura?»

«Dura...»

Non sono notizie precisissime, ma decido che mi bastano.

Quando porto a casa la pianta, mia madre mi accoglie festosa e non la finisce più di ringraziarmi. Pensa che sia per lei. Le dico: è per Natale, e quasi si mette a piangere, dice che lei lo sapeva che sono sempre bravo e che non se lo merita proprio un figlio così. Inutile adesso spiegarle perché ho comprato quella pianta, rovinerei tutto.

Alla fioraia però mi sono dimenticato di chiedere la cosa più importante: quanto viene alta. Perché a me non serve una pianta in quanto pianta, a me serve una pianta in quanto alta, molto alta.

Allora queste informazioni le chiedo a mia madre. Mi risponde che non cresce, resta più o meno così. Ma come «resta così»? Le dico che allora non va bene, ed esco di corsa, disperato.

Inutile tornare dagli occhi strabuzzati della fioraia, non capirebbe. Quindi decido di andare in un grosso negozio di fiori alla Crocetta, uno dei quartieri più eleganti della città.

«Vorrei una pianta» chiedo, ma questa volta aggiungo: «la più alta che avete».

Una gentile signorina filiforme mi mostra un enorme non so cosa che tocca il soffitto, con delle foglione palmate spaventose. Spiego che è troppo per me, anche perché me la devo portare in tram.

Poi vedo un piccolo albero. Cioè non piccolo: sarà alto come me. Lo hanno ficcato in un angolo, e se ne sta tutto solo con le sue quattro foglie. Foglie piccine, che hanno un colorino verdino... A me sembra la cosa che più si avvicina alla mia idea di pianta da mettere in casa e quindi dico che voglio quello.

«Ma quello è un pioppo!»

La gentile signorina si è quasi messa a urlare, come se avesse sentito la più grossa bestialità del secolo. Mi spiega che i pioppi non si mettono in casa, e che quell'albero è lì in negozio per caso, ma in realtà deve andare in un vivaio. Io come facevo a saperlo?

«Andrà benissimo, me lo incarti.»

Non me lo incarta, ma non per cattiveria, solo perché non riesce ad avvolgergli la carta intorno. Si blocca con le mani per aria e mi chiede:

«Non vuoi per caso spedirlo il tuo pioppo? Così ti arriva comodo a casa...»

Apprezzo il pensiero, ma neanche per sogno! L'idea di separarmi anche solo per qualche ora da quella mia pianta mi fa star male. Mi prendo quindi il vaso in braccio e, con le foglie praticamente in bocca, cercando di farmi un varco tra i rami per vederci qualcosa, salgo sul tram.

Non è facile prendere un tram con un grosso pioppo in braccio. Cioè, anzi, lui come pioppo non è affatto grosso. Però è pur sempre un pioppo, e poi a quest'ora è pieno zeppo un tram, tutti che mi guardano male perché un po' s'impigliano tra i rami. Non vedo l'ora di scendere. Però sono molto, molto soddisfatto.

Quando arrivo a casa, sono spossato e marcio. Scendere dal tram è stata un'impresa, perché non riuscivo a raggiungere la porta tanta gente c'era, e con il pioppo in braccio non era facile. Sono poi sceso tre fermate dopo, ma non importa. Solo che farmela a piedi con il pioppo è stata dura. Cioè ho sudato mica poco, ecco perché sono marcio.

Comunque adesso poso la pianta in ingresso, davanti al tubo più grosso. Perfetto: lo copre quasi interamente. Lo sapevo che era un'idea geniale. Sta benissimo. Adesso mi prenderei una sedia e me ne starei qui seduto davanti a contemplarmi la mia pianta per qualche ora. Invece no, perché qual è la prima cosa che ti viene di fare quando ti entra una pianta in casa? Bagnarla.

Mia madre mi becca giusto quando esco dalla cucina con una bacinella piena d'acqua grondante in mano.

«Cosa fai?»

«Bagno.»

«Bagni cosa?»

«La pianta.»

«Quale pianta?»

«Il pioppo.»

Pausa.

«Elsa, vieni un po' a vedere!» urla mia madre.

Si mettono tutt'e due davanti al mio pioppo, mute. Sembrano i pastori del presepe davanti alla mangiatoia.

«Mio Dio!» esclamano più o meno in coro.

In effetti fa una certa impressione: sembra davvero un albero, dico proprio un albero che vedi in campagna o lungo i viali. Solo che è ancora piccolo, un pioppo bambino.

«E cosa ce ne facciamo adesso di un albero in casa?» chiede mia madre, paonazza.

Le spiego che serve per i tubi: un copritubi per quando arriva Corinne. Ma non so se l'ho calmata, dice che non ci capisce più niente di cosa sta succedendo in questa famiglia, dice, cercando di non urlare:

«Gaspare, lo sai che gli alberi... crescono!»
Però ha urlato. L'ha proprio detto urlando. Però ha anche ragione: devo ammettere che non ci avevo pensato. Io l'ho presa già alta la pianta, cioè alta quanto mi bastava per i tubi, ma non ho pensato neanche una volta che il mio albero sarebbe cresciuto ancora. Forse perché lo chiamavo «pianta» e non albero. È molto diverso se dici albero o se dici pianta.

Chiamale come ti pare, ma io qui ho bisogno di altre piante: una ha funzionato, copre bene i tubi, dunque più piante funzioneranno ancor meglio.

Con i miei risparmi mi compro un'edera rampicante e una sanseveria. La sanseveria non mi piace niente, ma la compro lo stesso perché è una pianta lunga giusto un metro e a me serve per coprire quella macchia lunga un metro in cucina: è stata zia Elsa, una domenica mattina che sentiva messa alla radio e quindi non ha fatto attenzione a dove poggiava la caffettiera e il caffè è caduto tutto sul muro e anche a lavarlo via, niente. Poi è diventata tutta rossa e s'è scusata per tre ore con mia madre, ma intanto la macchia è rimasta e adesso per me è un vero guaio. Quindi devo assolutamente comprare anche questa orribile sanseveria.

Stanno bene le mie piante in casa, soprattutto l'edera che pende dall'alto contro i vetri opachi della cucina e sembra una testa di capelli verdi.

«E io come la apro la finestra?» sbraita mia madre. E scuote il capo, spadellando polpette.

Invece zia Elsa l'altro giorno l'ho scoperta con una spugnetta in mano, che lavava una per una le foglie della sanseveria. Credo che si senta ancora in colpa per via della macchia di caffè.

Bocce

De Gente sbatte sulla cattedra la sua unta cartella di cuoio, dice che ha i compiti e io sono tranquillo come un puciu. Puciu lo dice sempre zia Elsa per dire uno che sta benissimo com'è.

Infatti lo sapevo: ho preso 7.

«Puro culo» dico attraversando vittorioso la classe. Tutti mi fanno il gesto di vittoria con le due dita.

È il terzo 7 sparato che prendo di latino. Perfetto, non prendo più un 10 e neanche un 9. Niente, tutti 7, preciso come un Flobert.

Tutto perché la Frullari poi s'è messa davvero col Seba, e non abitano per niente vicini, però vanno via sempre insieme su quel motorino del Seba rosso fiamma. E io mi sono stufato di vederli abbracciati nel corridoio, abbracciati per strada, abbracciati sul motorino, abbracciati sempre, tanto che uno dice: è perfino esagerato così; allora ho smesso di guardarli e ho cominciato a occuparmi molto di bocce, ed è per questo che adesso riesco a prendere 7 di latino.

Ho maturato un vero e proprio interesse all'argomento bocce, anche dette fanali, o più volgarmente meloni.

Il merito è della mia compagna Quadrotto Margherita, che non è un granché, anzi, ha il naso lungo e i capelli tristi appiccicati alle orecchie come un cocker; però ha due bocce davvero notevoli che le puntano la maglia proprio come due meloni, o bocce, o fanali. Qualsiasi movimento faccia, anche solo voltarsi per chiedere una gomma o un temperino, le sue bocce danno naturalmente origine a una specie di lievissima vibrazione; dico «naturalmente» perché non si tratta di un effetto volontario e premeditato, ma assolutamente spontaneo e inconsapevole. Un appena percettibile moto sussultorio, che in realtà per me equivale allo sconquasso dell'universo detto anche big bang o brodo primordiale, che non sono la stessa cosa ma io li ho sempre confusi. Comunque in quel brodo io ci sguazzo divinamente.

Siccome la Quadrotto è nel banco esattamente dietro al mio e quindi non è così agevole guardargliele, chiedo di essere spostato al primo banco del lato opposto: calcolando al centimetro l'angolo d'incidenza del mio occhio con l'oggetto, ho infatti deciso che quella è la posizione ottimale. Non è stato per niente facile, perché al primo banco ci stanno i più piccoli di statura e io sono medio e quindi vado bene per il terzo banco, non per il primo. Ma ho usato la solita tecnica, quella di dire: così sto più attento alla lavagna, ed è stato un trionfo. Di lì mi viene proprio bene guardarle le bocce, anche se devo stare seduto di sbieco, con le spalle attaccate al termosifone.

Mi busco una serie infinita di raffreddori, tossi e mal di gola, perché avere un termosifone che ti alita ogni giorno sui bronchi non è il massimo. Ma ne traggo un vantaggio enorme, e cioè che riesco finalmente a prendere non più di 7 di latino. Mai di meno, è vero, ma per me va già strabene.

Ho messo a punto una strategia fantastica: per il primo quarto d'ora sto fisso sulla versione, così il prof vede che lavoro; poi per un'ora e mezza me ne sto a guardare le bocce di Margherita, così mi distraggo e nell'ultimo quarto d'ora la mia testa se n'è ormai definitivamente andata altrove, e quindi mi ci scappano sempre quei due o tre errori che mi permettono di prendere solo 7. Funziona perfettamente. Solo devo mettere in atto una tecnica che mi provoca un leggero torcicollo e che consiste nello sfogliare il dizionario e contemporaneamente mandare l'occhio dal basso verso l'alto tutto sparato a sinistra, direzione bocce. A volte mi sembra di essere un periscopio.

Arrivo così a completare una mia personale tipologia, tutta mentale, delle bocce; ovvero uno schema o griglia interpretativa, come dice la De Barlottis Wilson, insegnante di inglese ai corsi di perfezionamento pomeridiano, in cui si contemplano tutte le possibili varianti del caso. Bocce a pera, bocce-roccia, bocce spiacciche, strato-bocce, nonché le fantasmagoriche bocce-ghirba che sono risultate, a un primo sondaggio tra i compagni, le più appetibili. Col fatto che non sono mai andato in campeggio, non sapevo cos'era la ghirba, ma mi è stato sollecitamente spiegato che si tratta di una grossa palla di pelle per conservare l'acqua, e che di solito si appende al ramo di un albero vicino alla propria tenda.

In breve tutta la scuola è al corrente della mia tipologia diciamo bocciologica e la mia fama è alle stelle; vengono da tutte le classi a discutere con me di questo o quell'aspetto della faccenda. Ad esempio un giorno mi prende da parte Grifagni di 5ª C, un Tatuato con i bicipiti di fuori anche in pieno inverno, che mi dice:

«Tu fai un grosso equivoco».

Non capisco a cosa si riferisca, primo. Secondo, mai visti né sentiti con costui. Mi abbatte sulla mia povera spalla mingherlina una delle sue pelose manacce innervate di maledetti muscoli e mi spiega:

«È inutile che vai cospargendo la scuola di teorie del cavolo. Tu t'imputtani in un errore madornale. Bocce è una delle possibilità della cosiddetta tetta, chiaro? Una! Non che qui adesso son tutte bocce. Non esistono proprio le bocce così, le bocce cosà. Le bocce sono bocce e basta. Cioè si vanno a riferire a quel particolare agglomerato pettoral-superiore della femmina in questione qualora sia particolarmente agglomerato cioè sodo. Hai capito?»

Ho capito, ho scambiato il particolare per il generale: la tetta-boccia è solo un particolare tipo di tetta. Ringrazio molto Grifagni per il prezioso chiarimento. Ma credo che continuerò a chiamare bocce tutte le tette di questo mondo. Perché la parola bocce mi mette allegria.

Mi aiuta moltissimo il mio compagno Martelloni, perché, ho scoperto, ha anche lui questo interesse pazzesco per le bocce, e questa è proprio una cosa che ci unisce.

Lui però non è come me, ad esempio lui è molto bravo in matematica: è uno che, se tu gli dai un problema da risolvere, ci arriva prima degli altri perché si vede che gli scatta una lampadina dentro la testa che gli altri non hanno. Io poi ce l'ho meno che mai quella lampadina... Si vede che doveva proprio fare lo scientifico lui. Io invece secondo me dovevo fare il classico, ma i miei hanno detto che era già tanto lo scientifico e che per un maschio è meglio perché almeno poi con lo scientifico trovi più lavoro.

Allora ci mettiamo insieme, io e Martelloni, ad esempio nei cambi d'ora che tanto sono lunghissimi visto che gli insegnanti continuano ad arrivare in ritardo, oppure quando c'è una supplente che tanto non fa lezione, e ragioniamo a fondo sulla mia tipologia. È molto bello con lui, perché lui ci mette del suo, cioè ci mette la sua testa matematica. E così siamo arrivati a uno schema che è molto più rigoroso e scientifico del mio, che non era un vero schema ma solo un elenco di possibilità così alla rinfusa.

Ad esempio siamo arrivati a una distinzione semplificata attraverso tre soli caratteri che ci sembrano generali: tondo, puntuto e piatto. Leggermente complicata da un altro fattore, che sarebbe il concetto « inquietante – non inquietante » e che andrebbe quindi ad incrociarsi con i tre caratteri fondamentali: cioè, ci sono tette che solo a guardarle dalla maglietta ti inquietano e altre invece che ti lasciano completamente tranquillo, e questo dipende dalla forma innanzi tutto.

La tipologia finale risulterebbe dunque la seguente:

A. BOCCE TONDE:
   1. *duna nel deserto: non inquietante*;
   2. *tondo giottesco: inquietante*.

B. BOCCE PUNTUTE:
   1. *a cuspide (modello Marilyn Monroe): inquietante*;
   2. *a pera: non inquietante*.

C. BOCCE PIATTE:
   1. *calma piatta: non inquietante*;
   2. *a pulsante: inquietante*.

La definizione « calma piatta » è totalmente mia e, come dice il Martelloni, d'altra parte solo a me poteva venire una definizione così marina.

Ci sarebbe anche il modello « a turacciolo », che dipende dal grado di cilindricità del capezzolo, dice Martelloni. Ma io lascerei perdere perché il concetto di cilindricità non è contemplato nella griglia e quindi creerebbe scompiglio.

Sono veramente felice, la nostra nuova tipologia mi riempie di orgoglio.

Anche perché la cosa fantastica è che secondo Martelloni ognuno di questi modelli può avere la sua bella rappresentazione matematica, grafica e algebrica, e questa è proprio una cosa da pazzi.

Qualche sera fa ho scritto una cartolina a mio padre. Così, per fare un po' lo spiritoso. Caro papà, qui miriadi di bocce navigano a vista. Tu chiamali se vuoi galleggianti di mare. Spero di andarci a sbattere contro, uno di questi giorni, prima o poi.

Tanto, a mio padre non posso più raccontare niente. Per via di quel famoso patto tra me e mia madre: gli nascondiamo tutto, così lui lavora tranquillo. Ogni tanto mi chiede al telefono: Hai pensato cosa vuoi fare poi? E io gli dico di sì, che forse voglio fare l'avvocato. Così è contento.

Io però non so se facciamo bene. Mi sembra di fargli quasi un tradimento, una cosa brutta dietro le spalle, che non si fa. Soprattutto a un padre...

Anche adesso che tra poco andremo giù, io credo che non gli parlerò proprio di niente. Devo solo riuscire a resistere, un po' come andar giù in apnea, che tieni il fiato più che puoi. Devo tenermi tutto in apnea. Tanto poi tutto finisce e finirà anche questo liceo.

Adesso siamo una classe « omogenea », come ci dice De Gente. E a me, quando lo dice, mai una volta che non mi vengano in mente gli omogeneizzati, o anche i frullati. Siamo una classe frullata, ecco.

Infatti i miei compagni adesso prendono tutti 7 di latino.

Così tutti quanti prendiamo 7 di latino, c'è proprio una specie di Sette gigante che aleggia per la classe. Io prendo i miei 7 per la genialata delle bocce, e loro perché copiano da me.

Ma non più col sistema delle fotocopie, non siamo mica scemi. Adesso c'è tutto un giro di e-mail bestiale che parte da me e si ramifica agli altri in un baleno, cioè io al mattino passo il foglio delle frasi a Cartonzi, che al pomeriggio le digita su computer e le invia a tutti i compagni che se le trascrivono per bene sul quaderno. De Gente arriva in classe e passa tra i banchi a controllare. Legge: es. n. 42 pag. 128, seguito da mezza pagina di roba scritta, deduce che il compito è stato fatto e se ne torna appagato alla cattedra, sputacchiando tra i denti gialli:

«Bravi, così si fa».

Invece mia madre non è contenta per niente dei miei 7. Dice: cos'è adesso 'sta storia che non prendi più 10?

E così ci è andata da sola quest'anno giù all'isola a Natale. Mi ha detto che io era meglio se restavo a studiare, visto che di bei voti neanche più l'ombra.

Quando è tornata, era di cattiv'umore. Cupa. Io le ho chiesto di papà e lei ha tirato fuori dalla valigia un grosso pampepe e mi ha detto:

«Tieni, ti manda questo».

A me piace da matti il pampepe. Però si era sbriciolato.

Allora le ho chiesto se papà ci era andato da solo a pesca di notte. Mi ha risposto di no, e io mi sono sentito in colpa perché avevo detto a mio padre che quando tornavo a Natale lo accompagnavo a pesca di notte.

A me non piace il pampepe quando è tutto sbriciolato.

Mi è dispiaciuto di non tornare all'isola, però sono stato anche contento, così ho tradotto molto e mi sono anche curato molto le piante; avevo un po' paura che soffrissero, non so, ad esempio che gli mancasse l'acqua perché di zia Elsa non è che mi fido poi tanto.

Adesso che ho le piante, non mi rintano più al buio nel retrobottega: traduco sotto il pioppo. Mi metto appollaiato per terra sotto i rami, e poi lì ad esempio mi faccio un pezzetto di Orazio, così, tanto per distrarmi. Sto traducendo di quando lui racconta a Mecenate che suo padre è solo un liberto, ma che lui è molto orgoglioso di avere un padre così. Qualche foglietta mi va quasi negli occhi e mi ostacola leggermente la lettura, ma non è grave, ogni tanto mi tiro via le foglie dal libro e vado avanti.

Quando mia madre è tornata dall'isola e per la prima volta mi ha scovato sotto il pioppo in ingresso, niente, ha posato la valigia per terra, ha solo smosso due rami per guardarmi negli occhi e mi ha chiesto come stavo. Bene, le ho risposto, e lei non mi ha più detto niente, ma si vedeva che era cupa.

Zia Elsa invece mi porta sempre la merenda sotto il pioppo, scosta un po' le foglie e mi presenta il piatto con pane burro e zucchero oppure pane burro e sale, a seconda. Cioè lei dalla cucina mi chiede: dolce o salato? E a seconda di quel che le dico, mi arriva il pane e burro in un modo o nell'altro. Ogni tanto mi ripete la sua solita frase. Non so perché, forse perché mi vede sotto il pioppo. Mi dice:

«Sei proprio una barca nel bosco».

E io sono anche un po' stufo di sentirmi sempre questa frase. Però adesso va meglio, mi sembra tutta un'altra cosa fare latino sotto un pioppo. Anche se sto sempre ben attento a non dirlo a nessuno, che traduco.

Cioè, ho provato a dirlo al professor De Gente, ma solo proprio perché è il mio professore di latino e ho pensato: magari a lui interessa. Volevo portargli la traduzione di *Tu ne quaesieris*, perché l'ho poi finita, anche se non è perfetta. Non l'ho fatto. Ho avuto paura. Gli ho solo detto: Mi piacerebbe tradurmi un po' di Orazio... Gli è venuto un sorriso. Leggero, ma gli è venuto. E io mi sono sentito diventare tutto rosso a cominciare dalle orecchie, perché a me mi succede sempre così, che mi s'infiammano le orecchie per prime. Poi senza smettere di sorridere, mi ha detto che Orazio semmai si fa in quinta, ma non è detto perché la poesia è difficile per noi, meglio la prosa. E ha aggiunto:

«Torrente, vedi, non lo so, di farti qualche ragazza!»

Con Furio è diverso. A lui gliene parlo sì di Orazio, e anche delle piante. Andiamo a piedi insieme per un lungo tratto e lui mi sta a sentire, e ogni tanto si pulisce quegli enormi occhiali che ha, sembra sempre che ci vada della polvere sopra e allora lui la toglie se no non ci vede più. Io sono contento che ci sia lui, anche perché adesso che non ho più madame Pilou, per me è un bel guaio. C'è sempre la Lo Gatto, è vero, che mi sorride ogni volta che mi vede e mi fa il segno dell'ok. Ma meglio se ci vediamo da lontano, io e lei, perché se le andassi a parlare, sarebbe un disastro. Le dovrei dire che non ho più giocato alla Play Station, che la mia cintura di pesce non si usa più, che continuo a tradurre Orazio e adesso mi coltivo anche gli alberi in casa, bella roba! Meglio non deluderla. Quindi meno male che c'è l'avulso Furio.

Però cerco di prendere le stradine laterali con lui, oppure addirittura lo porto lungo il Po, così nessuno ci può vedere, nessuno del branco dico, perché io mi vergogno un po' di farmi vedere con uno che non ha neanche una felpa bicolor, e una cintura con le borchie non sa neanche cosa sia, perché lui non vede niente di quello che gli sta intorno, niente! Sembra cieco, o sarà quella polvere che gli va sempre sugli occhiali e lui sempre lì a pulirsela via, non lo so, ma mi fa quasi rabbia che lui le veda così poco le cose, e per giunta parla solo di pelucchi, ma questo importa meno, non mi fa vergogna, perché tanto nessuno sente quello che mi dice.

Furio ha paura che io non mi occupi abbastanza delle piante. Invece io ci sto molto attento perché devono stare benissimo, le mie piante; non vorrei che si ammalassero e quindi le curo molto, voglio che siano dei perfetti copritubi e coprimacchie per quando Corinne arriverà.

Ad esempio Furio ha paura che mi dimentichi di ventilarle. Ogni volta che parliamo, vien fuori questa sua fissa e io glielo dico che deve stare tranquillo perché io le piante le ventilo moltissimo, praticamente vivo con le finestre spalancate. Perché lo so che il caldo fa male alle piante, loro hanno bisogno dell'aria, veramente andrebbe meglio un po' di venticello, ma io faccio del mio meglio, cioè tengo tutta la casa in corrente. Però non proprio tutta, la camera da letto la tengo chiusa e lì ci faccio stare zia Elsa, perché non vorrei mai che si prendesse la bronchite con tutta questa aria.

Un sabato pomeriggio, che zia Elsa era a messa e io avevo molto da studiare, ho dimenticate aperte le finestre. Forse erano passate alcune ore, non so; mia madre torna dal negozio e trova tutta la casa gelida con le finestre spalancate e io in un angolo per terra, tra la sanseveria e il pioppo, che traduco con il libro sulle ginocchia, ormai quasi al buio. Si mette a urlare, ma è più spaventata che arrabbiata. Mi ero concentrato troppo. Corre a coprirmi con una coperta di lana e mi urla che cos'è questa mania che m'è presa e se voglio ammalarmi o cosa e che lei di un figlio così non ne può più.

E allora l'ho capito cos'ha mia madre da quando è tornata, cioè perché è così di cattiv'umore: non sopporta le mie piante, ecco cos'ha.

Latinisti e peluccai

Di colpo, è pomeriggio tardi, mi vedo Furio piombare in negozio. Non so come ha avuto l'indirizzo, io di certo non gliel'ho mai dato e tanto meno gli ho mai detto che abbiamo una gastronomia. Mi sento scoperto e nudo.

Gli vado incontro secco come un baccalà, tra signore che comprano chili di gorgonzola, polpette e frittatine di zucca e peperoni. Uno schifo. Ma non mi sento di rimproverarlo: ha una faccia paonazza di disperazione. Mi metto il giaccone giallo polenta e le scarpe da pioggia con la para e usciamo a passeggiare. Pazzesco come con lui non me ne importi niente del mio orribile piumino giallo.

Piove che Dio la manda. Mi racconta sconvolto che gli hanno rubato i baffi per i suoi nuovi pelucchi. Aveva inventato uno strano animale, il gatto-granchio e gli aveva costruito dei baffi arancio fatti a chele con un ciuffetto di peli al fondo. Un capolavoro. Descrivendomeli piange quasi. Ne aveva costruiti già una dozzina, di paia di baffi.

Gli chiedo due cose: primo cos'è il gatto-granchio; secondo perché dodici paia di baffi per un pelucco.

Mi spiega che il gatto-granchio è un gatto arancione con gli occhi a palla sopra la testa, la pancia rotonda a terra e sei zampe tutt'intorno in circolo, la coda e i baffi, fatti a chele appunto. Per la questione delle dodici paia invece mi dice: te lo dico dopo, adesso sto male.

Sta male davvero, si attorcola su se stesso come avesse un gran mal di pancia. Invece è solo un grosso dolore interiore, io lo so bene.

Mi viene spontaneo dirgli:

«Andiamoci a prendere una menta».

Ho scoperto la menta quest'estate al bar del porto della mia isola. Quando mi sentivo giù mi facevo una menta. Penso che possa funzionare anche per il mio amico. E infatti funziona. Ora che sta meglio, mi rivela che lui nella vita vuole fare il peluccaio.

«Cioè?» gli chiedo.

Cioè metter su una vera fabbrica di pelucchi, e quindi si allena già adesso, costruendo di ogni nuovo pelucco o sei o dodici esemplari. Come le uova, penso, che vanno per dozzine o mezze dozzine, mai capito perché. Mi vedo di colpo l'immagine mentale dei suoi pelucchi inscatolati nei contenitori delle uova, da sei o da dodici. Ma non glielo dico.

Veramente, mi spiega, non ha costruito dodici gatto-granchi, ma solo dodici baffi. È che a lui importano di più i particolari: gli occhi soprattutto. E poi i baffi, per esempio. Il pelucco intero gli interessa meno. Lui nella vita vorrebbe fare quello che mette gli occhi ai pelucchi, più che il peluccaio.

Mi sembra bello che lui abbia questa idea nella vita, dico l'idea di fare il trovatore d'occhi. Bello, anche se non so se esista una cosa così. Ma anche questo non glielo dico. Anzi, mi viene anche a me di parlargli di futuro. Lui è uno che tu lo guardi negli occhi e ti viene così su due piedi il pensiero del futuro: cioè pensi di avercelo, un futuro. E quindi ti prende anche una certa allegria. Non mi capita con nessun altro.

Gli confesso che anch'io ho un sogno: voglio fare il latinista.

Lui mi guarda serio e ordina altre due mente. Alla fine mi dice: va bene. Me lo stampo in testa quel suo «va bene», perché penso che non è una risposta e non è una domanda, non è niente, ma... va magnificamente bene.

La parola latinista non è facile da dire. Non è così facile dire agli altri: sai una cosa? Io da grande voglio fare il latinista.

Cappio. Mica da ridere.

Io l'ho detta due volte in tutto questa cosa nella vita. Tre volte contando anche questa con Furio.

La prima volta l'ho detta quella sera che madame Pilou era venuta a casa mia a parlare ai miei. Prima che mi addormentassi, era passata mia madre, mi aveva detto: fammi spazio, e si era seduta sul bordo del letto, e io fingevo di dormire da un pezzo

156

ma era evidente che come potevo mai dormire in una notte così? E mi aveva chiesto: tu lo sai cosa vuoi fare da grande? E io le
avevo detto: sì, il latinista. Me lo ricordo l'effetto bomba di
quella parola. Latinista. Buio. Silenzio. Mia madre che non dice
una sillaba, una. Mi accarezza la fronte come quando sono sudato, e se ne va.

Forse non lo sapeva cosa vuol dire latinista.

E meno male che me l'ha chiesto mia madre e non mio padre
cosa volevo fare da grande; con mio padre mi sarei vergognato
dieci volte a dirgli: il latinista. Difficile dire a un padre pescatore barcaiolo spiaggiaturisti che tu vuoi fare il latinista... Puoi
dirgli: il medico, l'avvocato o l'ingegnere. Ma il latinista no.

La seconda volta è stato qui, un giorno che siamo andati in
gita scolastica in Val Susa e abbiamo mangiato al sacco in una
specie di valle stretta che mi pare si chiamasse proprio Valle
Stretta. Io a un certo punto mi sono trovato da solo con il mio
panino, perché mi ero allontanato un po', e lì c'era una caverna
o grotta lunga, allora ho provato se c'era l'eco e ho detto forte:
latinista!

L'eco c'era davvero, e la voce mi è rimbombata addosso spe-
gnendosi gradatamente: ...tinista... tinista... tinista...

Non so cosa mi fosse venuto in mente di dire proprio quella
parola lì. Non è normale che uno, per provare l'eco, si metta a
urlare: architetto, avvocato, idraulico, geometra o che ne so. Mi
sono sentito un po' scemo.

Invece qui con Furio è diverso, ho sentito che potevo. E infatti l'ho detta, la parola latinista, ed è andata proprio bene,
adesso mi sento un dio, oppure anche solo uno che ha il suo
posto nel mondo. Anzi, credo che adesso avrei proprio voglia
di dirglielo anche a mio padre che cosa voglio fare io da grande.
Sì, mi piacerebbe da matti dirglielo. Penso che glielo dirò, tanto fra un po' viene l'estate e faremo il nostro sesto ritorno e allora glielo dirò, del latinista.

Resta il problema di Furio, di chi gli abbia mai rubato i baffi
del gatto-granchio. Ma non glielo chiedo perché mi sembra
che, per qualche miracolosa ragione, non ci stia più pensando.

Mi riaccompagna in negozio, ed è lì, prima di entrare, che gli
rivelo l'altro mio segreto. Sulla porta senza farlo entrare, così

lui non sente tutti quegli odori in cui vivo. Gli rivelo che mi chiamo Felix adesso, non più Gaspare. Mi dice di nuovo: va bene, e se ne va sotto la pioggia, senza ombrello, perché lui l'ombrello non lo porta mai. Chissà se lo sa che in latino felix non vuol dire felice. Vuol dire fortunato.

Ma certo che lo sa, Furio, sotto quei suoi occhiali impolverati, sa tutto.

Finalmente arriva la foto di Corinne.

Un mercoledì dopo ginnastica, nell'ora computer da Cartonzi. Era presente anche lui, dietro di me. Quando ha visto srotolarsi piano piano dalla stampante quel gioiello di foto di ragazza non si è trattenuto, ha mandato uno strano gridolino gutturale e se n'è fatto subito una stampa per sé che si è portato di là, nella sua stanza, sgranocchiandosi le unghie con avidità.

Corinne è semplicemente bellissima. Non mi viene un'altra parola.

Esattamente come l'avevo immaginata. Con il frangione nero sugli occhi, esile come un filo d'erba; nella foto tiene un piede leggermente scostato dall'altro. Sullo sfondo ci sono alberi, sfocati. Lei è vestita di azzurro, e dietro ha tutto quel verde degli alberi. Buon segno, vuol dire che sto andando nella direzione giusta. Devo comprarle un sacco di alberi, riempire la casa di alberi, per lei. Chissà come sarà contenta.

Torno dalla fioraia e, siccome mi rimangono pochi soldi, lei mi vende dei bulbi, che io non so bene cosa siano e allora le chiedo:

«Che piante sono?»

«Vedrai» mi risponde. Odiosa fioraia.

Ne esco con un sacchetto di piccole patatine incognite, più tutto l'occorrente per piantarle: dieci vasetti di plastica verde e un bel sacco di terra concimata. Non m'importa, qualcosa nascerà, spero in tempo per l'arrivo di Corinne. Anzi, penso al suo stupore una mattina alzandosi e vedendo di colpo nate tutte quelle piante. Sono per te, le dirò con l'aria di nulla, come un mago che fa uscire conigli su conigli dal cilindro. Miriadi di conigli, un fiume inarrestabile... La coprirò di conigli!

*

Oggi porto Furio lungo il Po.

Per festeggiare cosa non so, forse i miei nuovi bulbi, che diventeranno chissà quali meravigliose piante.

Ci mettiamo seduti a cavalcioni sul muretto, io e Furio, in un punto in cui la sponda del fiume è così bassa che quasi ci possiamo mettere i piedi a bagno. Mi piace questo posto, ci porto Furio tutte le volte che mi sento bene, perché così con lui mi sento ancora meglio.

Solo che questa volta non mi sento del tutto bene, sono un po' preoccupato.

« Ma adesso come faccio? » gli chiedo.

« Come fai cosa? » mi ribatte Furio, ciondolando i piedi.

« Come faccio a dirle che sono innamorato. »

« Ma perché, Felix, ti sei innamorato? »

« Metti che capiti... »

« Che razza di risposta è 'metti che capiti'? »

« Metti che m'innamori... »

« Ma scusa, Felix, di chi? »

« Di lei. »

« Ma di lei chi? »

« Di lei Corinne. »

« Ma se non l'hai ancora neanche vista! »

Butto un po' di sassi nel fiume, ritmico, uno via l'altro. Volevo solo chiedergli come faccio a dirglielo, a Corinne. Dopo un po' Furio una risposta me la dà. Lo sapevo, perché Furio è uno che ci pensa alle cose, ha bisogno di tempo per pensarci, ma poi le risposte te le dà. Infatti mi dice:

« Non so, prendile una mano... »

E si mette a buttare sassi anche lui nel Po.

Io gli sono grato. Sì, molto grato. Perché adesso lui mi chiama sempre Felix.

Ho piantato i bulbi. Ho preso uno per uno i vasetti di plastica verde, li ho riempiti ben bene di terra e ci ho ficcato dentro i bulbi, bene giù, belli fondi.

159

Zia Elsa mi guarda dalla porta, pacifica, le mani incrociate sulla pancia. Dice che ha una cosa da chiedermi, e cioè se per piacere quando ho tempo le pianto anche un carrubo.

«Un carrubo?»

Mi dice che le servirebbe molto perché poi così lei prende i frutti, che sarebbero le carrube, li fa bollire e le viene una tisana buona per l'intestino.

«Fa andare di corpo» mi dice.

È molto soddisfatta di sapere che le carrube bollite fanno andare di corpo, l'hanno detto alla tele, e non vede l'ora di avere delle carrube tutte sue da far bollire.

«Sei proprio un bravo nipote» mi dice.

Ma io non le ho detto che glielo pianto, un carrubo.

I *doni di Furio*

Cartonzi non ne può più di farmi andare a casa sua per usare il computer. Dice che sono un maniaco, e che potrei scriverle meno, a questa ragazza.

Il fatto è che, da quando mi ha carpito la foto di Corinne, mi sembra invidioso. A lui è toccato un ragazzo, per gli scambi culturali, un tal Pierre-François alto uno e novanta, che fa rugby e ha come hobby quello di tracannare gin. È ovvio che Cartonzi preferirebbe una Corinne anche lui. Ma non è colpa mia se il Fato ha deciso così. Io tutto quel che posso fare lo faccio: ad esempio gli porto ogni mercoledì un pacchetto di nocciolini di Chivasso, così si sgranocchia quelli, invece delle unghie. Lui infatti ogni volta afferra il pacchetto e sparisce avido di là con gran sgranocchiamento. Mai che me ne offra mezzo, di nocciolino.

Non me lo hanno lasciato fare, di vendere la sala da pranzo barocco piemontese.

Ma di togliere il cristallo dal tavolo sì. Mi sembra brutto che ci sia quel cristallo, è un modo di dire che siamo poveri e non ci possiamo permettere né una macchia né una riga sul legno, dobbiamo proteggerlo il legno di quel tavolo perché ci deve durare tutta la vita. È per questo che la gente fa fare dei piani di cristallo da mettere sui tavoli, credo.

Con grande fatica, nascondiamo il cristallo sotto il letto matrimoniale, avvolto in una vecchia trapunta. E mia madre che ha un diavolo per capello, e dice che io con questa francese sono diventato tutto matto, e se continuo così lei lo va a dire ai professori, e che cosa sono tutte queste stupidate, ci facciano studiare che è meglio.

Ottengo anche di comprare un tappetino da mettere accanto al divano dove dormirà Corinne. Andiamo al mercato, mia madre e io, e lo compriamo. Veramente sarebbe un tappeto da bagno, ma può anche sembrare uno scendiletto, perché no? Vedo anche un bel paio di pantofole di spugna blu. La mia idea sarebbe di comprargliele, ma mia madre dice: figurati se non si porta le sue di pantofole. A me però sembra bello fargliene trovare un paio nuovo sopra lo scendiletto, uno scende dal letto e cosa si trova? tappetino e pantofole, un'abbinata stupenda. C'è anche, in quello stesso banchetto, uno strano paralume con le rane disegnate sopra, mi piacerebbe da pazzi comprarglielo, ma mia madre dice: non esageriamo, o le pantofole o il paralume. Scelgo il paralume. Perché così, quando l'accompagno a dormire, glielo accendo.

Vorrei, infine, accorciarle un po' il divano letto: mi sembra così sproporzionato per un esserino minuto come lei! Ho anche pensato come fare: sego un pezzo della struttura e poi ripiego la stoffa damascata in modo tale che non si veda. So di potercela fare, ma mia madre mi dice che piuttosto devo passare sul suo cadavere, e la chiudiamo lì.

Non è che io mi sia innamorato di questa Corinne. Figuriamoci! Mica ci si può innamorare così di una persona, senza averla ancora conosciuta. È solo che me la comincio a immaginare. Ecco sì, me la comincio... come un disegno, prima gli occhi e poi la frangia, la bocca, le mani, il profumo...

La sera, prima di addormentarmi, penso sempre a lei. Ci penso così tanto ed è così tanto un bel pensiero che mi dico: peccato, quando arriverà non potrò più pensarla.

Ho paura che arrivi.

E ho paura che sia troppo bella per me. Io mi sento abbastanza brutto, e poi c'è il problema di tutte le bugie che le ho scritto: il fatto che non sono per niente alto e biondo, ad esempio. Come la metto?

*

Furio m'invita a casa sua perché mi vede troppo teso: così ne parliamo meglio, mi dice. E mi offre subito un grosso bicchiere di menta. Da quel giorno al bar con me, non si fa mai mancare in casa una bella bottiglia di sciroppo alla menta.

Mi trovo bene con lui.

Quando entro in casa sua credo di sognare.

È pieno di occhi.

La sua camera ha le pareti tappezzate di occhi.

Centinaia di occhi, disposti bene in ordine su certe mensoline dal pavimento fino al soffitto. Occhi di vetro, di pietra, di stoffa, di latta, giganti e minuscoli, ovali, rotondi o anche un po' quadrati.

Mi manca il respiro e mi siedo sul suo letto. Al posto del copriletto ci sono tutti pezzi di stoffe pelose e di colore diverso. Mi spiega che gli servono per fare il corpo ai pelucchi.

E i pelucchi? gli chiedo. Mi dice che sono in salotto.

Andiamo in salotto per fare merenda e davvero ci sono peluche ovunque, per terra, sui mobili, appesi ai muri: sembra uno zoo più che un salotto.

Arriva sua madre a portarci la merenda, una caraffa d'argento piena di cioccolata fumante e quattro ciambelle di mele.

Sua madre è una donna piccolina e trotterellante, con i capelli tirati a cipolla sul dietro. Mi saluta accarezzandomi la nuca e dicendomi: benvenuto a casa nostra. Chiacchiera molto, mi racconta che fa l'archeologa, che ogni tanto parte per qualche scavo in Toscana o in Sicilia e che la sua passione sono le lucerne. Ogni tipo di lucerna, ma molto meglio se votiva: le lucerne votive per lei sono il massimo. Il suo sogno sarebbe di andare in Turchia e dedicarsi allo studio delle lucerne votive ioniche; dice che, quando Furio sarà cresciuto, lei finalmente potrà concedersi dei lunghi soggiorni turchi.

Dopo due minuti arriva anche suo padre, e facciamo merenda. Mi dice: ci scusi sa, ma per noi la merenda è sacra. Mi spiega che ogni giorno alle cinque si prende tutti insieme la cioccolata con le ciambelle di mele e se ci sono ospiti tanto meglio.

«Quindi, caro ospite, si sieda» mi dice.

Strano questo padre che mi dà del lei. Simpatico.

Fa lo statistico e, come dice suo figlio, vive immerso nei dati.

Che poi sarebbero quintali di giornali vecchi, riviste, libri, ta-
bulati e schedari: li vedo sparsi un po' ovunque in casa, anche
sui pavimenti. Furio mi racconta che sua madre ogni tanto gli
chiede di buttare via qualcosa perché in casa non ci sta più
niente e ormai non si riesce nemmeno più a scopare i pavimenti, glielo chiede per favore, ma sono sposati da vent'anni e lui
non ha ancora mai buttato neanche un foglio. Le dice: sì, lo
farò. Ma poi non lo fa.

Prendiamo tutti insieme la cioccolata e ci bagnamo dentro le
ciambelle. I genitori di Furio parlano tra loro, non la smettono
un momento, è uno spettacolo. Lei illustra nel dettaglio l'ultimo frammento di lucerna votiva che è stato ritrovato, e lui le
parla di come, variando una sola variabile indipendente, vorrebbe generare almeno sette modelli matematici. Ora è tremen-
damente preoccupato perché non riesce a invertire una matri-
ce. Io mi chiedo come faccia Furio a vivere con loro, cioè a essere il figlio di due genitori tali. Ma forse va bene così, è il figlio
avulso di due genitori avulsi. E poi per fortuna c'è la cioccolata,
tutti i giorni alle cinque.

Furio mi dice che ha trovato la soluzione al problema delle
mie bugie con Corinne e che al momento ci penserà lui. Non
mi dice altro, ma mi regala un occhio: è una pallina di vetro ver-
de-azzurra con al centro una macchia bluastra. Mi dice che è
spaiato, perché di biglie così con la macchia dentro non ne ha
trovate mai altre, e quindi è come l'occhio di Dio, solitario e va-
gante. È vero, sembra proprio una pupilla che ci guarda. Me lo
regala perché mi porti fortuna. E poi parliamo a lungo dei nostri progetti: lui dei suoi pelucchi e io del mio latino. Decidiamo che un giorno costruiremo insieme una nostra impresa: una
fabbrica di pupazzi che parlano latino, ad esempio, e io sono
molto contento di questo, però gli chiedo:

«E a chi può interessare una cosa così?»

«Non lo so, Felix» mi risponde, «è importante?»

Stabiliamo che non è importante e ci giuriamo eterna fe-
deltà.

Quella sera, prima di addormentarmi, costruisco un piccolo
altarino: prendo un vecchio vassoietto di latta arrugginita, lo
riempio con le conchiglie rare che poi non ho mai venduto da-

vanti alla chiesa, e ci metto in mezzo un portauovo di legno con dentro l'occhio di Furio; accanto colloco una candela e un brucia-incenso di ottone. Accendo la candela e brucio un bastoncino di incenso indiano e poi dico, piano per non svegliare nessuno:

In nome del Padre, del Figlio e dello Spirito Santo. Grazie Gesù, che poi alla fine me l'hai esaudito il mio desiderio. Anche se io proprio non me lo immaginavo che diventavo amico di uno così, che mette gli occhi ai pelucchi.

La stella di Natale mi sta morendo.

Ha cominciato il suo enorme fiore rosso. Che poi non è mica un fiore, a me sembrano sempre foglie, solo che nel mezzo sono rosse. A poco a poco sono diventate rosa pallido sempre più pallido, poi gialle, poi bianche, poi secche. Adesso sono cadute quasi tutte, anche quelle verdi. Plop, una dopo l'altra. Io non le vedo mai cadere, lo fanno quando non ci sono, credo. Le trovo di colpo già cadute e basta, non c'è più niente da fare.

Mia madre dice che è il termosifone, che fa troppo caldo per le piante.

O forse è che da un pezzo non è più Natale, e allora cosa ci sta a fare nella vita una stella di Natale? Niente, muore. Mia madre dice che è sempre capitato così anche a lei, una stella di Natale lei non è mai riuscita a tenerla tanto oltre Natale.

Non so. Devo mettermi a studiare. Dico studiare un po' di botanica. Non posso assolutamente permettere che le mie piante muoiano. Non devono morire mai.

Qualche giorno dopo Furio arriva a casa mia con una quercia.

Entra in casa verso sera, buio e gobbo, intriso di pioggia, e la deposita sul tavolo, dicendomi che è molto meglio una quercia di una stella di Natale, le querce durano di più, molto di più.

Sul tavolo mia madre sta facendo gli zucchini ripieni. Ripieni di impasto da polpette, naturalmente. Il vaso sporca il tavolo, perché Furio neanche l'ha avvolto in uno straccio di giornale, niente, ce l'ha direttamente catapultato sul tavolo e tanti saluti. Quindi mia madre mi guarda storto bofonchiandomi:

«Tu e le tue piante...»

Più che una quercia, è un ramo di quercia. O meglio, lo dice lui che è una quercia, ma quel che si vede è in realtà un ramo piantato in un vaso, che potrebbe essere il ramo di qualsiasi pianta. Diciamo che bisogna crederci che quella sia una quercia, averci proprio molta fede, ecco.

Così adesso ho in casa: un pioppo, un'edera, una sanseveria e una quercia. Le chiamo «le mie quattro piante». Senza contare la manciata di bulbi sconosciuti che continuano a dormire nella terra e non ne esce un fico di niente, secondo me è la fioraia che mi ha tirato un altro bel bidone.

«Ma... e il mio problema?» gli ricordo con preoccupazione, prima che se ne vada, più o meno buio e gobbo com'è arrivato.

«Non ti preoccupare, Felix» mi dice. Cova chissà quale segreto.

E io allora non mi preoccupo e mi metto a pensare a Corinne, che magari diventeremo vecchi insieme e ci siederemo da vecchi sotto la quercia che sarà diventata gigante e ci diremo: ti ricordi quando questa quercia era un ramo...

Oggi è il gran giorno della vigilia: domani arriveranno i francesi, cioè la mia Corinne mi vedrà e sarà portata da me a casa mia.

Bang, voglio morire.

Come giorno non è male: c'è un bel sole e nei viali gli alberi hanno già tutti le foglioline appena nate che fanno una bella nuvola verde chiaro nel cielo. È una giornata verde. Speriamo solo che domani non piova.

Dopo la scuola, per fare festa, mi vado a prendere una bella menta al bar. Verde anche lei, come la giornata.

Il resto lo passo a fare ordine, anche nel retrobottega, non si sa mai: impilo i miei quattro libri, tendo bene il copriletto della branda e non mi ci siedo più, così non gli vengono le pieghe. In casa spolvero le rane del paralume, provo e riprovo la lampadina per vedere che non sia fulminata, stacco ancora qualche pezzetto di decalcomania in bagno e questo mi prende circa un paio d'ore.

Dopo cena infine mi dedico alle piante: prendo uno straccetto umido e faccio come zia Elsa: lo passo foglia per foglia. Cioè lavo le foglie di tutte le mie quattro piante, così luccicano quasi.

Vado a dormire e resto con gli occhi spalancati a sognarmi Corinne.

A mezzanotte suonano alla porta.

« Saranno i ladri? » dice mia madre, balzando sul letto. Dev'essere rimbambita dal sonno, perché non mi sembra che i ladri suonino il campanello. Zia Elsa è la prima ad alzarsi, si scaraventa giù dal letto e si precipita ad aprire, barcollando dentro la sua enorme camicia da notte di lana rosa.

È Furio.

Furio?

Entra trafelato e felice, quasi travolgendomi.

Lo guardiamo esterrefatti nel gelo dei nostri pigiami, mia madre e io.

Dice che mi ha portato la soluzione, anzi me lo urla. Per l'altezza no, non sa proprio come fare...

Lo blocco tappandogli quasi la bocca e me lo porto di là in camera, dicendo alle donne che non è niente e che se ne tornino pure tutt'e due a dormire, che al mio amico ci penso io.

« Ma cosa t'è saltato in mente? » gli dico.

« Niente, ti dicevo che non so come farti diventare un metro e ottantasei, mi mancano diciotto centimetri esatti, ma secondo me non c'è problema: puoi dirle che hai scherzato, alle donne piacciono da pazzi quelli che scherzano, li trovano dei simpatici burloni e vedrai che fai almeno venti punti, garantito. »

Invece per i capelli dice: gran colpo. Ed estrae dallo zaino un flacone di non so cosa e mi versa all'istante, senza che possa dire be', il contenuto denso e gelido sulla testa. Poi mi fodera con una specie di cuffietta di plastica e mi dice:

« Adesso, Felix, bisogna aspettare ».

Mi sento, nel mezzo di questa incredibile notte, ridicolo come un lupo travestito da nonna. Lui fa di tutto per tranquillizzarmi; mi spiega che usa quel sistema per tingere i suoi pelucchi, soprattutto anatre, pulcini e oche: non mi tranquillizza per niente.

Dopo mezz'ora mi toglie la plastica, mi sciacqua la testa nel lavabo e mi porta davanti allo specchio.

«Vedi? Così sei biondo!»

Vorrei morire. Staccarmi la testa e buttarla nella pattumiera. I miei capelli sono diventati giallo polenta.

Passo l'altra metà della notte a cercare di estirparmi quel giallo. Provo con una decina di shampoo, con il detersivo da bucato e anche con il WC NET, solo una goccia se no crepo.

Niente.

Corinne!

Ci troviamo tutti alla stazione, ognuno a ricevere il suo ospite straniero. Io col cappellino dei Bulls calato fin quasi sulla bocca. Ma tanto non serve, me lo vedono lo stesso il giallo che ho in testa, mi guardano come se avessi una strana malattia contagiosa. E io faccio finta di ridere dicendo che non è niente, ho solo fatto una prova di colore, cosa c'è tanto da guardare.

Arriva il treno. Scendono tutti, ragazze e ragazzi, alcuni più impacciati altri meno.

La vedo subito, è in mezzo agli altri, piccolina, con la frangia nera. Non oso avvicinarmi, lei non mi ha visto, e non mi cerca neanche, sta lì col suo gruppo, sono allegri, ridono forte.

La guardo. Ha dei jeans rosa, a zampa, troppo lunghi e la stoffa le è andata sotto i piedi e si è fatta tutta grigia di sporco, peccato. Ha una maglietta corta. Si vede l'ombelico, piccolo. È bellissima.

Fanno l'appello, e si compongono le coppie. Anche la nostra: Corinne Dessalle e Gaspare Torrente. Lei si volta, va via, vedo che va dalla Cerbiatti e scuote la testa e continua a dire che no, che no...

Accidenti. È vero: lei si aspetta Felix Torrent. Vedo la Cerbiatti in difficoltà, cerca di leggere sul foglio, scuote anche lei la testa, devo fare qualcosa. Ma cosa?

Vado. Le spiego che Felix Torrent sono io. Mi guarda, guarda con pena quella specie di calotta gialla che mi è scesa sui capelli. Deve pensare che sono impazzito. Traduce a Corinne che sono io quello che la ospiterà e che mi può seguire, e io porgo la mano a Corinne:

«Gaspare Torrente, piacere» le dico. E vorrei morire.

«Felix?» mi dice, interdetta.

«Oui» rispondo.
E penso che a tutto c'è rimedio.

E invece non è vero. Prendiamo il tram muti come due sardine in scatola. Io le porto la valigia e lei cerca di non farsi travolgere dalla gente. È un tram pieno come un uovo, certo, è l'ora di rientro, tutti tornano a casa per il pranzo. C'è puzza di sudore e stanchezza come al solito. Un disastro. Non so cosa darei per spazzare questo tram, per farlo diventare vuoto e profumato, perché sia tutto per lei. Forse dovevo affittarlo, un tram. Dovevo pensarci prima.

Cerco di indicarle due monumenti dai finestrini, attraverso le ditate e l'opaco dei fiati e del vapore:

«Voilà le Palais... le Palais...»

Com'è già che si dice Reale? Palazzo Reale, Palais... Niente, non mi viene più niente, me lo sarò ripetuto cento volte e adesso niente, mi resta in bocca questo «palais» isolato: ecco il Palazzo... Certo, ecco il Palazzo! Che figura!

Siamo a casa. Apro la porta, entro per primo per farle strada e mi trovo davanti la seguente scena: mia madre e zia Elsa nell'ingresso, schierate in piedi una accanto all'altra, le mani incrociate impacciate sul davanti e un sorriso a stampa statico, ebete. Un attimo, e dicono in coro:

«Bonjour...»

Bene. Avevo detto: che non vi venga in mente di parlare francese, neanche un bonjour.

«Ma bonjour lo sappiamo dire bene...»

«No!»

Soprattutto bonjour no! E infatti, Corinne entra e loro cosa dicono? Bonjour! Le avrei appese al lampadario.

Ma la cosa più grave è che zia Elsa si è messa in piedi esattamente davanti al pioppo e, grossa com'è, lo copre tutto. Il mio pioppo, l'unica cosa bella della casa. Inutile. Inutile tutto quel che ho fatto, Corinne non vede niente, non guarda, trapassa tutto e tutti con lo sguardo, non è qui, sembra altrove, indifferente, irritata. Adesso estrae il suo telefonino e si mette a comporre un numero, nervosamente, non ha neanche salutato, è lì

170

in ingresso davanti a mia madre e mia zia e niente, lei adesso telefona, lei parla, fitto, con quel suo francese stretto, pieno di erre e di nasali, chissà cosa sta dicendo, a chi, credo delle cose brutte, è arrabbiata, si capisce da come parla, forse racconta ai suoi dove è capitata, che va tutto male, che noi siamo terribili, dei mostri, che la casa fa schifo, lo sapevo, lo sapevo che la casa fa schifo, pazzesco come sa essere duro il francese qualche volta, è una lingua dura, cattiva, adesso ha chiuso, mi guarda, comincia a parlare a me, sempre con quel suo francese veloce e duro, mi fa un discorso lungo, appuntito, pieno di domande, lo sento dal tono che mi fa un mucchio di domande, ma io non ci capisco niente, non una parola, non mi si districa più nulla nella mente, sei anni di francese, le poesie di Verlaine, madame Pilou, il primo della scuola e niente, sono qui come un salame davanti a una tipa che mi dice quattro cose in francese e io non ci capisco neanche una parola che sia una.

« Tu peux... » le balbetto. « Tu peux parler plus... plus... »

Come diavolo si dice « più piano », accidenti a me!

Guardo i suoi bagagli a terra, e lei ferma in ingresso. È possibile che mi abbia chiesto semplicemente dove andare, dov'è la sua camera, dove può darsi una rinfrescata. D'accordo. La accompagno in sala da pranzo, le indico il suo letto, guardo con pena il paralume con le rane, ma come mi è venuto in mente? Adesso metto insieme Corinne che è qui davanti a me finalmente vera e concreta, la metto insieme a quelle stupide rane verdi che si corrono dietro in circolo sulla stoffa del paralume e le trovo di colpo inverosimili, indicibili, innominabili... Poi le indico il bagno, i suoi asciugamani, il tappetino, l'accappatoio. Mia madre mi segue e fa di sì con la testa a tutto quello che dico. Zia Elsa rimane davanti al pioppo. Ormai, sembra lei il pioppo.

Ora la lascio sola. Sulla porta della sala mi chiede, guardando altrove:

« Alors, dis donc... tu t'appelles comment? »

Sì, mi ha chiesto come mi chiamo, questo lo so dire, mi sembra di essere a scuola, e le dico come un automa:

« Je m'appelle Gaspare Torrente, s'il vous plaît ».

171

S'il vous plaît... Non ci posso credere, le ho detto s'il vous plaît, ma cosa c'entra, ma come mi è uscito...

Lei si mette a ridere, acida, sarcastica, mi dice:

«Gaspard? D'accord...»

E mi fa strano questo mio nome adesso con l'accento sulla seconda a. Gaspàr, Gaspàr...

Mi chiudo a chiave nel retrobottega. Mi spoglio. Mi guardo questo cespo di capelli gialli che mi porto sulla testa e me lo strapperei.

Buio.

Gesù ti prego, abbi pietà.

QUATTRO

Oceani

Quando hai la tua prima macchina sotto il sedere, il mondo è tuo. Cioè, ti sembra tuo. Prima, diciamo nella tua vita precedente, tu avevi il mondo intorno, ma niente, non lo vedevi perché era come se te l'avessero nascosto. Adesso invece... basta dare un'accelerata e te lo prendi, il mondo è tutto lì per te.

Erano anni che mi covavo il pensiero dell'oceano. Anni che guardavo le strade sulla cartina e me le studiavo nei dettagli; è stata, per lungo tempo, una faccenda tra me e la cartina. Era il mio viaggio, il regalo che volevo farmi. Bastava avere diciotto anni e una macchina sotto il sedere, con un bel pieno di benzina. Partire e basta, da soli.

Ognuno si sogna quel che vuole per la fine del liceo. Io mi sognavo questo, gli altri no. I miei compagni si sognavano altro, ad esempio andare ad Amsterdam con la tenda arrotolata nello zaino oppure un corso preuniversitario a Princeton. Dipende da cosa vuoi nella vita. Io volevo l'oceano.

Volevo andare a vedere di che colore era, se era diverso dal mare della mia isola ad esempio, se davvero un oceano è più grande di un mare. Cercavo l'idea di grandezza, l'idea. Speravo di incontrarla, di vedermela davanti spianata e palpitante. Mi tenevo stretto questo pensiero per quando avrei finito la scuola, ero libero e la vita ce l'avevo davanti, dico la vita che volevo, che è un po' come avere un oceano davanti. Avevo solo paura che invece non fosse niente, che fosse come il mare, perché l'infinito te lo dà benissimo anche un mare, non c'è bisogno di un oceano: finiscono tutti e due con l'orizzonte, e l'orizzonte è uguale da tutte le parti, non è che c'è scritto sopra «orizzonte di mare» oppure «orizzonte di oceano».

Così sono andato a vedere. Mi sono detto: vado sempre dritto finché trovo l'oceano. E l'ho trovato. È stato anche facile, non c'era bisogno di tante cartine, bastava andare sempre verso ovest e lo trovavi subito l'oceano, e neanche chissà in quale paese: in Francia, bastava andare in Francia fino a dove finisce la terra, niente di straordinario.

E così l'ho trovato. L'ho sentito, prima di vederlo. Era ancora notte, ma io l'ho sentito col naso, ho pensato: ecco, questo è l'odore dell'oceano.

Poi ci sono arrivato davanti, al mattino, che cominciava appena a diventare chiaro, un leggero chiarore azzurro, ma ancora azzurro notte. Io da solo, tutto silenzio. Ho preso una strada dritta, che finiva in uno slargo. Ho posteggiato, sono sceso, ho fatto una ventina di passi, c'era un muretto e dietro il muretto lui, l'oceano; lì spalmato davanti che ti respira largo come l'universo e tu dici: ecco, appunto, io intendevo questo.

Non era per niente come il mare: era l'oceano. Come mi aspettavo. L'esattezza delle cose che ti aspetti, la perfetta coincidenza di ciò che hai immaginato con ciò che è, la felicità di vedere che le due cose si sovrappongono esattamente e non c'è più divario tra pensiero e realtà. Stupendo. Non facile. Quasi sempre ti fai un'idea delle cose che poi non è mai quella.

Quando ho un grosso nodo dentro che non si scioglie, prendo la macchina e vado a farmi un giro. Non che guidare mi piaccia, ma mi distrae.

Oggi ho un nodo dentro più grosso di tutti i nodi che mi siano mai capitati, un nodo che non si scioglie neanche morto. Quindi prendo la macchina e vado a farmi un giro che non finisce più.

È settembre. Un settembre caldo in pieno giorno e fresco quasi freddo al mattino presto. Devo andare a iscrivermi, oggi, e non so a quale facoltà. Giro a vuoto per le strade vuote, sono solo le sette del mattino. E al diavolo anche il fatto che la macchina non è mia, e adesso spero di non dovergliela ridare subito al figlio del panettiere che me l'ha prestata. Non che siamo amici, ma lui è andato militare e della macchina non se ne fa niente. Così mi paghi il bollo e se ti riesce anche le gomme che sono lisce, mi ha detto prima di partire. È una Peugeot scassata, bianca con l'interno rosso. Furio la chiama Tapporosso, come il latte della Centrale. A noi due piace da pazzi il latte, soprattutto Tapporosso. Ci facciamo spesso un lattementa, ultimamente.

Vorrei iscrivermi a Latino. Ma mia madre dice che, poi, che razza di lavoro trovo con il latino, si guadagna poco e comunque avevo promesso a papà che facevo l'avvocato... Dice:

« Abbiamo fatto tanti sacrifici, io e tuo padre ».

Lo so. Avrei preferito di no. Non ne posso più con questa storia dei sacrifici, vorrei dirvi che io non li volevo i vostri sacrifici. Non vi ho chiesto io di farli. Per me andava bene se stavate un po' anche fermi, invece di passare la vita a lavorare, che non ve la siete goduta niente. Ma quando ne parlavo con papà e provavo a dirgli: fai meno giri con i turisti, porta la mamma in spiaggia e prendetevi il sole, lui mi guardava con gli occhi delusi, come a dirmi: ma allora non capisci che tutto quello che facciamo lo facciamo per te.

Stasera vedo Furio, abbiamo un appuntamento al solito bar.

Arriva vestito a festa, giacca e cravatta. Ha l'aria seria da uomo fatto. Anche la voce: mi parla basso, con un timbro da oltretomba. Capisco che deve dirmi cose definitive.

Infatti mi dice:

« Vado a Berkeley ».

Con i suoi hanno deciso che andrà a studiare lì, sono cinque anni e poi tanto ci rivediamo, mi dice. Mi racconta tutto, sta tre ore a spiegarmi per filo e per segno dove abiterà, cosa studierà, cosa penserà...

Grazie mille. Io, tutto così subito, non so neanche dov'è Berkeley. Ma mi gira che sia lontano, diciamo dall'altra parte dell'universo. Cioè mi lasci solo, grazie. E tutto quello che abbiamo passato insieme? E adesso? Cosa faccio, con chi vado sul Po, dove m'iscrivo...

« Va bene » gli dico tanto così, per dirgli qualcosa.

Va bene. Tanto, fanno tutti così. Prendono e ciao, vanno a studiare in America. O anche in Olanda. O in Australia. Va molto l'Australia, mai capito perché. Forse perché non sa né di

Oriente né di Occidente l'Australia, è una specie di cosa neutra piantata in mezzo agli oceani con i suoi bei canguri e quindi va bene così. Tutti in Australia.

Io al momento ho un vuoto marcio nella testa, ma certo che lo so, lo so benissimo che Berkeley è in America. È anche dall'altra parte dell'America, su quell'altro oceano. E io che quest'estate ci sono stato sull'oceano, chissà cosa mi son creduto di fare, ero felice come una pasqua perché uno è felice quando ha diciotto anni, una Peugeot che si chiama Tapporosso e un oceano davanti. E invece no, arrivi tu stasera e dici che te ne vai in un posto che io non so dov'è ma poi mi viene in mente, e capisco che il mio oceano fa ridere i polli, è un oceano da niente, uno sputacchio di acqua e sale a qualche ora da casa, prendi vai e arrivi, ma poi cosa credi? sei soltanto arrivato in Francia e quello è solo l'Atlantico, invece tu... Tu ti becchi un oceano mille volte il mio, tu non solo te ne vai lasciandomi qui nel vuoto, ma ti spari anche l'oceano più grosso del globo, bella forza, bell'amico.

E così m'iscrivo a Latino.

Ho deciso. Tu vai a Berkeley? Bravo. E io m'iscrivo a Latino!

Mi sono inalberato

Intanto devo imparare a fare il drenaggio. Un buon drenaggio è tutto.

Inutile piantare chissà che alberi. Inutile spendere tanti soldi per il concime migliore, il vaso più bello, i sistemi di irrigazione più evoluti.

Il drenaggio è l'importante! Se tu sbagli drenaggio tutto ti svanisce sotto gli occhi e tu te ne resti lì, schiacciato dalla sorte. Ma quale sorte? Smettiamola, prendiamoci le nostre responsabilità. Quindi mi compro un libro sul drenaggio e comincio a studiare.

Se non si fa un buon drenaggio, la pianta comincia a impallidire. Diventa gialla. Per noi il giallo è un bel colore, ma per la pianta no: è il colore della morte. Ognuno muore con i suoi colori. Noi ad esempio diventiamo bianchi.

Se poi andiamo a vedere le radici, scopriamo che anche loro soffrono, non si espandono più. Nessuno ci pensa mai alla sofferenza delle radici, solo perché le radici sono una cosa che non si vede.

Troppa acqua nel terreno. Noi sbagliamo tutto, pensiamo che a una pianta serva l'acqua e allora giù a bagnare. È vero, le serve, ma con misura. Leggo sul libro che l'eccesso di acqua toglie ossigeno, e fa anche un pericoloso accumulo di anidride carbonica.

La soluzione non è dunque dare più acqua alle piante, bensì incanalarla. Mi piacerebbe imparare come si fa un buon drenaggio. Bisogna scavare sotto, tanto per cominciare. Fare una bella buca di circa un metro cubo e poi riempirla metà di frammenti di laterizi, e metà di terra mista a ciottoli. Lì dentro inserire i tubi per incanalare l'acqua in eccesso.

Anch'io avrei avuto bisogno di un buon drenaggio. Sono stato, in tutti questi anni di liceo, una pianta a cui dovevano drenare il terreno. Possibile che non si siano accorti che ingiallivo? Ingiallivo e mi marcivano le radici. Ma niente, hanno continuato a innaffiarci. Facile: porti ogni giorno la tua bella pompa e giù acqua. Tutti livellati a bagno nello stesso terreno intriso d'acqua da far paura: tutti belli marci.

Ma tanto, chi le vede le radici?

Sono felice adesso se mi iscrivo a Latino. Sono felice di buttarmi dietro le spalle tutto questo marciume di liceo. Mi sembra che finalmente potrei tornare com'ero. Adesso vado ai corsi, mi dico. Frequento, studio, leggo, traduco... Finalmente traduco senza la paura che qualcuno mi scopra. Posso tradurre allo scoperto, anche per strada se voglio. Basta di fare il clandestino, sempre intampato in quella grotta di retrobottega puzzolente, pensavo che mi sarei trasformato in una pietra viscida e verdastra, una cosa ricoperta di muschi e licheni. Basta di vivere steso sulla branda col vocabolario sul cuscino e se arriva qualcuno, tipo per caso un mio compagno, giù tutto sotto il materasso che non si veda niente, che non si veda che io traduco.

Adesso basta. Non ce l'ho più una classe che mi punta i suoi fari acidi addosso, che mi sputa sulle scarpe che ho, che mi chiede conto a quante feste sono stato invitato e quante volte mi ci sono sballato. Adesso, anche se Furio mi scappa via, io se voglio mi prendo il tavolo, una sedia, e mi piazzo lì fuori a tradurre, anche davanti alla fermata del tram, se mi pare. Che tutti mi vedano, cosa me ne importa? Mi piace il latino, diventerò uno studente di latino, e allora?

C'è poca umidità, qui in casa mia. E l'impianto d'irrigazione funziona male. D'altronde, cosa pretendo? Ho raccordato alla bell'e meglio quattro canaline con i tubi del riscaldamento, ho sistemato qualche piccola girandola a tempo, che manda qualche debole, discretissimo spruzzetto qua e là sulle mie piante. Troppo debole, troppo discreto... Finché non imparo bene il drenaggio, devo escogitare qualche altro arrangiamento idrico.

Comincio a fare una cosa: porto a passeggio le piante. Una per volta, un giorno una e un giorno l'altra. Quelle che si può, almeno; quelle col vaso meno ingombrante.

Mi sono costruito una specie di imbracatura: due cinghie sulle spalle a mo' di zaino, e sul davanti una rete-contenitore, di cuoio, dove incastro il vaso. L'idea m'è venuta vedendo le madri che portano i loro bambini appesi sul davanti, in una specie di borsa che poggia loro sulla pancia. Io faccio lo stesso con le mie piante e direi che funziona, ne è nato un affare a metà tra le corde per arrampicare e un porta-neonato.

L'unica cosa è che non ci vedo bene, cammino un po' al buio, perché le foglie della pianta mi ronzano proprio davanti al viso e devo dire che spesso mi perforano l'occhio, creandomi non poco fastidio, anche prurito.

Oggi ad esempio Furio mi viene incontro proprio mentre porto il sambuco a passeggio, ma io non lo vedo. Lui mi chiama, allora sposto un po' le fronde con la mano, cerco di metterle di lato e lo vedo. Lo saluto, gli sorrido, sono contento di vederlo.

«Ma non eri a Berkeley?»

«Parto fra una settimana.»

Mi dice che passava di qua per caso, non ci pensava proprio di vedermi. Però ha l'aria truce, mi parla ingrugnito come se ce l'avesse con me.

«Si può sapere cosa stai facendo?» mi chiede, duro.

«Sto portando a passeggio una pianta...»

Il sambuco è una pianta cespugliosa, con la corteccia grigiastra. Cresce spontaneo lungo le scarpate, vicino alle strade, alle rive dei fiumi, accanto alle case, in luoghi incolti dove ci sia un elevato contenuto di azoto. È l'ultima pianta che mi sono comprato, gli ho creato una specie di piccola scarpata in ingresso, in un angolo dove prende luce lasciando aperta la porta della cucina. Ho fatto il meglio che potevo ma non so, a volte mi sembra che soffra e allora lo porto un po' fuori. Non ha ancora fatto i frutti, spero che li faccia però. Il sambuco fa delle piccole bacche violacee che producono un succo rosso; gli uccelli ne vanno matti.

Furio continua a guardarmi male. Va bene, ho capito, la poso per terra, sciogliendo con attenzione l'imbracatura delle cinghie, e gli spiego pazientemente la faccenda dell'umidità e del drenaggio; cerco di fargli capire che, portando le piante a passeggio per strada, e possibilmente lungo i viali o ai giardini, insomma dove c'è verde, ottengo il massimo e cioè che le piante assorbano la normale umidità dell'aria: sai quell'acquerugiola sospesa, quella specie di nebbia bagnata che ci dà tanto fastidio... Ecco, per le piante è una meraviglia.

«Tornano a casa che sembrano rinate...» gli dico.

«Rinate... Ma non ti sembra di esagerare?»

Ho come la sensazione che, qualsiasi cosa dica, non gli va bene. Allora sto zitto. Meglio fare dietro front e tornare verso casa. Mi risistemo il sambuco nell'imbracatura, imbrigliandomi un po' nelle cinghie. Non facile. Furio non mi aiuta, non mi guarda neanche, ha gli occhi perduti dietro gli occhiali, lontani.

«Scusa, ma adesso quante ne hai?»

«Di cosa?»

«Di piante.»

«Mah... Quindici» gli rispondo.

Perché me lo chiede? Lo sa quante piante ho, no? Forse sono anche di più, confesso che non ho tenuto bene il conto. Anche perché ogni tanto di una pianta, quando mi accorgo che è cresciuta troppo, ne faccio due, cioè le sottraggo un rametto, lo faccio radificare e poi lo pianto in un vaso, così mi diventa una pianta in più. No, davvero non lo so quante piante ho in casa.

Comunque devo smetterla di portare a spasso le piante, secondo me Furio è irritato per questo, gli dà imbarazzo, non so; lo capisco da me che non va bene: nessuno lo fa.

«Vuoi salire un attimo?» gli chiedo.

Apro piano la porta, per non svegliare zia Elsa. Da un po' di tempo passa le giornate a dormire e non sopporta i rumori. Quando non dorme, guarda la tele; dice che solo la tele non è rumorosa, e chissà cosa diavolo vuole dire.

«Stai attento al fango» avverto Furio, perché ho sempre paura che non si ricordi che in ingresso, sul pavimento di marmo, si è formato una specie di tappeto verde che però a volte, se è troppo bagnato, diventa una poltiglia fanghiglia. Molto sdrucciolo, molto.

«Ma non potresti levarlo via?» mi chiede seccato. Strano, lo sa benissimo che non posso: se levo il fango, come vivono i lombrichi? Ho fatto il deposito dei lombrichi proprio in un angolo dell'ingresso.

«Sai, i lombrichi...» gli ricordo.

«Ma non potresti farne a meno dei lombrichi?»

«Lo sai che servono a ingrassare il terreno...»

Furio è decisamente nervoso, oggi. Sento che c'entrano le mie piante, ma non so come. Sì, forse adesso in casa mia ci sono un po' troppe piante. Alberi, direi. Sono diventati alberi, ma è colpa mia? Le piante crescono, Furio, non lo sapevi? Hanno questo di caratteristico: crescono. Cos'altro potrebbero fare d'altronde? Sono d'accordo che dovrebbero smetterla, sarebbe molto meglio. Ma la crescita è un imperativo, una coazione... Anche noi, dovremmo smetterla di crescere. Dovremmo stare un po' fermi. E invece guarda qui: i piedi, le mani, il naso, tutto il corpo ci è cresciuto in questa maniera orribile... Comincia tutto piano, senza che te ne accorgi. Prova a pensare a un lungo periodo di tempo, diciamo una ventina d'anni: hai idea di come diventa una pianta dopo una ventina d'anni? Ecco, e se non succede, è solo perché noi a un certo punto decidiamo che è cresciuta troppo e le tagliamo via la cima. Ogni anno sempre via la cima. La livelliamo. Finché lei si stufa e comincia a perdere le foglie, sempre di più, e allora noi diciamo che è morta.

Comunque hai ragione: mi hanno invaso un po' la casa, e certe stanze sono, come dire? un po' sfondate. Soprattutto i mobili, sì, ne escono un po' sommersi: l'*ulmus campestris* che si appoggia al comò, l'*acer palmatum* che soffoca l'attaccapanni, il *carpinus betulus* che intrufola i rami tra i cassetti della credenza. Diventa tutto un po' più difficile... Anche il pavimento, ad esempio qui sta' attento che c'è un buco; diciamo che in certi punti non sta reggendo il peso, il pavimento, ma sto cercando di puntellarlo, vedi qua? Faccio del mio meglio, Furio.

Certo avrei potuto buttarle via, le piante, non appena vedevo che crescevano troppo. Ma come fai a buttare via una pianta che è lì che ti cresce davanti e ogni tanto mette una nuova foglia o un nuovo rametto, come fai? Lei non ha ancora finito la sua vita, e tu la butti? No, non puoi. Potevo non comprarne delle altre, questo sì. Ad esempio la vite vergine che mi sta invadendo il divano letto, potevo farne a meno...

Il pioppo soprattutto. Il pioppo ha proprio esagerato, me ne rendo conto. Te lo ricordi il pioppo, com'era piccolino? È tutto cominciato da lui, dal pioppo... È diventato enorme. Mi vergogno persino un po'. Non so, mi sento un po' responsabile, come se l'eccessiva crescita del pioppo fosse, in un certo senso che non capisco, colpa mia.

Mia madre è lì che sta impastando le polpette e a momenti ci lavora insieme anche le foglie del pioppo, deve di continuo tirarle via come una frangia che ti cade sempre sugli occhi impedendoti la visuale.

«Ciao Furio, che piacere rivederti...»

Gli parla come se niente fosse, è abituata a tutto, mia madre. Furio la guarda, lì piantata sotto l'arco che i rami del pioppo le disegnano attorno, e non riesce a spiccicare una parola, lo vedo benissimo che non ci riesce. Non si è mai del tutto abituato alle mie piante, Furio. All'inizio, tre anni fa, lo trovava divertente, ma poi... Non me l'ha mai detto, ma forse pensava che le avrei buttate via, a un certo punto. Gli dà fastidio, da un po' di tempo, tutte le volte che viene da me, io lo vedo che gli dà fastidio vedere tutte queste piante e la mia casa come è diventata. Gli dà un fastidio matto, e io non saprei neanche dire perché.

Sì, in effetti... Forse mi sono un po', come dire? inalberato. Impigliato in tutti questi alberi che mi sono cresciuti attorno. Imboscato.

A volte mi sento così, preso in un viluppo. Soprattutto d'estate. L'estate non è poi quella gran stagione che ci crediamo. Ce la siamo un po' mitizzata, solo perché pensiamo di fare chissà quali vacanze. In realtà l'estate è solo afa che entra in camera e ci succhia il sonno; per chi ha alberi poi... una vera tragedia. Gli alberi d'estate crescono a dismisura. Tutto ciò che è verde s'inverdisce sempre di più, ciò che è ramificato ramifica, ciò che è fronzuto frondeggia. La foresta avanza, ti assedia, ti soffoca l'esistenza.

«Ma scusa, perché continui a comprare piante?»

184

Lo sapevo che me l'avrebbe chiesto.

Andiamo di là a parlare e, facendoci largo tra gli intrichi della vite che si sta imbrigliando con il *liriodendron tulipifera*, ci stendiamo sul divano letto.

Il *liriodendron tulipifera* è il penultimo che ho comprato. Veramente l'ho fatto arrivare dall'America. L'ho comprato perché si fanno le barche con il tronco di questi alberi, e a me questo ricorda mio padre; certo bisogna aspettare un po', adesso è piccolo, sarà al massimo due metri di altezza, e comunque non è che io ci voglia fare una barca... Gli indiani d'America ci fanno le canoe con questi alberi, non le barche vere e proprie. Ma a me ricorda lo stesso mio padre... E poi c'è un'altra cosa: dopo i quindici anni fiorisce, bisogna solo aspettare. Con gli alberi bisogna sempre molto aspettare.

Comunque sì, nel frattempo continuo a comprare piante. Ne ho comprate anche quest'estate, non lo nego. Perché l'ho fatto? Tu mi stai chiedendo perché l'ho fatto, e va bene, potrei dirti: cosa te ne importa? tu collezioni occhi per peluche e io coltivo piante. Potrei metterla così, no?

Invece non lo so il perché. È stato quando Corinne se n'è andata, lo sai benissimo. Avevo comprato il pioppo per lei, e tu la sera prima mi avevi fatto i capelli gialli. Che disastro! Una settimana d'inferno e poi finalmente se n'è tornata al suo paese. Ti ricordi? Usciva tutte le sere, senza di me. Tornava alle tre di notte ubriaca fatta di birra. Certo, me l'aveva messo anche nell'e-mail che le piaceva la birra, ma io non ne avevo tenuto conto. Non so dove andasse, credo con i suoi compagni francesi. A me non me l'ha chiesto neanche una volta di uscire con loro, neanche una. Aveva preso la nostra casa come un albergo. Era boriosa, cattiva e maleducata, ma io... l'avevo aspettata tanto. Ero vissuto di quell'attesa.

E quando poi finalmente era arrivata, non me ne importava di com'era. La guardavo. Me la bevevo con gli occhi tutte le volte che potevo, le poche volte che stava in casa, quando si trangugiava veloce il pranzo o attraversava di corsa il corridoio tutta agghindata per uscire. Non mi ha mai rivolto una sola parola. Ma io la guardavo. Era bella come un sogno, Furio. Poi se n'è andata, e a me non è rimasto niente. Cioè, mi sono rimaste le piante, quelle per forza: le avevo comprate per lei, per renderle meno brutta la nostra casa, perché si trovasse bene con noi. E allora mi sono incredibilmente attaccato alle piante, non ho avuto il cuore di buttarle: mi ricordavano lei. Cioè non lei-lei com'era veramente, ma lei come io l'avevo pensata prima di vederla, come l'avevo tanto aspettata. Una lei che non c'era insomma.

Facevo come se dovesse ancora arrivare e tutto fosse ancora da iniziare: curavo le piante che avevo e continuavo a comprarne, cos'altro dovevo fare? Comprare una pianta, cioè andare dalla fioraia, sceglierne una e portarmela a casa, era un modo per aspettare sempre Corinne. Non smettere mai di aspettare il suo arrivo. Così il suo arrivo, in un certo senso... non arrivava mai, mi capisci?

È tardi. Furio se ne deve andare. Si rimette la giacca, si ripulisce un po' le scarpe dal fango dei lombrichi, saluta mia madre attraverso il vetro della porta.

« Mi dispiace... » mi dice uscendo.

Non so di cosa gli dispiaccia, se delle piante che sono cresciute o del fatto che lui se ne va in America e a me mi lascia qui a marcire.

Non capisco. Di cosa ti dispiace, Furio? Lascia perdere, ognuno ha la sua vita, no? Vai, vai pure. Tanto, io ho le mie piante.

Credo proprio che continuerò a piantarne sempre di nuove, anche se, come mi dici, ne ho già così tante. E sai perché lo faccio? Perché le piante stanno lì ferme, e sono così alte: hanno una loro... altezza. Una dignità. Non ti chiedono niente, vivono. Ti vivono accanto e basta.

E invece non lo faccio Latino.

Furio parte per la sua Berkeley e io non è vero niente che m'iscrivo a Latino. Diciamo che gliel'ho fatto credere, per rabbia. Lui e la sua Berkeley...

Un po' veramente l'ho creduto anch'io. Ma come faccio a iscrivermi a Latino? Non sono nemmeno più così bravo a tradurre, e poi, tempo qualche anno nessuno lo studierà più il latino, e io come lo trovo un lavoro? Cosa dico a mia madre, che non si fa neanche più il biondo nei capelli? Il suo biondo cenere, sparito.

M'iscrivo a Scienze della Comunicazione, una cosa moderna, frizzante. Di lì qualcosa lo troverò, non so, pubbliche relazioni, giornali, televisione... E il latino cosa importa? Si trova sempre il modo per farle, le cose che ci piacciono davvero, magari per conto nostro.

Sono contento.

Contento un corno. C'è la Laurea Breve.

Mi becco due mesi di riassunti, schede, prove ortografiche con tanto di dittonghi e divisione in sillabe. Il complemento oggetto ad esempio quattro lezioni, perché tutti lo confondono con il nome del predicato.

Oggi il professore di Comunicazione Scritta, dopo aver scavalcato decine e decine di corpi ammassati sulle scale e altre decine di corpi ammassati all'ingresso dell'aula, dopo aver infine vittoriosamente guadagnato la cattedra, spiega. Più che spiegare, urla. Piantato alla lavagna, sporco di gesso come il maestro delle elementari di una volta, urla.

Si ricomincia sempre tutto dall'inizio. Mai che si vada anche un po' avanti. Alle medie rifai le cose delle elementari, al liceo rifai le cose delle medie e delle elementari, all'università le cose del liceo, delle medie, delle elementari... Chissà dove si faranno le cose dell'università.

È che uno si stanca a rifare sempre quel che sa già. Diventa pesante come un sasso, e vorrebbe solo buttarsi da un ponte e andare giù.

Decido di andare a parlarne con il dottor Grigori, che è una specie di assistente e sulla targhetta della sua stanza ha scritto: DOTTOR GRIGORI COUNSELLOR.

Il dottor Grigori è un giovane che sembra vecchio, con pochi capelli radi e la pancia. Non gli si chiude la giacca sulla pancia, gliela vedi fasciata dalla camicia che dici: adesso gli scoppia il bottone. Gli spiego che vorrei approfondire, che io quelle cose che si fanno a lezione le so già e che vorrei fare una tesi sul latino di Rutilio Namaziano, io.

Mi guarda storto e spiritato. Mi chiede: e chi è?

Gli spiego chi è Rutilio Namaziano. Mi dice che siamo a Scienze della Comunicazione. Gli dico: lo so, per questo sono venuto da Lei, per avere qualche consiglio...

Si illumina. Mi dice: certo, io qui svolgo funzione di *counsellor*. Appunto, gli dico.

Mi spiega che, secondo il suo modesto parere, bisogna entrare nella logica universitaria moderna. Gli chiedo qual è. Mi dice che non bisogna arrivare all'università pensando di sapere già tutto, mi dice che è giusto ripartire da zero, che non ci sono solo io al mondo e l'università è per tutti, e non è detto che questi tutti le abbiano già studiate queste cose.

«Ma forse invece sì» dico, «forse le hanno studiate.»

«Ma forse no...» mi risponde. È fosco, ottuso. Mi ottunde.

Già, forse no. Sento che questo «ma forse no» mi frega. Come si fa? Sarebbe bello andarglielo a chiedere a questi «tutti», ma come fare? Non posso mica mettermi io all'entrata e fermarli uno per uno: Scusa, tu l'hai già fatto l'imperativo del verbo dire? Vero che l'hai già fatto? Dimmi di sì, ti prego.

Il dottor Grigori mi consiglia di non avere tutta questa fretta. Mi dice che adesso, se mi siedo, mi dà due consigli visto che lui ha questa funzione di *counsellor*. In effetti ha l'aria molto consigliante. Mi siedo.

Dice che lui sa benissimo cosa consigliare agli studenti. Nelle sue vesti di *counsellor*, per prima cosa consiglia di non scegliere mai su che cosa laurearsi. Cioè di scegliere il più tardi possibile e di fare invece un enorme numero di corsi, i più svariati, senza fossilizzarsi su una cosa sola. Mi dice che io gli sembro un po' fossilizzato. E che dovrei invece girare, bazzicare, spiluccare...

«Ecco, l'arte di spiluccare... Questa è l'università oggi. O lo capisce o Lei è, secondo il mio modesto parere, fottuto.»

Mi viene in mente l'uva, gli acini di un grappolo uno per uno. A me piace moltissimo l'uva, soprattutto l'uva fragola. Potrei piantarne qualche pianta in salotto, e farmi un minipergolato...

Mi dice che sui corsi lui può darmi davvero molti consigli, cioè modesti pareri, perché quella è la sua vera specialità. Si agita un po' dicendolo, gli viene persino caldo e si toglie la giacca. Il bottone della camicia, quello sulla pancia, tira la stoffa fino all'inverosimile.

«Ad esempio» mi dice, «si scordi di dare l'esame con Ferraglio.»

Non so chi sia Ferraglio, ma gli chiedo perché.

Perché Ferraglio è uno che, se tu vai lì al suo esame e gli dici che non hai potuto studiare tutto perché è morta tua nonna, lui non ci crede. Non ci crede neanche se ti metti a piangere. È uno così, pretende che lo studente abbia studiato tutto, tutti i testi d'esame, tutti gli appunti, tutte le note... È pazzo. Non sopporta chi va lì tanto per provarci, quelli così li sega tutti dal primo all'ultimo e quindi inutile, nome da depennare.

Continua: con la Bargigallo invece va benissimo, ma non bisogna assolutamente frequentare le lezioni, perché le dà fastidio la massa e quando vede l'aula piena si irrita; invece, se al suo esame vede una faccia mai vista, è felice come una pasqua perché è la prova che quello studente non è mai andato a lezione.

«Attento anche alla Marchiupo» mi dice poi.

«Perché?»

«Perché è una che odia i maschi.»

Mi sembra un ostacolo insormontabile, per me.

«Niente, Le insegno uno stratagemma» mi dice Grigori, benevolo. «L'unica cosa, se uno è maschio, è fingersi interessato a questioni di donne, femminismo, differenze di genere, cose così... Le faccio un esempio: l'anno scorso uno studente non riusciva a passare questo benedetto esame della Marchiupo. Proprio non ci riusciva, era già la quarta volta che lo dava e niente. Allora viene da me e io gli dico il mio modesto parere. Lui allora presenta una ricerca dal titolo *Differenze di genere nelle scritte dei gabinetti universitari: un'analisi comparata*. E passa l'esame, anche con un voto eccellente. Ha capito? Anzi, adesso ha anche vinto un dottorato e vuol ampliare la ricerca ai bagni universitari di tutta Europa, preparerà una tesi sull'intercomunicatività internazionale dei bagni. Una cosa tipo *Bagni senza frontiere*.»

Qui ride da solo, grattandosi la pancia. Poi mi guarda, fiero.

Mi dice ancora che mettere l'esame della Bigiotti invece è perfetto, si prende quasi sempre trenta. L'unica cosa è non farle mai domande, gira voce che le vengano le convulsioni. Ad esempio, se sta spiegando e uno alza la mano, pare che si metta a tremare e urli una cosa del tipo:

«Ma cosa ci sarà mai da chiedere! Metta giù quella mano!»

Oppure, se ha appena esposto una tal teoria e qualcuno dice che non l'ha capita e se per favore la rispiega, sono guai: dice che quella teoria non è mica sua, e di andarla a chiedere direttamente a chi l'ha inventata.

Ma, a parte questo, secondo Grigori, cioè secondo il suo modesto parere, io sono fortunato perché adesso entrerà l'Ordinamento Nuovo, quello della Laurea Breve, e ci sarà «il tre più due». Mi spiega che io posso ancora scegliere, abbandonare l'Ordinamento Vecchio e optare per la Laurea Breve. Lui, come *counsellor*, me lo consiglia vivamente, così i primi tre anni studio le cose tecniche basilari, che mi danno subito una buona professionalità. Insiste molto sulla parola professionalità, dice che è tutto. Poi faccio una Tesi Brevissima e in un mesetto mi prendo la Laurea Breve.

«Studenti Brevi, capisce?»

Anche qui ride da solo.

«Dopodiché» mi dice, «Lei può davvero iniziare a studiare, cioè si fa i due anni di Laurea Specialistica e lì sì che potrà studiare secco, cose anche approfondite. Qua e là può farsi qualche Erasmus magari in Spagna. Sa, in Spagna gli Erasmus sono divertentissimi...»

E qui ammicca non si capisce a cosa, ma non importa, continuiamo:

«Poi, secondo il mio modesto parere, Lei sa cosa si fa? Un bel Master straniero, anzi, due, tre, dieci Master! Può farsi tutti i Master che vuole, così studia quanto Le pare e diventa uno Studente diciamo Lungo.» Risatina. «Dopodiché...»

«Dopodiché?»

«Dopodiché può finalmente dedicarsi a quello che vuole, ad esempio a quel suo Pumilio...»

«Rutilio. Rutilio Namaziano» gli ripeto.

«Appunto» mi dice. «Quel che vuole Lei, ha capito?»

Ho capito. Aspetto un po'. Rifletto. Mi gratto un orecchio. Poi, non so tanto bene come, ma glielo chiedo. Gli chiedo se davvero posso non scegliere la Laurea Breve e rimanere nell'Ordinamento Vecchio. Lui diventa tutto rosso e gonfio, balbetta:

«Ma se io... ma se io...»

Dice che ma come?, mi ha appena consigliato... che lui allora... lui... che cosa ci sta a fare lui...?

E non so, forse perché si è gonfiato troppo, gli salta il bottone della camicia, quello più a rischio, sul culmine della pancia. Mi dispiace.

Lo lascio che si fa il pavimento carponi, alla ricerca del bottone. Dovevo aiutarlo?

Poi invece incontro il professor Batticolla.

L'incontro della vita, penso, di quegli incontri che stanno scritti ancor prima che tu nasca e poi se ne stanno lì buoni per anni ad aspettare che con calma tu arrivi.

Sto dando l'esame di Storia delle Comunicazioni Antiche, e lui è lì che sostituisce un collega in commissione. Lo noto e non lo noto: niente di che, un professore come un altro. Finisco l'esame, mi alzo, sto per uscire e lui mi segue, mi richiama. Mi dice che gli sembro bravo, davvero molto bravo, e di farmi vivo.

Molto bravo. Nessuno più m'aveva detto così, dopo madame Pilou. Mi fa male come un calcio, mi viene voglia di piangere.

Batticolla è un uomo lungo e magro. Soprattutto ha due mani enormi, sproporzionate, che gli navigano dall'orlo delle maniche. Ha le maniche sempre troppo corte. O le mani troppo lunghe. Fa un po' paura. È pelato e con degli occhi azzurri che ogni tanto mandano bagliori d'acciaio. Sembrano occhi finti, fatti con la scheggia di qualche latta, come ne trova a volte Furio rovistando tra i bidoni della spazzatura. Insegna Diritto Tardoromano a Giurisprudenza, e di lui dicono solo una cosa: che puote quel che vuole.

Lo vado a trovare un mattino d'inverno. Mi faccio la barba, la doccia, e mi presento al suo studio mezz'ora prima dell'orario.

Riceve dalle 9 alle 10, e io sono lì piazzato davanti alla porta alle 8.30. Ci sono in coda una ventina di studenti, tranquilli, spenti, diciamo disattivati. Alle 9.30 nessuno compare ancora all'orizzonte. Mi dicono che è normale, il professore arriva sempre in ritardo. Per questo sono così calmi, penso.

« Ma non ce la farà a riceverci tutti » dico.

« Ce la farà, ce la farà. »

Capisco poi come: ci fa entrare tutti insieme, e ci sbriga mezzo minuto per uno, chiedendoci a turno cosa vogliamo.

Io bofonchio:

« C'ero prima io... »

Non so come mi sia venuto. Forse perché sono figlio di una gastronomia... insomma, di code me ne intendo. Lui mi fulmina con la lama azzurra degli occhi e mi dice:

« Torni domani ».

Vorrei dirgli: ma come, non si ricorda di me? Sono quello... molto bravo.

A casa mia madre ha rovesciato l'insalata russa. Tutta per terra, e ne aveva fatta davvero tanta, una specie di enorme bacinella di vetro bella piena.

«E adesso?»

Si mette a piangere.

Da qualche tempo mia madre piange spesso. Così, per un nulla annega in cascate di lacrime, che sembra sia venuto giù l'universo.

Vorrei dirle che non è grave, che tutta la parte superiore dell'insalata russa, quella che non ha toccato il pavimento, la possiamo raccogliere con un cucchiaio.

Fa di no con la testa, sconsolata. Dice che non c'è più niente da fare, più niente. È una frase che ripete spesso, e ogni volta mi fa venire il groppo perché la dicevo sempre io da piccolo. Ad esempio quella volta che mi avevano regalato la bicicletta, ma era molto alta, troppo alta, ci arrivavo a malapena in punta di piedi e, quando ci salivo, perdevo continuamente l'equilibrio. Ma non era questo il punto. Era che la mia bici aveva ancora le due rotelle laterali, e la bici di Giorgia invece no. Era lì che dicevo: non c'è niente da fare. Ma Giorgia manco mi stava a sentire, se ne volava via giù al porto, in picchiata dentro le stradine e poi in salita fino alla fine del paese.

Io la vedevo sfrecciare come un gabbiano, con la sua bicina snella senza rotelle, e la gonna che le andava su col vento. Mi saettava davanti tutta fiera e mi urlava:

«Togli quelle rotelle!»

Ma io altro che togliere le rotelle, non riuscivo quasi nemmeno a salirci sulla mia bici. Perché me l'avevano presa così alta?

Rutilio e il consiglio di Svitiglio

Voglio fare la tesi su Rutilio Namaziano.

Sono anni che mi coltivo questa felicità mentale. Da quando ho trovato il suo librino bianco sottile sul banco dei libri usati di via Po. Sulla copertina c'erano dei versi scritti in nero, grande. In mezzo in alto il titolo: IL RITORNO. Enorme.

Non saprò mai se sono stati il titolo, i versi, o cosa. Ho cominciato a leggermelo in tram, perché quel giorno ero in tram. E non ho più smesso. Ho perso anche la fermata giusta, ma questo non importa. Rutilio Namaziano ha scritto un poema pazzesco. Solo che non lo conosce quasi nessuno. È un poema sul ritorno, ecco perché s'intitola *De reditu*. Lui è un provinciale, è nato in un paesino da niente della Gallia Narbonese, poi è andato a Roma, la grande immensa Roma, e gli sembrava di vivere in un sogno. Ma sono arrivati i barbari che gli hanno distrutto la casa e tutti i suoi averi lassù nel suo paesino della Gallia Narbonese. A quel punto lui doveva tornare. Doveva. Per vedere un po' cosa fare di tutte quelle macerie. Insomma, raccogliere i pezzi, curare la proprietà; non è che uno se ne possa sbattere delle proprietà. Lui, certo, avrebbe preferito restarsene a Roma. Troppo bello vivere a Roma. Ma non poteva, doveva occuparsene, no, delle sue cose? Era il suo passato, la sua vita. Allora un bel giorno parte. Ma non così, normale, per le strade. No, lui prende una barca e se lo fa per mare il viaggio. Costeggia tutta l'Italia, piano, con calma, fermandosi dove gli pare. E vede tutto lo sfacelo dell'Italia distrutta dai barbari, un mondo finito, un Impero che non c'è più... Mi sono sempre chiesto perché questa scelta di tornare via mare. Non mi basta che le strade fossero interrotte. Mi sono risposto che forse dal mare si vedono le cose con una certa distanza; ad esempio lo

sfacelo lo reggi meglio se lo guardi da lontano: lui, cioè lo sfacelo, è lì sulla terraferma, e tu invece no, tu sei sull'acqua che
ti porta... È diverso. Puoi sempre pensare che non ti riguarda,
il mondo non ti ha preso, tu sei da un'altra parte e quindi buonanotte.

Io la voglio fare su di lui la tesi, fosse l'ultima cosa che faccio.

Torno da Batticolla. Stessa scena, ma ormai conosco il meccanismo. Dieci meno dieci lui arriva, fa entrare tutti insieme, mezzo
minuto a testa...

« Vorrei fare la tesi con Lei » dico, con un certo piglio deciso.

« Su cosa? »

« Rutilio Namaziano. »

« Le ho chiesto su cosa. »

« Rutilio Namaziano. »

Si gratta la gola, come se avesse la raucedine. Ma non ce l'ha,
o almeno non credo. Mi dice:

« Adesso come vede non ho molto tempo, le dispiace...? »

Mi dispiace cosa?

D'accordo, esco. Lo aspetto fuori. Non mi degna di uno
sguardo, d'accordo, pensa che l'abbia preso in giro. Vorrei dirgli di no, che non volevo proprio prenderlo in giro, anzi... Ma
lui sparisce lungo il corridoio, seguito dal codazzo dei suoi studenti serenamente disattivati.

Uno di loro ha pietà di me, e si ferma a parlarmi. Si presenta:
si chiama Svitiglio, si è laureato con il Batticolla e adesso lavoricchia lì con lui, per l'esattezza da ventidue anni. In effetti non
è giovanissimo, diciamo che sembra mio padre. Mi sorride, è
gentile. Mi prende sottobraccio e mi dice:

« Vieni che ti spiego due o tre cosette ».

Mi spiega che con Batticolla è dura, bisogna aver pazienza.
Penso ai ventidue anni che lui ci lavoricchia insieme. Io non
avrò pazienza ventidue anni. Sorride, dice che conosce un modo più spiccio. Mi offre un'aranciata. Mi piace l'aranciata, non
la prendo mai perché mi fa un po' bambino e mi vergogno di
dire al bar: per favore, un'aranciata. Ma mi piace molto.

Mi spiega il modo spiccio. Se voglio parlare al Batticolla c'è un solo modo: l'ascensore.

«L'ascensore?»

«L'ascensore.»

Batticolla prende l'ascensore. E certo, non ha le ali, e farsi nove piani a piedi be'... ci penserei due volte. Il suo studio è al nono piano di Giurisprudenza, in effetti; dunque lui prende l'ascensore due volte al giorno, una per salire e una, ovviamente, per scendere.

«Ovviamente.»

Sì, ma siamo più sicuri che lo prenda per salire. Scendere nove piani potrebbe anche pensare di farlo a piedi. Ma salire no, mai. Dunque...

«Dunque?»

Ordino un'altra aranciata. Mi piace l'aranciata.

«Per favore, un'aranciata.»

Ho osato, benissimo: mi si apre una nuova era davanti, l'era delle aranciate.

Lo studente-padre mi confida che lui ha fatto calcoli molto precisi: l'ascensore ci mette esattamente un minuto e mezzo a fare nove piani. Novanta secondi. Se poi si è fortunati e si ferma a qualche piano intermedio, ci mette molto più tempo. Se si fermasse a tutti i piani, lui ha calcolato che impiegherebbe esattamente la bellezza di duecentoventi secondi.

«Dunque diciamo che tu, per parlargli della tesi, hai un tempo che va dai novanta ai duecentoventi secondi. Dipende dalla fortuna che hai.»

Ho capito. La sua idea in realtà è molto semplice. Parte da un presupposto inconfutabile: che quando una persona è chiusa in un ascensore, è chiusa lì e non può scappare finché non è arrivata al suo piano. Quindi, l'unico modo di brincare il Batticolla è prendere l'ascensore con lui.

«Hai figli?» gli chiedo.

«No, perché?»

Niente, lo studente-padre non è un padre. Lo saluto e ringrazio.

*

Non è facile. Mi apposto ogni giorno. Ma una volta sballo di un minuto l'orario, una volta non lo intercetto, il Batticolla, e lo perdo tra la folla all'entrata, un'altra ancora l'ascensore è strapieno e non arrivo a entrarci. Insomma, mica da ridere.

Poi alla fine ci riesco. Una sera alle otto, che lui aveva una riunione con i colleghi, che dura più del previsto. Io lo aspetto per quattro ore esatte, appoggiato alla parete del corridoio, nessuno mi vede. Mi sono portato due libri e quindi non c'è problema.

Ho una fortuna spaventosa: quando finisce la riunione, escono tutti insieme, ma lui ha dimenticato non so cosa, quindi lascia andare i colleghi, torna in studio e quando va a prendere l'ascensore è solo, come uno gnu in mezzo alla savana. Un ignaro, grasso, succulento gnu. La preda è tutta mia. Sbuco all'improvviso dal buio e inforco l'ascensore con lui, come se niente fosse. Manca solo che mi metta a fischiettare.

«Oh, anche lei qui, professore?»

Preso lo gnu!

Un secondo e mezzo per i convenevoli. Me ne restano ottantotto e mezzo, forza!

Mi parte un fiume inarrestabile di parole. Gli spiego chi è Rutilio Namaziano. Gli dico che lo so che lui insegna a Giurisprudenza e non a Lettere Classiche, ma non mi fa problema. Lo so che insegna Diritto Tardoromano e non Letteratura Latina, ma appunto, anche Rutilio è un autore tardo, cioè della Tardalatinità. E poi secondo me si potrebbe dimostrare un certo qual legame... Qui mi dilungo troppo. Leggo terzo piano, accidenti, ho solo poco più di trenta secondi e lui non ha ancora proferito parola. Mi guarda inespressivo, basito. Forse non ha sentito una sillaba, forse pensa ancora alla riunione, oppure alla cena con la moglie. Ma ce l'avrà una moglie? Aiuto, adesso mi taglia a fette con gli occhi, aiuto, devo fare qualcosa. Gli dico che il latino poi in fondo, sa, è proprio una gran bella lingua, gli dico che non possiamo mica perdercela, che già quand'ero sull'isola, lo sa che io vengo da un'isola? Aiuto, no, non così, sento che mi perdo, che mi sto autoannegando, che per favore...

Pianoterra. Le porte, a scatto, si aprono. Sul baratro dell'atrio. È finita.

«Prego.»

Mi passa avanti, mi sovrasta con la sua figura rigida e impeccabile. Non mi saluta neanche.

Io dietro come un automa. Sette otto passi, poi di colpo si volta. Perché si volta? Mi guarda, mi squadra. Mi dice:

«Va bene».

Solo questo.

Il mio gnu ha detto che va bene! Urrà!

Api

Naturalmente m'iscrivo subito a Giurisprudenza. Al diavolo Scienze della Comunicazione, cambio facoltà. A me di fare lo scienziato della comunicazione non me ne importava niente. Mia madre è molto contenta. Continua per tre giorni a girare per casa dicendo: hai visto Elsa, hai visto Elsa... Poi viene sabato e vanno tutt'e due dalla pettinatrice. Così mia madre ritorna bionda.

Anche di diventare avvocato non me ne importa niente, veramente. Io voglio solo occuparmi di Rutilio Namaziano, perciò se la via è Diritto Romano, anzi, Diritto Tardoromano, ben venga Giurisprudenza... Ma questo non lo dico in casa.

M'importa invece molto di Svitiglio, perché è tutto merito suo. Lui è molto soddisfatto di come sono andate le cose, ad esempio oggi mi incontra, mi prende sottobraccio e non mi molla per un lungo tratto. Camminiamo insieme così, e a me sembra che mi si apra finalmente la strada della mia vita, una metafora di strada lunga e piana, un po' noiosa forse, ma bella dritta verso una meta.

La strada vera intanto ci porta a un bar. Entriamo a farci un'aranciata, per festeggiare. Ringrazio di cuore Svitiglio e m'accorgo... che fa rima con Rutilio. Buon segno, le rime creano agganci, ci confortano che ci sia un benedetto legame tra le cose, anche quelle che sembrano le più sganciate.

Certo mi appare incredibile che il professor Batticolla abbia accettato un argomento simile per la tesi. Per quanto io gli abbia poi diffusamente spiegato che intenderei dimostrare, proprio a partire dall'opera del mio autore, un certo qual influsso visigoto sulla mentalità giuridica della tarda latinità, devo confessare che la questione rimane non poco tirata per i capelli:

cioè, diciamocelo, Rutilio con il Diritto Romano non c'entra tantissimo.

Inizio subito a lavorare alla tesi, che è l'unica cosa che m'interessa.

Intanto il Batticolla comincia a chiedermi qualche piccolo servizietto, cose da nulla per la verità, che davvero mi costano poca fatica e faccio molto volentieri, così, tanto per rendermi utile nei riguardi di una persona cui devo molto: ad esempio accompagnare la moglie a far la spesa, portarle i pacchi e, quando deve svernare in riviera, farle i biglietti del treno.

La signora Batticolla è una donna enormemente grassa.

Data la sua mole parecchio ingombrante, ogni passo è per lei una specie di massacro e tende dunque a farne il meno possibile, di passi. Arriviamo così, a poco a poco e in modo del tutto naturale, al fatto che lei rimane comodamente seduta in auto e io, opportunamente fornito di lista, vado a fare la spesa. Segno di grande fiducia, che in effetti mi gratifica non poco. Senza contare che è molto più comodo anche per me: infatti così evito di sorbirmi il tranfiamento rasposo della signora che, facendo tutta questa fatica a muoversi, emette un fiato rumorosissimo come una specie di tamburo e, a dire il vero, anche parecchio puzzolente. Alla signora piacciono infatti da pazzi le acciughe al verde che, come si sa, sono piene d'aglio.

Svitiglio mi osserva, e approva incondizionatamente il mio operato. Mi dice: bravo, così si fa.

Credo di piacergli, perché un bel giorno mi prende sottobraccio e mi presenta una decina di colleghi, giovani-anziani come lui, con l'aria di dirmi che sono un po' la sua famiglia. Lavorano tutti in piccoli studi legali o fanno le solite comparsate al tribunale, ma non hanno avuto il cuore di abbandonare l'università e quindi continuano a lavorare con Batticolla. Cioè gli stanno lì accanto, buoni. Chi da dieci chi da quindici e più anni. Si siedono intorno alla sua cattedra, un po' lo intrattengono con quattro chiacchiere amene, un po' lo aiutano a fare esami.

Cose così, un po' da api ronzanti.

Vivono quasi tutti ancora con i genitori, perché non ce la fanno a mantenersi con quel poco che raggranellano tra studi e tribunali. Chi ce li ha, i genitori.

Chi non ce li ha invece si arrangia con qualche extra, tipo dare lezioni di inglese. Chi lo sa, l'inglese.

Ci metto anni a fare la mia tesi su Rutilio Namaziano. Un po' tanto, d'accordo. Ma le piante...

Le piante danno un bel daffare. E cambia il vaso perché diventa piccolo, e aggiungi la terra, e metti il concime giusto. E pota i rami, togli le foglie secche, innaffia, ramazza, arieggia...

Comunque mi viene una tesi stupenda, un capolavoro di idee, collegamenti, ipotesi ardite.

E invece a Batticolla non piace per niente la mia tesi. È irritato, quasi offeso. Mi dice:

«Ma Lei, come si permette?»

Non capisco a cosa si stia riferendo, ma per fortuna c'è Svitiglio che mi vuole bene e sente un po' di pena per me. Mi prende da una parte e mi spiega che il professore ha ragione, io nella tesi ci ho messo troppe idee, troppa originalità, cosa volevo, strafare? Mi spiega che bisogna essere più umili in una tesi, citare quelli più vecchi di noi con tanto di data e luogo di edizione e basta. Al massimo ogni tanto dire che la cosa anche a noi sembra così, che il tale o il tal altro, secondo il nostro modesto parere, hanno proprio ragione.

Siccome mi vede affranto, si offre di seguirmi per una revisione totale della tesi. Ci troviamo a casa sua una volta alla settimana. Usiamo le ore del primo pomeriggio, poi, quando comincia a imbrunire, ringrazio e me ne vado, perché a lavorare con la giornata che se ne muore e la voce spenta di Svitiglio che m'insegna l'umiltà accademica, mi viene una malinconia...

È un lavoro un po' lungo, ma ce la facciamo. Svitiglio mi cancella tutte le frasi in cui siano espresse delle idee o anche solo se ne veda un barlume, e mi insegna due cose fondamentali: citare, cioè disseminare un buon numero di frasi altrui nella pagina; e ridire, in altro modo, le cose che sono già state dette dagli altri. È un vero maestro. Non so cosa avrei fatto senza di lui.

Adesso Batticolla è molto contento di me, dice che mi è venuto proprio un bel lavoro, meritevole di lode. Posso quindi laurearmi.

Finalmente. Non è stato facile per me fare questa benedetta facoltà di Legge. A me di leggi, atti notarili e tribunali non è mai importato niente. Ho trovato tutto terribilmente triste e opaco. Ho imparato i libri a memoria come buttar giù un piatto di minestrone cucchiaio dopo cucchiaio.

Ho sempre odiato il minestrone. Da piccolo facevo così: un cucchiaio di minestra in una mano, un bicchiere pieno d'acqua nell'altra, giù la minestra e subito dietro un bel sorso d'acqua a mandarla giù, cucchiaio e bicchiere, cucchiaio e bicchiere.

Con le leggi ho fatto lo stesso, e l'ho presa la laurea. Però non ero io. Non ero io quello che si laureava in Legge. Io ero un altro, stavo da un'altra parte, ecco.

Comunque mi laureo con il massimo dei voti. È stata una cerimonia da piangere. C'era anche Svitiglio, che batteva le mani. Era un po' come se fosse una sua vittoria personale. Dei miei invece io ho voluto che non ci fosse nessuno, né amici né famiglia. Nessuno lì a piangere o a commuoversi in silenzio. Mi vergognavo. La laurea è una cosa solo mia, nessuno la deve vedere.

Intanto il Batticolla dominus è entusiasta. Mi ha detto: mi raccomando, non sparisca, si faccia vedere dopo la laurea, si faccia vedere.

Così io ogni tanto mi faccio vedere. Cioè vado da lui, sto in fila con gli altri nel corridoio e quando è il mio turno entro e lo saluto. In questo modo lui mi vede.

Sono diventato uno dei suoi allievi vecchi. Non me ne sono accorto, ma è successo e adesso ogni tanto ce ne andiamo tutti al bar a berci un caffè. Mi sento un po' uno di loro ormai, anch'io una specie di ape ronzante. Ma non è brutto, sembra di far parte di una grande famiglia.

Batticolla, ogni volta che mi vede, mi dice:

«Bravo!»

Oppure, quando ha più tempo:

«Bravo, Torrente! Ma lo sa che Lei è proprio bravo?»

E un giorno mi ha persino detto:

«Lei farà strada».

Comunque in generale mi son fatto l'idea che il dominus abbia dei buoni progetti su di me. Me la son fatta io, l'idea, perché lui non ne parla mai in modo esplicito: ammicca, ammicca soltanto, cioè socchiude la lama degli occhi fino a farla diventare ancora più tagliente.

Un giorno mi dice che, volendo, potrei scrivere un articolo sul mio Rutilio, così comincio piano piano a farmi conoscere.

Torno a casa così ingagliardito che dall'emozione mi metto a potare tutte le piante, comprese quelle che non dovevano affatto essere potate. Infatti qualche giorno dopo ne muoiono alcune, ma che farci? Per me potare è un gesto liberatorio e felice in sé, qualcosa che mi concedo solo nelle grandi occasioni della vita. E allora me la sono concessa, e basta, ogni impresa ha le sue vittime.

Mi metto subito a trasformare la mia tesi in un articolo. Si tratta di passare dalle quattrocento pagine della tesi alle sei pagine richieste per l'articolo. Un lavoro di notevole sintesi. Non facile, ma ne vale la pena; il mondo finalmente saprà il mio pensiero su Rutilio.

Ci metto mesi, lavoro sodo, ma ci riesco. Ne esce una cosa che vengono i brividi a leggerla.

Batticolla mi stampa una delle sue enormi mani sulla spalla e mi dice:

«Bravo!»

Mi dice proprio così: Bravo!

L'articolo uscirà presto sul supplemento semestrale della rivista *L'eco di Pietra Ligure*. Perché lì, sulle colline di Pietra Ligure, il professore possiede un piccolo appartamento con terrazzino vista mare, dove va a trascorrere le domeniche di primavera con la moglie, la quale se ne sta tutto il giorno sdraiata sulla sdraio del terrazzino a sognare o a digerire acciughe al verde: a seconda che le abbia già ingurgitate o che si appresti a farlo quanto prima.

Nessuno ha un articolo pubblicato su *L'eco di Pietra Ligure*. Nessuno di noi giovani api. Sarò io il primo. E quando avrò l'articolo pubblicato, potrò aspirare a trovare un buon lavoro. Ma quale buon lavoro? Come esperto di Rutilio Namaziano?

Per fortuna mi si apre qualcosa di più concreto. S'è proprio adesso liberato un posto come giovane di studio presso un importante studio legale della città, e non è escluso che il posto possa essere mio. Infatti in questo periodo Batticolla stravede per me, per due ragioni: gli ho fotocopiato interamente i tre volumi dell'Enciclopedia del Diritto in edizione americana; certo ci ho messo il mio tempo, però un po' per volta adagio adagio ce l'ho fatta, basta avere pazienza. Seconda ragione, sua moglie si è slogata una caviglia e da due mesi è a casa immobile, e se non ci fossi io non solo a portarle la spesa a casa, ma anche a prepararle la spremuta, sarebbe una tragedia.

L'altro giorno, per la gratitudine, è persino arrivato a dirmi: «Lei è un giovane meritevole, Torrente».

Meritevole. Mi piace molto la parola.

CINQUE

Senza schiuma

È una brutta sera di pioggia. Quest'anno settembre è già pieno autunno. Non ho fatto in tempo a tornare dalla mia solita vacanza sull'oceano, che già avevo addosso la giacca di lana e le scarpe con la para.

Che serata orribile! Guardo le gocce che mi sporcano le vetrine e anche il vetro della porta d'entrata. Domani mattina devo ricordarmi di pulire; adesso no, sono stanco morto, di pulire vetri non ci penso neanche. E poi sarebbe inutile, perché secondo me pioverà tutta la notte.

C'è poca gente stasera, pochi clienti. Se ne sono rimasti tutti a casa, al caldo. Li capisco.

Entra un uomo strano, che mi pare di riconoscere. Entra dritto filato, facendo sbattere malamente la porta; ha un impermeabile scuro, largo come una campana e sgocciolante tutta la pioggia di fuori, che è parecchia visto che è tutto il giorno che diluvia. È un uomo intriso di pioggia, se l'è presa tutta perché non ha l'ombrello. Si avvicina al banco e mi ordina un cappuccino senza schiuma.

«Senza schiuma» mi ripete.

Allora lo guardo bene: sì, è proprio lui! Ha la pioggia sugli occhiali, secondo me non ci vede niente. Adesso si toglie gli occhiali e se li pulisce, poi se li rimette. Così ci vede meno di prima, perché ha spalmato le gocce su tutta la lente, bravo! Non è proprio cambiato, è sempre lui. Si è fatto crescere la barba e i baffi, ma non importa, lo riconosco perfettamente.

Mi ripete l'ordine per la terza volta, si vede che sta pensando ad altro: un cappuccino senza schiuma, mi dice. Senza vedermi.

Proprio qui!

Possibile che sia capitato proprio qui? Che debba venirselo a prendere proprio qui il cappuccino, nel mio bar?

Siccome non mi metto proprio per niente a farglielo il cappuccino, ma gli rimango così davanti impalato, adesso lui si toglie gli occhiali e finalmente mi vede.

Resta immobile, non riesce a muovere neanche una sillaba tra le labbra, niente. Allora lo saluto io:

«Salve, Furio!» gli dico.

E lui rimane lì, di pietra. Rimane a gocciolare. Una pietra che gocciola, anche dagli occhi. In tutto, da quel settembre che mi ha detto che se ne andava a Berkeley, sono cinque anni che non ci vediamo.

«E tu che ci fai?» mi dice, rimettendosi gli occhiali.

Io lo capisco che gli venga tutto questo stupore, altroché se lo capisco.

Perché di colpo, vedermi così... Mi lascia tutti questi anni, poi un giorno entra in un bar e mi trova dietro un bancone. Non davanti, normale, che mi prendo un caffè. No, dietro. Che li faccio io, i caffè. Con un gilet nero e il cravattino e un grembiule bianco sulla pancia, dietro al bancone del bar, che sto facendo tre caffè in contemporanea alla macchinetta Lavazza Espresso per tre clienti del bar che mi stanno guardando sbieco e che poi sarebbero tre vigili della zona che a quest'ora vengono sempre a farselo nel mio bar il caffè...

E io come glieli spiego adesso al mio amico Furio questi infiniti anni che non lo vedo e tutto quello che è successo e non è successo?

Niente, non glieli spiego. Gli continuo a fare un sorriso gigante perché sono contento di vederlo, contento da morire, e lui lì che mi guarda come se avesse visto un morto. Un morto che ride, poi. Vorrei dirgli: non stupefarti così! Ma è ovvio che lui invece si stupefaccia.

Adesso, mettendocela proprio tutta, riesce a soffiarmi sul naso una domanda:

«E la fioraia, scusa? Non c'era la fioraia qui?»

Scusa un corno. Ma come? Mi vedi dopo tutti questi anni, e cosa te ne frega della fioraia, scusa? Scusa te lo dico io... Mi viene da ridere. Comunque certo. Certo che c'era il negozio della fioraia, e non è stato mica un giochetto. La fioraia non se ne voleva andare proprio un bel niente. E io avevo bisogno del suo locale, così potevo, diciamo, farci fiorire il mio bar. L'ho strapagata e dopo un anno ha capitolato, la bieca fioraia. Ha detto che se ne andava in pensione al paese, tanto era vecchia. Non le ho neanche chiesto quale paese.

«E tu scusa» gli chiedo, «perché vieni a cercare una fioraia proprio a Santa Rita?»

«Io non cerco nessuna fioraia...» dice.

Aspetto che continui, asciugando un bicchiere che poi, veramente, era già asciutto. Lui infatti continua:

«Cercavo te...»

Aggiunge:

«Solo che piove e sono entrato...»

Continuo io:

«...in un bar».

«Sì, in un bar.»

Ci guardiamo. Scoppiamo a ridere. Poi gli dico:

«Sei tornato da Berkeley?»

Non era una domanda, lo so che è tornato da Berkeley. Lui risponde:

«Sì».

«Facciamo due chiacchiere?» mi chiede.

«Facciamo due chiacchiere.»

Gli dico che però mi ci vuole un po' prima di chiudere. Mi risponde che non c'è problema, dice che si finisce il suo cappuccino senza schiuma, si siede a un tavolo, e mi aspetta.

«Aspetto che finisci» mi dice.

E io penso che accidenti, altro che un po'! Ci vorranno almeno cinque o sei ore prima di chiudere il bar e lui non ha neanche un giornale. Cosa posso fare?

Piroghe

Cosa potevo fare?, non è stata colpa mia. Va bene, ho aperto un bar. Ma cos'altro dovevo fare? A Latino no, non mi ci sono poi iscritto. Ti avevo detto che lo facevo e invece non l'ho fatto. Tu andavi a Berkeley e io ti ho detto che facevo Latino. Ti ho detto così e poi non l'ho fatto, e allora? Qualcosa da dire?

Tu quella sera sei venuto da me e mi hai piantato addosso due occhi da carpa bollita e mi hai detto: Vado a Berkeley. Va bene. Mi hai detto così quella sera. E allora adesso cosa vuoi da me?

Sono un po' nervoso, scusami, Furio. Non ti aspettavo. Diciamo che non ti aspettavo stasera qui, nel mio bar. Ti sembra possibile una cosa così? Quindi adesso dammi tempo. Va proprio bene che ti sei messo lì seduto ad aspettare. Aspetta.

Qui alle sei è l'ora degli aperitivi e allora dài con la tovaglia verde di raso, i plateau d'argent, le tartine, olive, pizzette, crocchette, focacce...

Vedo che mi guardi, di sottecchi. Cosa vuoi che ti dica?

L'ora dell'aperitivo tu non hai idea. Ormai la gente ci fa la cena con gli stuzzichini dell'aperitivo. E guai se non gli dai le noccioline, e guai se non gli dai le patatine.

L'unica cosa almeno... se non te ne stessi lì fermo come un rospo. Almeno togliti l'impermeabile colante, che mi stai impozzangherando il locale, non vedi? Già. Ma tu non vedi mai niente, sei sempre altrove, tu.

E almeno fa' qualcosa, non so, parla, alzati, esci, rientra, sbuffa...

Tu lo sapevi cos'è l'università qui? Di' la verità, lo sapevi! Per questo te ne sei andato. Tanto tu potevi farlo, tuo padre ti pagava Berkeley. Ma io... non ne sapevo una baldoria di niente, io vado a iscrivermi tutto baldanzoso e cosa mi becco? Tutto un fumo senza arrosto che ti affumica il cervello e alla fine dici: ma io cosa ho studiato? Cosa so? Cosa faccio adesso? Ti si affumica anche l'anima con pensieri così.

L'anima, capisci?

Non ho preparato i tramezzini al pollo.

E adesso ci sono qui due carampane che mi girotondano la testa e li reclamano, dicono che vengono dall'altra parte di Torino e hanno preso due pullman per venire fin qua perché qua ci sono i tramezzini al pollo, e se adesso non ci sono i tramezzini al pollo, allora loro cosa sono venute a fare.

Le guardo. Hanno entrambe una giacca col collo di pelliccia. Una specie di marmotta, anzi, di gatto-marmotta spelato che ha visto le sue. Già, cosa sono venute a fare?

Ce l'aveva anche la Lo Gatto un colletto di marmotta così. Ma non era spelacchiato, era gonfio che le faceva da diadema intorno al collo. Era persino bella, con tutto quel pelo. Te la ricordi la Lo Gatto? Già, ma tu non ci dovevi andare all'Ora di Ascolto, toccava solo a me...

Passerà anche l'ora dell'aperitivo. Passa tutto, al mondo.

Ma arriverà l'ora della cena, e allora giù panini e toast e insalate di pasta e cavolfiori alla griglia con i cubetti di provolone.

Non so come m'è venuto di mettere su un bar.

Né d'inventarmi i cavolfiori col provolone.

Provolone è una parola che mi mette allegria. Me la metteva già quand'ero piccolo e mia madre aveva la gastronomia. Sentivo: mi dia due etti di provolone, e mi veniva da ridere. C'era una cliente in particolare, che comprava sempre solo tre cose: un etto di mortadella, una vaschetta di olive verdi, una fetta di provolone.

Era per il marito quando si fermava in ufficio per il pranzo.

«A mio marito non piace la mensa, sa...»

E io me lo immaginavo quel marito, con la sua bella giacca e cravatta da impiegato Fiat, unto di mortadella e con il provolone poggiato sui registri contabili. Non so perché, ero convinto che facesse il contabile.

Comunque il problema è che io adesso non li posso fare i tramezzini al pollo, e per una ragione molto semplice: non ho il pollo, mi sono dimenticato di comprarlo stamattina, e adesso dove glielo trovo il pollo da ficcare nei tramezzini.

Non glielo trovo. Le due carampe escono indispettite dal mio bar, gonfiandosi tutte nel pelo del loro gatto-marmotta, come fossero le penne di un pavone, o di non so che altro animale arricciolato da morire.

Volevo fare la tesi su Rutilio Namaziano. Ricordi quel provinciale cretino che si fa il viaggio di ritorno tutto in barca? Non poteva andarci per le strade come fanno tutti? No, lui in barca. E io più cretino di lui che l'ho scelto. L'ho scelto per la tesi, capisci? Tutti che lavorano su Internet, l'inglese, le aziende, il Nasdaq, la statistica, l'epidemiologia, le biotecnologie... E io su cosa mi laureo? Su Rutilio Namaziano.

Adesso però basta. Non ne posso più di vederti lì davanti seduto con l'impermeabile, lì che aspetti e basta. Siccome il bar è mio, posso fare quello che voglio, no? Allora esco. Lo dico a Flop che esco, e badi lui ai clienti che torno subito. Flop mi guarda dall'alto dei suoi sedici, allampanati anni e mi grugnisce un sì. Non so perché l'ho assunto. Comunque adesso esco e vado a comprarti un bel giornale.

Te lo sbatto sul tavolino dicendoti:

«Leggi!»

«Non ho voglia di leggere, aspetto che finisci.»

«Leggi, santoddio!» urlo.

Si voltano tutti gli avventori, ho urlato troppo, non dovevo farlo. Ora ti metti a leggere il giornale. Obbediente, calmo, volti le pagine e leggi.

Lo so che non leggi, che fai finta. Ma va molto meglio lo stesso, perché adesso io dal banco ti guardo che leggi e sono più tranquillo, posso fare tutti i cappuccini che voglio, tranquillo.

Cos'altro vuoi sapere? Dimmelo cosa vuoi sapere, non c'è problema. Che ho fatto Legge? Sì, ho fatto Legge, sono laureato in Legge. Con una tesi di latino. Bello, no?

*

Devo imbottire panini. Tu te ne stai lì buono come un cane a leggere il giornale. Bravo, non hai smesso un attimo da quando te l'ho dato. Sei così avulso, Furio! È pazzesco quanto sei avulso. Tu... Tu riesci ad avellerti dal mondo in un modo così... pazzesco!

Beato te. Io qui ad affettar panini. D'altronde, se non li faccio io... Posso mica affidarli a Flop, i panini. Tanto un bravo ragazzo, ma è capace di unirmi i gamberetti con il salame ungherese, spalmato di marmellata e tappato da una bella foglia di lattuga.

Flop in realtà si chiamerebbe Filippo. Ma se gli contrai un po' il nome, senza fatica ti viene Flop. E siccome appena l'ho visto, l'ho trovato con un'aria non del tutto intelligente, m'è venuto da pensare che era una specie di «flop» umano, diciamo un mezzo fallimento della specie, ecco. E così gli ho detto che lo assumevo, e che se non gli spiaceva lo avrei chiamato Flop.

No, non gli spiaceva. Naturalmente non aveva fatto il collegamento... se no, gli sarebbe spiaciuto. Ma d'altronde, se avesse fatto il collegamento, avrebbe inequivocabilmente dimostrato di non essere un «flop» e quindi... Okay, possiamo chiudere. Vedi? Arriva sempre l'ora buona, basta solo aver pazienza e tutto passa. È passata anche l'ora della cena. Posso chiudere mezz'ora prima stasera, tanto... Al massimo mi perdo qualche birra e qualche digestivo, ma poca roba, pochi spiccioli.

Ti raggiungo al tavolo.

Chiudi svelto il giornale. Veramente lo appallottoli, i fogli tutti disordinati uno dentro l'altro. Non si chiude così un giornale, accidenti.

Mi guardi. Mi pianti addosso due occhi malinconici e pieni di attesa. Strabordi attesa da far piangere. Mi chiedi come va.

Così, due parole in sospensione, neanche una domanda, due parole dentro un palloncino a mezz'aria:

«Come va...»

«Ma niente, così... ho un po' da fare. Il bar, sai, e poi le piante...»

Ti parlo un po' delle mie piante. Mi guardi perplesso. Sei sbalordito e come imbottigliato dallo stupore.

«Ti avevo scritto, da Berkeley...» mi balbetti.

Lo so.

« Ti dicevo di venire anche tu, che avremmo studiato insieme... Ma tu non hai risposto. Volevo che costruissimo insieme l'Industria dei Pelucchi. Tu potevi studiare il tuo latino e intanto darmi una mano... Ma tu non hai risposto.»

Lo so. Ma le piante, come ti ho detto... E poi dovevo occuparmi della gastronomia. Mia madre era stata male e allora le polpette ho dovuto imparare a friggermele io. Ma questo non te l'ho detto, è vero. Tanto, cosa te lo dicevo a fare. Io non ci potevo venire a Berkeley.

E poi Batticolla mi diceva che ero bravo. Me lo ripeteva parecchie volte, così ho iniziato a lavorare per lui. E per sua moglie.

« Sua moglie? » mi chiedi.

Sì, la signora Batticolla. Una donna molto grassa... mi faceva pena. E poi lui, il professor Batticolla, non poteva occuparsene, lui doveva pensare alle sue ricerche, alle riunioni, alle lauree, ai convegni, e soprattutto ai concorsi. Tu non hai idea di quanta energia prendano i concorsi: incontri, pranzi, telefonate, lettere. Una roba da infarto. E infatti poveretti, molti di loro ci lasciano le penne per davvero. Ho cominciato a pensare io alla spesa.

« La spesa? »

Sì, pane, latte, qualche volta al supermercato.

Furio qui non capisce. Lo vedo farsi irrequieto, riapre il giornale, tormenta le pagine, ne stropiccica le orecchie.

Intanto fuori è notte. Una notte fosca e bagnata, di una pioggia viscida, gonfia. Vorrei non uscire mai più di qua, da questo bar desertico cimiteriale. Prima di finire il turno, Flop ha messo le sedie a gambe in su sui tavoli, per lavare meglio il pavimento. E adesso sembra davvero un cimitero, una foresta di croci... Un po' fantasma. Un solo faro, impiccato in alto, che ci butta un cono di luce giusto sul nostro tavolo, sui due bicchieri di menta, sulle nostre mani. Io che racconto e lui, mon ami, che ascolta.

E poi mi sono laureato, con il massimo dei voti. E Batticolla mi ha chiesto di ridurre la tesi per farne un articolo. Voleva che il mondo conoscesse chi ero. Non ci potevo credere, ballettavo

214

a zig zag dalla gioia. Un balletto interiore naturalmente, non ho mai mosso un piede a suon di note, figuriamoci senza note.

Vedo che Furio è sempre più irrequieto. Lo so che cosa pensa: si chiede come ho fatto da questa storia ad arrivare al bar. Si chiede perché mai mi è saltato di aprire un bar. Qual è la strada nella vita che mi ha traghettato da Rutilio Namaziano a un bar.

Semplice.

L'articolo l'ho fatto, è venuto anche bene. Un po' corto, però non male. Il mio dominus Batticolla mi fa i complimenti e mi dice che è uscito un posto in uno dei più rinomati studi legali della città. Me la sbatte lì, mi consiglia di provarci, dice che ce la posso fare. «Lei ha talento» mi dice. Il talento, capisci? Quella cosa che o ce l'hai o non ce l'hai, non è che te lo puoi inventare o che studiando riesci a incamerartelo o che pagando il giusto... Niente sporchi soldi, il talento non si compra!

Io, pareva che ce l'avessi questo benedetto talento. Sono fortunato, sai?

E poi era bello quel periodo, pensa che tutte le domeniche andavamo in piroga, tutti noi api.

«Api?»

Sì, noi allievi vecchi del Batticolla. Noi che gli ronzavamo intorno. La domenica andavamo in piroga.

«In piroga?»

Sì, era stata una sua idea. Dice: le domeniche sono così noiose, non si sa mai cosa fare. Perché non ci riuniamo tutti noi e, visto che abitiamo in una città con un fiume, andiamo in barca? E così facevamo. Se ne occupava lo sveglio dottor Svitiglio, affittava un certo numero di piroghe...

«Piroghe?»

Sì, Furio, non continuare a chiedermelo: piroghe. Pi-ro-ghe! Perché di canoe non ce n'erano abbastanza. Invece le piroghe erano servite per una celebrazione torinese di non so cosa una trentina d'anni fa, e ora se ne stavano inutilmente inerti in un magazzino lungo il Po, a decine, così, strangolate in un angolo. Una idea grandiosa! Certo le piroghe, hai presente?, sono un po', come dire? ingombranti, ma per noi andavano benissimo: presi nella morsa della loro lentezza, riuscivamo a parlarci da una piroga all'altra, dei nostri studi, dei nostri progetti... Io pensavo molto a quel posto nel rinomato studio legale. Ci tenevo. Detto fra noi, ci contavo; ero quasi certo che l'avrei ottenuto. Pensavo a questo, le domeniche in piroga. Belle. Solo la signora Batticolla non era così entusiasta di queste nostre gite. Sai, per lei salire su una piroga... Però aveva pazienza. Si portava la sua sdraio pieghevole e se ne stava lì sulla riva a guardarci sfilare lenti sull'acqua. Ogni tanto, per ingannare il tempo, si sbocconcellava qualche sua prelibatezza, non so, ad esempio una bistecchina impanata che si portava, già tagliata a tocchettini, in un involtino d'alluminio, che non le ungesse tanto la borsetta.

«Bene» mi interrompe Furio con l'aria ansiosa, «ma allora l'hai ottenuto quel posto?»

«Quale posto?»

«Nello studio legale rinomato...»

«Ah quello... No.»

«No?»

«No...»

Ho lavorato tutto il giorno e il mio è un lavoro duro, che fai in piedi dal mattino alla sera, i panini, la lavastoviglie, i bicchieri che siano brillantati e senza aloni. Tu non sai: basta sbagliare il dosaggio del detersivo e i bicchieri ti escono tutti con l'alone. Una cosa da vomito. E non c'è niente da fare: devi rifare la lavatrice da capo.

«Quale lavatrice?»

«Volevo dire la lavastoviglie.»

Lo vedi come straparlo. Ma non basta, bisogna anche badare alla cassa, e sventolare in alto l'umore dei clienti, se no se ne migrano in qualche altro bar. Non hai idea di quanti bar ci siano in uno stesso quartiere, e ne nascono continuamente di nuovi, come i funghi. E adesso sono le tre di notte, Furio, e io se non ti spiace mi eclisserei.

La sera dopo me lo vedo tornare, così, di sorpresa. Sono già le undici e io se Dio vuole sto per chiudere. Entra come una furia, sempre gocciolante perché fuori continua il diluvio. Mi sorride, fiero: dice che è venuto apposta così tardi, così questa volta non mi aspetta e possiamo parlare subito.

Penso che si voglia sedere di nuovo al tavolino e lì fare le tre di notte. Invece no, non si siede. Sta in piedi con i gomiti stagnanti sul bancone, mi chiede:

« E allora? »

« E allora cosa? »

« Il seguito. »

« Quale seguito? »

« Perché non l'hai avuto quel posto. »

« Quale posto? »

Mi dice di non far finta di niente, che mi conosce e non me la caverò. Vuole sapere tutto.

Semplice. Il posto non l'ho avuto, gli dico, perché l'ha avuto un altro.

« E perché l'ha avuto un altro? »

« Furio, santoddio! Perché le cose non sempre vanno come vuoi tu. »

« E ti sembra una risposta? »

« No. »

Gli dico per favore di non starsene così come un baccalà, e di darmi piuttosto una mano così facciamo prima, ad esempio ad asciugare tutta questa ripida scarpata di bicchieri.

« Perché vuoi asciugare i bicchieri? » mi chiede.

Capisco che un laureato di Berkeley possa non avere le idee chiare su come si manutengono i bicchieri di un bar, anche se mi sembra che un certo intuito baristico si potrebbe anche avere. Per via dell'alone, gli dico. So che non capisce, ma non importa. L'importante è che si metta ad asciugar bicchieri. Cosa che prontamente fa, dopo essersi tolto l'impermeabile che, come lui dice, lo imbroglia. E che, come al solito, mi slarga un lago sul pavimento.

«Cioè quel porco di Batticolla...» comincia. È fuori di sé, asciuga bicchieri come se dovesse sfidare a duello il nemico. Il mio nemico. Mi vuoi bene, Furio, mi hai sempre voluto bene, e allora d'accordo, ti racconto com'è andata.

Batticolla non c'entra niente, cioè c'entra anche, ma... lateralmente, diciamo. Il fatto è che non ero l'unico aspirante a quel posto; ovvio, si trattava di uno degli studi legali più in vista della città, avrebbe fatto gola a chiunque. Ma io mi sentivo tranquillissimo: ero bravo, e avevo tutto in regola, persino un articolo pubblicato.

Quindi mi presento per il colloquio. Parlo due ore con un signore anziano, dai folti capelli grigi, che mi fa accomodare in una piccola stanza dove c'è soltanto una scrivania, enorme. Lui si mette da un lato, e io dall'altro. Parliamo distesamente per due ore e io mi sento perfettamente a mio agio. Mi chiede se mi piace leggere e quali sono i miei film preferiti, se vado spesso al mare o preferisco la montagna. Mi sento bene, starei lì tutto il giorno a discorrere con quel signore elegante, cortese. Che non so chi è. Che è il titolare dello studio, appunto: quel tal avvocato famosissimo che fa paura a tutti, ma l'ho saputo dopo chi era. Come ho fatto a non pensarci, era normale che il colloquio per il posto avvenisse con lui. Ma quello non mi sembrava un colloquio di lavoro. Solo che alla fine, quando ci alziamo, il signore distinto mi stringe la mano, mi stringe molto forte la mano guardandomi negli occhi e mi dice, con una punta di dolce amarezza che mi sembra di scorgergli sul viso:

« Dottor Torrente, mi spiace. Mi creda, mi spiace proprio tanto. Lei è davvero un giovane di talento e io vorrei offrirle delle valide prospettive, ma... »

E qui s'impegola in un fumo di parole sul destino, i colleghi, le reti di relazioni, la giovinezza che se ne va e le promesse che vanno mantenute.

Di quali promesse mi sta parlando? penso.

«Perché non si dedica alla ricerca?» mi dice. «Permetta questo consiglio spassionato da uno che di giovani ne ha visti passare parecchi: non sprechi le sue doti, si butti nello studio...»

Mi sarei buttato nel Po. Soprattutto perché non ci capivo niente.

Il colloquio con l'avvocato famosissimo comunque non era andato male: ero arrivato secondo.

«Ah, bene!» mi dice Furio. «E, per curiosità, chi è arrivato primo?»

I nomi non sono importanti. Vorrei dire con totale sicurezza a Furio che i nomi sono solo nomi, parole con cui nella vita, per convenzione, veniamo chiamati. E invece devo riconoscere che non è così: i nomi sono importanti! A volte sono spade che ci trafiggono. E quindi, visto che lo vuole sapere, glielo dico il nome di colui che ha vinto al posto mio: Cartonzi.

«Cartonzi Federico.»

Furio ha smesso di asciugare i miei bicchieri. Mi sembra che abbia smesso anche di piovere. Meno male, troppa acqua non fa bene alle mie piante. E nemmeno al mio bar: da qualche tempo vedo sul muro delle brutte macchie, temo ci siano infiltrazioni di umidità.

Lo so che non credi alle tue orecchie, ma è proprio così: Cartonzi. Lo so che non lo conosci, ma io te lo raccontavo, ti ricordi? Quello che sua madre mi diceva: «questa è una casa di professionisti» e mi dava i pattini per non rigare i pavimenti. Quello che mi ha prestato il computer per un anno e più, e aveva sotto nel controviale quegli orrendi platani. Ebbene, suo padre professionista era avvocato. Come, non lo sapevi? Ma poi cosa c'entra? Non è mica colpa sua se ha un padre avvocato. Uno ha il padre che ha.

Però non è nemmeno colpa mia se sono figlio di un pescatore.

Insomma, non lo so.

E comunque avevo ben altro cui pensare. Le piante, Furio.

Cominciavano a darmi un gran daffare, non sapevo più come tenerle a bada.

Avevo cominciato a fare, artigianalmente, qualche buco nella parete, così, per dar sfogo almeno ai rami più grossi, che potessero uscirsene a prender aria e rugiada. Dove potevo, frantumavo con perizia qualche pezzo di parete.

Mia madre non diceva più niente, lasciava fare. Era diventata così vecchia, di colpo. Soffriva solo un po' per gli spifferi, questo sì, le veniva spesso il torcicollo. Ma io ho cercato di essere il più premuroso possibile: alla sera, quando lei tornava a casa, sistemavo dei grossi teloni sui buchi, così che l'aria gelida non passasse troppo e non la disturbasse mentre guardava la tivù.

Ormai mia madre guardava tanto la tivù. Non le rimanevano altre occupazioni. Una volta, quando tornava dal negozio la sera, si metteva i piedi a bagno. Prendeva una bacinella, la riempiva ben bene di acqua calda e sale, e si metteva seduta con i piedi a bagno; ci stava anche due ore, diceva che la riposava. Quando toglieva i piedi dall'acqua, io le vedevo la pelle tutta cotta e bianchiccia come la mollica del pane. Ma ormai mia madre non se li metteva più i piedi a bagno nella bacinella, diceva: non vale più la pena. E basta.

Il vero problema cominciava a essere il pavimento. Non capivo fino a che punto avrebbe retto. Dovevo spesso cambiare il vaso alle mie piante, per forza: se la pianta cresce, il vaso diventa piccolo e bisogna cambiarlo. Solo che ormai, a forza di continue sostituzioni, non erano più vasi ma vasche, enormi vasche di terracotta strabordanti terra, hai presente? Per questo avevo qualche non piccolo timore che il pavimento crollasse.

Insomma, per fartela breve, un giorno Batticolla mi organizza un megapranzo in pompa magna, io e lui. Una specie di pranzo in mio onore.

Ma guarda guarda... E così, quando era tutto finito e cioè io il posto allo studio l'avevo bell'e che perso, ecco che Batticolla di colpo mi invita al ristorante. E io penso: che brava persona, adesso vedrai che mi offre un lavoro. Infatti mentre siamo lì che ci mangiamo due agnolotti come si deve, cioè al sugo di coniglio, lui mi dice:

«Lei è proprio un ragazzo di talento».

Bene, ci risiamo. Mi fa un male cane. Come quando ti punge un insetto cattivo. Non ne posso più di sentirmelo dire, che sono bravo. Mi capita da quando sono bambino, e bravo qui e bravo lì. È la puntura d'insetto della mia vita, o qualcosa del genere, una specie di fitta che non se ne va mai via. Vorrei che la smettessero.

E poi il Batticolla mi appiccica tutto uno strano discorso sul talento, sull'averlo o non averlo, che io sono fortunato perché ce l'ho e avere dei talenti è già molto nella vita e che quindi posso benissimo accontentarmi così. Accontentarmi di cosa non lo so. C'è chi non ce l'ha il talento, continua Batticolla. E io che invece ce l'ho, devo ringraziare perché potrò sicuramente metterlo a frutto, ovunque. Sottolinea quell'ovunque dieci volte. Poi finisce gli agnolotti e mi dice:

«Ad esempio in Australia...»

Come sarebbe in Australia? Giuro che non capisco, perché poi, le cose più semplici ci sembrano le più crudeli. Infatti si tratta di una cosa crudele. Dice che in Australia ci sono un mucchio di posti per giovani avvocati di talento come me. Inoltre è un paese così giovane, così dinamico...

«Insomma, dottor Torrente, se Lei è d'accordo, io vorrei offrirLe...»

Aiuto.

Pavento l'offerta.

«Lei ha capito, insomma...» conclude.

Io non vorrei aver capito. Vorrei chiederglielo meglio cosa dovrei aver capito. Ma abbiamo già finito il dolce e ci siamo già lentamente sorbiti il caffè. Penso di colpo a tutti quei giovani australiani di talento, così fortunatamente pieni di posti. Posti per giovani di studio, australiani. Giovani di talento. Giovani australiani di studio di talento... Confusione. E lui ha già persino chiesto il conto, e dunque il mio tempo è scaduto.

Mi sento uno a cui è scaduto il tempo. Quindi usciamo. Pieni di cibo e di vino, annebbiati. Giornata lenta e grigia, di quelle che guardi il cielo e ti chiedi che ora sia e ti rispondi che tanto, mattino o sera, è la stessa cosa.

Mi piacerebbe tantissimo un ginkgo biloba, nella vita. Questo sì. È uno degli alberi più antichi del mondo. Ma soprattutto, diventa così giallo d'autunno! Di un giallo che non lo trovi da nessuna parte e ti illumina il cuore.

Non so cosa darei per un ginkgo biloba.

Solo che gli piace tanto il sole, e chiuso in una casa non so proprio... E poi diventa tanto alto. È un albero alto, il ginkgo biloba, può arrivare anche a quaranta metri. Mio Dio, che spettacolo sarebbe! Come fare? È vero che ci mette anni e anni, però...

Il fatto è che quando pianti un albero devi pensare a come diventerà: devi vedere il suo futuro, prevederlo. Fargli posto per quando sarà grande. Se no, troppo comodo: tu ti metti attorno tutti gli alberi che vuoi e poi quando sono cresciuti che non ti stanno più in casa, cosa ne fai, li butti?

Bisogna farcene carico, del futuro di chi ci sta intorno. Bisogna pensarci a quel che sarà di loro. Non è che puoi fartene due baffi, amici come prima e tanti saluti.

Vero, dominus?

Paravento nero

Sono stufo di raccontare a Furio sempre di me, anche perché vedo che diventa triste: ora ha preso nuovamente un bicchiere e continua ad asciugarlo, sempre quello, ci sta sopra mezz'ora, ritmico, si accanisce come un matto con quel panno, quasi mi consuma il vetro del bicchiere, accidenti a lui. Vorrei che adesso mi raccontasse lui delle sue gesta in questi anni, ad esempio come stanno i suoi pelucchi. Ma dice di no, che non ne vuole parlare.

«Racconta ancora» mi dice.

Ma cosa ti racconto, Furio? Di quando ho aperto il bar? Vuoi sapere di quel giorno? Sì, è stato un bel giorno, un'inaugurazione con i fiocchi. Sì, ti racconto della festa. Ho invitato un bel mucchio di gente, ho messo i tavolini fuori con una rosa su ciascun tavolino, e tante noccioline e patatine e champagne. Era una bella giornata di sole. Sì, il giorno che ho inaugurato il bar c'era il sole, e io mi sono svegliato presto, non riuscivo a rimanere a letto. Zia Elsa si era alzata molto prima di me e mi aspettava in piedi davanti al tavolo della cucina, mi ha chiesto cosa volevo di colazione. Le ho detto: come al solito. E lei si è messa a piangere. Così, di colpo. Non le ho detto niente di strano, ma lei ha un nodo dentro, mi ha detto, un nodo che non le passa e mi ha chiesto scusa, ma doveva proprio piangere.

Poi mi preparo. Ci metto due ore a prepararmi, perché non so come vestirmi. Sono indeciso tra un abito blu scuro e una giacca beige. Oppure un maglione girocollo, che fa più sportivo. Non so come deve vestirsi il padrone di un bar il giorno dell'inaugurazione, è una cosa a cui non ho mai pensato, ecco. Apro tutti i cassetti, apro l'armadio cinquanta volte. Sembro un uomo che per la prima volta debba uscire con una donna e non sa se sarà la donna della sua vita o una donna e basta, come tutte le altre, che non vale la pena.

Poi ecco, mi appare. Era in fondo all'ultimo cassetto del comò, la mia vecchia cintura di pesce. Te la ricordi?

Mi fa uno strano effetto. È vecchia, ammuffita.

La butto via.

Ma sì, così di colpo, Furio: io quel mattino butto via la cintura di pesce! Perché è ammuffita. A ritrovarmela così davanti, al fondo di un cassetto, tutta ricoperta da una sottile patina di polvere verdastra, una specie di farina densa e muschiosa, cosa faccio? La butto!

Via. Finita. Proprio il giorno della festa del bar.

Incredibile che le cinture ammuffiscano. O forse è perché era una cintura di pesce e non di un altro tipo di pellame. Sta di fatto che si era messa anche a puzzare: un tanfo insopportabile di pesce, marcio.

Mia madre lo diceva che le cinture di pesce puzzano di pesce. L'avrei detto volentieri a mia madre che sì, aveva proprio ragione. Glielo avrei anche urlato, dalla gioia:

«Mamma, lo sai che avevi proprio ragione?»

Ma mia madre non c'era più. Se n'era andata una sera d'autunno. In ospedale, l'ultimo letto verso la finestra in uno stanzone con altri cinque letti.

Non te l'avevo detto?

Ma sì. L'andavo a trovare tutti i giorni alla stessa ora, ma quel giorno sono arrivato con dieci minuti di ritardo: ero andato all'Ipermercato a comprarmi due paia di calzini nuovi. Siccome l'Ipermercato era vicino all'ospedale...

Quando entro, mi trovo di fronte un paravento nero.

Laggiù, davanti al letto di mia madre che è l'ultimo vicino alla finestra, avevano piazzato un paravento, nero.

Possibile che quando muori ti mettano davanti un paravento nero?

Vorrei urlare. Non lo faccio, vado avanti il più piano possibile, come se non fosse vero. Cinque letti mi puntano addosso cinque paia di occhi attoniti e sospesi per aria. Me la sento addosso, questa sospensione d'occhi, diciamo così, mi gela le vene. Non succede niente, io giro dietro il paravento e basta. Lì c'è mia madre, morta. Ha esattamente l'aspetto di una madre morta: bianca. È tutta bianca, perché adesso la pelle le è diventata come i capelli: di cenere. Ha le palpebre tirate giù e la bocca leggermente schiusa. Mi sembra come quando guardava la televisione e poi sul più bello dormiva dritta sulla sedia. Ma non dorme, è morta.

Rimango lì dietro quel paravento per un tempo che non so più. Ricordo che pensavo: ora mia madre è qui, morta, ma sicuramente mi vede; cioè c'è la sua anima che svolazza qui dentro e mi vede e sta dicendo: ma guarda cosa fa quel mio figlio cretino, che non solo è arrivato in ritardo, ma adesso neanche mi bacia, neanche piange e neanche mi parla. Ma io non facevo niente di tutto ciò, perché pensavo appunto all'anima che mi stava guardando. E mi vergognavo da morire a fare tutte quelle cose lì, che però avevo una gran voglia di fare. Non so a chi è venuta in mente questa storia dell'anima che esce dal corpo e se ne resta a svolazzare nella stanza, ma non è stata una grande idea, mi pare. Io ad esempio avevo solo voglia di andarmene di lì, per pensare a mia madre che era morta e piangere in pace, senza avercela davanti, mia madre morta. Insomma non so, è come se mia madre morta mi impedisse di pensare a mia madre morta. Ma non è così semplice da spiegare. Infatti non l'ho mai spiegato a nessuno.

Quello che invece proprio non mi andava giù erano quei soli, stupidi dieci minuti di ritardo. Per soli quattro, stupidi calzini. Di cui poi non avevo neanche bisogno perché ho i cassetti pieni, di calzini. Mi escono da tutte le parti a me, i calzini, a volte mi sogno montagne di calzini che si gettano come lava fuori dai comò, dagli armadi, dalle lavatrici in piena.

Anche la parola non mi piace. Non si potrebbe dire calze? No, le calze sono per le donne, noi uomini abbiamo i calzini. Perché diminutivo poi? Capirei i calzi, se proprio uno deve distinguere il maschile dal femminile. Ma calzini...

Comunque è andata così e non c'è niente da fare: è un film che mi ripasso indietro cento volte ma niente, Furio, non ci riesco a fare in modo che la vita non sia andata così. È andata così. Io mi sono perso la morte di mia madre perché sono andato a comprarmi i calzini. Due paia, un paio blu e un paio grigio, per essere esatti. L'irreversibilità degli eventi. Non è vero un cappio che nulla è irreversibile. Tutto, perlopiù, è irreversibile. Tutto quel che avviene non potrebbe non avvenire, o avvenire in un altro modo. Avviene perché doveva avvenire, punto e basta. Il resto sono storie che ci raccontiamo. Se ne abbiamo voglia. Cioè i cosiddetti fatti. I fatti sono fatti. Cioè sono avvenuti. Ecco perché si chiamano fatti. Appunto. Grande verità.

Così non saprò mai quello che aveva da dirmi mia madre prima di morire, se poi ce l'aveva qualcosa da dirmi. Tipo quelle famose ultime parole della vita, tanto per intenderci. O una benedizione, un saluto. Quelle cose lì, insomma. Anche solo un ciao, mi raccomando fa' il bravo...

Fa' il bravo...

Ancora oggi non riesco ad andare a comprarmi i calzini, senza provare una fastidiosa disperazione. Una volta, dopo la morte di mia madre, sono entrato in un bellissimo negozio di indumenti intimi, in via Roma. La commessa era una signora corpulenta ed elegante, con al collo una collana di perle enormi. Mi ha sventagliato sul banco una ventina di paia di calzini, dalle infinite sfumature di colore e di cotone finissimo. Ho provato un moto irresistibile di rabbia. Ne ho preso in mano uno, poi due e di colpo glieli ho sbattuti sul banco in malo modo, dicendole un «no, grazie» scorbutico e incivile.

Non ho detto abbastanza preghiere da piccolo, la sera prima di addormentarmi. Dovevo dirne di più, non stancarmi, non chiudere la luce, dovevo dirne di preghiere finché veniva giorno. E invece non l'ho fatto. Così mia madre è morta. È morta prima che il mio articolo su Rutilio fosse pubblicato, solo qualche giorno prima. Bastava che aspettasse un po', e se lo vedeva stampato e io le avrei fornito centinaia di copie di quel giornale: lei le avrebbe tenute in negozio, da regalare in omaggio alle clienti. Avrebbe detto come una volta: visto che figlio bravo?

Invece è morta.

*

Furio ha smesso di asciugare il bicchiere. Restiamo lì, in piedi come due salami, uno di qua dal bancone e l'altro di là. Nessuno all'orizzonte, il bar è deserto, cupo.

Scusami, Furio, dovevo parlarti della festa e non l'ho fatto. Le cose mi scappano dalle mani, non so che farci: sgusciano.

La camera del pioppo

«Che ne dici, andiamo su da te?» mi dice Furio.

Allora sistemo un panno sui bicchieri, che non si impolverino fino a domani, chiudo il bar e va bene, andiamo pure su da me. Tanto, non posso evitarlo. Farei qualsiasi cosa perché ciò non avvenisse, perché non ci andassimo su da me, ma da qualche altra parte. Qualsiasi altra parte, non so, a casa sua, o lungo il fiume, o anche per strada seduti su un gradino. Ma non su da me. Però come faccio, posso mica dirgli di no.

Apro casa piano, e lo faccio entrare.

Si spazzola i piedi sul tappetino. Accendo le luci e lui rimane sulla porta. Non entra. Mi gocciola tutto sul tappetino.

Forse dovevo dirglielo.

Ma gliel'ho detto.

Forse era disattento.

Gliel'ho detto che le piante crescono, gliel'ho anche ripetuto più volte. Quel che forse non gli ho chiarito a sufficienza è che la casa... non c'è più. Cioè si è un po' trasformata. Ma si poteva anche intuire: come fa un normale appartamento a contenere alberi? Ho dovuto pensare a qualche stratagemma, è ovvio.

Ad esempio ho sfondato il pavimento, in qualche punto. Tanto la gastronomia non c'era più, quindi potevo contare sul pianterreno. Zia Elsa era d'accordo, anzi, subito dopo la morte di mia madre mi ha detto: Gaspare, guarda che tutto quel poco che c'è qui dentro è tuo, basta che mi tieni un angolo per me.

Comunque ho piazzato una robusta balaustra, così non si sprofonda nel baratro. Anche se non ce ne sarebbe bisogno: non è un vero baratro perché di lì vien su l'enorme *ulmus* che riempie l'intero vano con i suoi rami e tu volendo ti ci puoi sempre attaccare, non corri il rischio di precipitare nel vuoto.

«Ma c'è il vento?» mi chiede Furio.

Non è proprio un vento. È che ho ideato un sistema di aerazione, affinché le piante non soffochino; non basta aprire le finestre, le piante devono venire investite da un fiotto d'aria che le smuova.

«Fa molto bene alle foglie, sai, essere mosse.»

Adesso prendo un ombrello per me e uno per Furio, perché dobbiamo attraversare il settore delle felci.

«Apri l'ombrello» gli dico.

«E perché?»

«Che domanda! Perché si apre un ombrello? Per non bagnarsi, no?»

Infatti. Un attimo di esitazione in più e sarebbe stato investito dal getto. Non è una vera e propria fontana, direi solo una rete di spruzzetti regolati a tempo, che partono dalle pareti a circa due metri di altezza e ricadono a pioggia sulle felci.

Le felci, si sa, hanno un enorme bisogno di acqua.

Ci sediamo un attimo in salotto. Furio mi sembra molto provato e vorrei che si riposasse un po'. Gli chiedo se ha bisogno di qualcosa, ma scuote il capo, non parla. È molto pallido.

Vedo troppo tardi che sta appoggiando un gomito sul tavolino di lato al divano. Troppo tardi, infatti si spaventa e lancia un urlo bestiale.

«Ma non urlare così» gli dico, «per piacere, siamo in piena notte!»

Gli è preso come un attacco di panico. Lo capisco, ma non è poi niente di così tremendo. Non ho fatto in tempo ad avvertirlo che lì, intorno al tavolino, ho piantato degli alberi strani, dalla cui corteccia sgorga un liquido giallo, denso. E su quel liquido, che in effetti si deposita copioso sul piano del tavolino, lui ha messo inavvertitamente il braccio. Che adesso gli cola di quella specie di sugo appiccico.

«È ambra liquida» gli spiego, «e questi alberi sono i liquidambar. Sono alberi molto costosi, perché ci vuole molto tempo per la germinazione, anni e anni prima di poterli piantare nel terreno.»

Vedo che Furio si guarda in giro per cercare di vedere quale terreno. Non ha ancora notato che lì tutt'intorno ho costruito una specie di declivio collinare con manto erboso, funghi e licheni. Il pavimento lì non si vede più, e sembra davvero terra.

«Anni e anni» continuo, «ma d'altronde niente di paragonabile a una quercia. Sai quando comincia a fiorire una quercia? Dopo quarant'anni, ti rendi conto? Te la ricordi la quercia che mi avevi regalato, la vuoi vedere?»

«No...»

Mi risponde con un no flebile che sento appena. Va bene, gli porto un buon tè caldo alla menta che lo tiri un po' su.

«Va meglio?»

«Sì...»

Aspetto ancora una buona mezz'ora che si riprenda, e poi allora lo porto di là a vedere il pioppo.

Non vorrei, so che è il colpo più duro. Ma Furio deve vederlo, il pioppo, non posso mica nasconderglielo.

È che in tutti questi anni il pioppo è diventato, effettivamente, spaventoso: ha raggiunto il soffitto e si è espanso a dismisura. Insomma, ecco, prende tutta la sala da pranzo, che in realtà non esiste più, neanche il divano letto dove ho dormito tutti questi anni. Abbiamo dovuto spazzare via tutto per far posto a lui. Solo che non ci stava. Allora s'è dovuto inclinare l'enorme vaso di terra e piazzare l'albero di traverso per la stanza. Ma non bastava: gli ultimi rami restavano tutti attorcolati di sbieco, non riuscivano più a ergersi belli dritti. Allora li abbiamo aiutati, questi rami più alti: abbiamo sistemato un grosso gancio al soffitto, un gancio che tiene la carrucola, con le corde. E alle corde sta appesa la cima del pioppo.

Ecco.

Furio rimane inebetito a guardare.

Io guardo lui che guarda inebetito.

«Ma perché la carrucola?» mi chiede.

Sono contento, vedo che la sua testa si è rimessa a funzionare: fa domande tecniche. Posso stare tranquillo.

Allora mi metto all'opera, perché la cosa migliore è mostrare il funzionamento, più che descriverlo. Vado alla parete di fronte, premo un pulsante che aziona le corde. Qui, quando faccio così, mi viene sempre da pensare a una specie di vecchio campanaro da libro di favole. Comunque il meccanismo si mette a funzionare, e il pioppo comincia a ondulare, ritmicamente: si abbassa fin quasi a terra e poi pian piano si rialza, fino al soffitto.

«È per cullarlo...» dico a Furio in un orecchio, piano, come se ci fosse un bambino nella stanza da non svegliare. Il mio bambino pioppo che dorme e va cullato, su e giù, su e giù...

Vedo Furio che lentamente, impercettibilmente, si lascia cadere lungo il muro e si accascia sul pavimento. Mi siedo anch'io per terra, accanto a lui. Certo che così dal basso la visione dell'enorme pioppo cullato da una carrucola è un pochino impressionante.

«Va tutto bene?» gli chiedo.

«Sì...»

Poi aggiunge:

«No...»

Gli batto una mano sulla gamba, così, tanto per dirgli che gli sono vicino. D'altronde, cosa potevo fare? Nascondergli l'esistenza del pioppo? Fingere, proprio con il mio unico amico?

«E i mobili barocco?»

Mi chiede che cosa ne ho fatto della sala da pranzo barocco piemontese, come ho fatto a venderla, come l'ha presa zia Elsa.

«Zia Elsa è morta due mesi fa» gli dico. «Se l'è portata via una bronchite.»

Ce l'aveva sempre la bronchite, così non ci facevo più caso e non l'ho curata come dovevo. Invece quest'ultima bronchite non era come le altre, e io non l'ho capito. Oppure è solo che era venuto il suo tempo e allora ciao, qualsiasi cosa tu faccia non serve. E pensare che i carrubi stavano per fare i frutti! Ne avevo poi piantati una dozzina buona, così, tutti per lei. Ma ci mette dieci anni il carrubo, Furio, cosa ci posso fare? Dieci anni esatti, non uno di meno, per fare quella specie di fagioli marroni che sono le carrube, accidenti a lui! E così niente, non è riuscita a farsene neanche una di quelle sue tisane buone per andare di corpo.

La sala l'ho venduta subito, perché mi ricordava troppo lei. È strano: quando tieni molto a una persona che poi muore, o conservi tutto di lei, anche i tappi per le orecchie, tanto per dire, oppure dai via tutto. Due reazioni opposte. E sai cos'è buffo? che è esattamente la stessa cosa.

*

Furio ora si alza e si infila l'impermeabile. Non mi ascolta più. Sta osservando il boschetto di carrubi. Tocca le foglie, i rami. Ora si china a sentire la terra, se è bagnata. Adesso sono le tre di notte e Furio lo vedo un po' stanco. Mi dice:

«Ci vediamo domani».

Lo guardo che se ne va senza neanche voltarsi a salutarmi. Prende la porta veloce, tirandosi su il bavero fin sulle orecchie, fin sugli occhi, come se volesse nascondere qualcosa. Qualcosa che gli dà fastidio, come un pianto.

Sì, sono di nuovo le tre di notte, anche stanotte. Ma non ho sonno, e ne approfitto per togliere un po' di foglioline secche al mio piccolo sorbo. Che bell'albero! Spero che diventi grande. Almeno quindici metri. Un tempo si pensava che quest'albero avesse il potere di respingere le streghe, e lo piantavano vicino vicino alle case.

Non importa, dominus. Non si preoccupi. Nulla importa davvero. A noi son state date cose piccole cui badare, qualche foglia che ingialla, un rametto spezzato. In queste minuzie ci siamo beatamente perduti. E ci siamo resi, così, imprendibili.

Eh sì, non ci prenderete mai! Abbiamo certi rivoletti e sentierini, noi, che voi neanche immaginate, cari signori del mondo. Non ci prenderete nella vostra rete, maramao.

Ci resta soltanto, caro dominus, un sottile dolore, come una puntura che ci prende, a volte, all'imbocco dello stomaco. Questo sì, un *punctum*. Qualcosa che non va né su né giù. Come un cucchiaio di minestrone e noi lì come cretini, senza un bicchiere d'acqua che riesca a mandarlo giù.

Picnic

Non è vero che ci vediamo domani. Non vedo Furio per sei mesi e passa.

Poi si fa vivo un mattino alle nove, esattamente il centonovantasettesimo giorno dal nostro ultimo incontro. Non l'ho persa l'abitudine di contare i giorni, mi faccio le tacche sul tronco della quercia: «Hai presente Angelica e Medoro?» ho detto a Furio così, per scherzare.

Siamo nell'ora piena della colazione e io navigo in mezzo a mille cappuccini e caffè macchiati, non macchiati, lunghi, non lunghi, e brioche, trecce con l'uvetta e cannoli che perdono crema sul pavimento e poi ci va un'ora a pulire.

«Ti devo parlare» mi dice Furio.

«Vieni all'ora di chiusura.»

No. Mi dice no, vediamoci domenica, ti vengo a prendere e andiamo a farci un bel picnic in campagna.

Arriva che è quasi mezzogiorno. Scende dalla macchina con un enorme peluche fra le braccia, arancione.

Ha un sorriso come non gli vedevo dai tempi del liceo. Parla e ride, è tornato lui. Mi abbraccia, e il peluche lì in mezzo a noi: sembriamo tre fratelli che non si vedono da una vita. Poi apre la portiera e fa scendere una ragazza:

«Ti presento mia sorella» mi fa.

Partiamo. Io mi metto dietro, accanto al peluche arancione.

«È il mio nuovo pelucco, l'ho finito ieri sera e te l'ho subito portato a vedere, così mi dici cosa ne pensi. Si chiama Ruggero.»

Bizzarro: come il mio vecchio prof di latino. Ma non gli somiglia. Somiglia invece un pochino non dico proprio a un leo-

ne, ma a un animale generico che però potrebbe anche rug-
gire.

«Simpatico» gli dico, perché cosa vuoi mai dire a uno che ti
presenta un pelucco arancione di nome Ruggero?

Sua sorella non apre bocca. La guardo da dietro: ha i capelli
lunghi biondi, morbidi. Capisco che sono morbidi perché a
ogni minimo movimento del capo fanno come un'onda sinuosa
nell'aria, di qua, di là.

Prendiamo corso Allamano che ci porta fuori città, e poi una
stradina per i campi, quasi deserta. Furio guida piano, il braccio fuori dal finestrino e l'impermeabile tutto stropicciato. È
ciarliero ed euforico, dice che lui ha preparato i peperoni ripieni e sua sorella una bella crostata di prugne.

C'è un'incredibile aria da domenica.

Stendiamo una tovaglia a quadri all'ombra di un grande castagno, e ci mettiamo a mangiare. Salame, formaggio, uova sode, insalata di mozzarella con le acciughe e il mais, e poi i peperoni ripieni di non capisco che cosa, ma buoni. Un po' pesanti.

Infine sua sorella prende un bel paniere di vimini e ne estrae
la crostata: scura, color prugna direi, con le listarelle intrecciate
sopra, come si confà a ogni crostata che si rispetti, e si mette a
ripartirla in tante fette tutte uguali.

Mai che mi abbia parlato di una sorella, Furio, e adesso zac,
ecco che ti esce la sorella. Che poi non è una cosa così facile
da tenere nascosta; normalmente, se uno ha una sorella, si vede. Cioè si vede che ce l'ha. Lui no, cinque anni di liceo insieme più tutti questi anni dispersi, e niente, mai uscita nessuna
sorella.

«E cosa fa di bello tua sorella?» lo chiedo a Furio, che strano! Con sua sorella lì davanti, potevo chiederlo direttamente a
lei cosa fa di bello, e invece no.

«È studentessa» mi dice dandole un'occhiata di lato mentre
lei abbassa la testa e giù tutti i capelli a fontana, che sembrano
una festa. «Studia da pettinatrice.»

E poi aggiunge:

«Si chiama Gemma».

A questo nome, ho una specie di sobbalzo interiore. Mi sembra bello che si chiami Gemma, non so, lo trovo consono a uno che coltiva piante.

«E comunque non è proprio mia sorella...»

Finalmente mi spiega: è una sorella adottiva, i suoi l'hanno presa in affidamento tanti anni fa, quando erano entrambi piccolini, poi lei è tornata con la sua vera madre e si sono rivisti poche volte in questi anni. Adesso vive a Torino, vicino a loro.

Mi sento meglio. Come quando i pezzi fuori posto tornano a posto. Era fuori posto che uno le estraesse così, dal niente, le sorelle.

Le guardo le gambe. Non perché siano belle, ma perché sta per metterle sopra un rametto di lillà, che è la mia passione e non vorrei che me lo rovinasse.

Comunque le gambe ce le ha bellissime.

Ora mi porge una fetta di crostata, bene adagiata su un tovagliolo di carta color cielo. Poi di colpo si mette a parlare, a me, e tutto mi sembra color cielo.

«Ma lo sa che la Peluccheria è in aperta campagna, proprio come qua? Perché un giorno non ci fa il piacere di venirci a trovare?»

Non so cosa dire, mi spiazza. Mi sento come con Giorgia, quando poi ce l'ho fatta a togliermi le rotelle della bici, ma ho cominciato col togliermene una soltanto perché morivo di paura, e allora andavo per le stradine tutto spenzolato da una parte, per non cadere dall'altra; sentivo d'aver migliorato di molto le mie prestazioni, ma non c'era paragone, non ci sarebbe mai stato paragone con lei: Giorgia mi avrebbe sovrastato sempre. E qui adesso, con la fetta di crostata in mano, mi sento uguale: sovrastato.

Le dico soltanto:

«Possiamo darci del tu...?»

Siamo al caffè. Un buon caffè tenuto in caldo nel thermos da picnic. Fantastici i picnic: c'è un'organizzazione perfetta, da campeggio in miniatura.

E qui, sul caffè, Furio mi parla. Sua sorella si allontana per cogliere fiori, e finalmente lui mi parla. Mi racconta di sé, di Berkeley, di quando si è laureato, e che adesso è ingegnere ma con specializzazione in architettura: esattamente quel che voleva.

Infine mi dice che l'ha messa su, la peluccheria.

Si chiama Pelucherie, cioè proprio Peluccheria, ed è una fabbrica piuttosto grande, alla periferia di Parigi. Produce una cosa come duecento modelli nuovi di pelucchi all'anno, tutti inventati da lui. Ruggero è l'ultima creazione e me l'ha portato per chiedermi... due cose: uno, se mi piace il nome Ruggero; due, se mi unisco anch'io all'impresa.

«Sarebbe?» gli chiedo.

«Se entri alla Peluccheria.»

«Perché no?» rispondo. Gli rispondo così sull'onda... sull'onda di cosa? Sull'onda della giornata, di quanto sto bene con lui, di quanto sua sorella mi piace... non lo so perché gli rispondo così, mi viene e basta.

«Stupendo! L'ho detto anche a mia sorella, così saremo in tre! Sai, una pettinatrice ci può servire...»

Qui mi accarezzo la barba. Così mi copro la bocca che mi sta per esplodere in una risata incontenibile, e non mi va di ridere in faccia al mio più grande amico che non vedo da anni e che mi sta anche proponendo un lavoro. Però questa storia che una pettinatrice ci serve è troppo. Ci serve a cosa, scusa?

Non glielo chiedo. Gli riparlo invece meglio della Peluccheria, diciamo che mi riprendo in mano la risposta che gli ho buttato lì su due piedi. Gli parlo per un bel po'. Gli chiedo:

«Ma cosa ci faccio io alla Peluccheria?»

Mi dice che gli è venuta un'idea grandiosa, che gli è venuta quella sera che gli ho mostrato il pioppo dondolante, che ci è stato così male che lì per lì voleva prendermi e portarmi via perché gli faceva pena il pioppo e anche un po' io, cioè io un po' tanto. Ma poi ha capito, era semplicissimo! Bastava unire le due cose.

«Le due cose cosa?»

«Ovvio, i miei pelucchi e i tuoi alberi.»

Pausa.

Soffio di vento, stormire di fronde, frullo di uccellino nel cielo terso: solite cose da picnic domenicale, insomma. Poi Furio continua:

«Naturalmente con la collaborazione di mia sorella, perché, come puoi ben capire, ci serve una pettinatrice».

Io credo che a volte il mondo non mi parli. Che mi si ottunda davanti, impenetrabile. È quando mi sento, per l'appunto, ottuso. Ad esempio adesso mi sento molto ottuso.

«Cioè?»

«Niente, ho capito che sei grande, Felix. Hai inventato una cosa... una cosa da pazzi! Il Nuovo Bosco Mondo! Potremmo chiamarlo così, che ne dici?»

La marmellata di prugne qui si divide, autonomamente, dalla sua base di pastafrolla e inesorabilmente precipita sulla mia camicia di flanella. Autonomamente, nel senso che ha deciso tutto lei. Forse anche lei, cioè la marmellata, si sente ottusa e preferisce scivolarsene via.

«E il nome Ruggero?»

«No, non mi piace. Trovane un altro.»

Bosco Mondo

L'idea di Furio è un'idea molto semplice: costruire case con alberi incorporati, case aperte, sfondate, cioè muri e pavimenti apribili in modo che entri l'aria, il vento, l'acqua, tutto ciò che fa bene alle piante. E poi metterci dentro, tra gli alberi, i suoi pelucchi. È qui il colpo di genio: unisci alberi e pelucchi, e ti viene un mondo nuovo, abitato da altra gente, insomma. Gli ha anche trovato un nome: Bosco Mondo. Un'idea semplice, no?

La cosa pazzesca è che lui la venderebbe anche, quest'idea: lancerebbe sul mercato il prototipo di casa-foresta per una vita rilassata e a contatto con la natura. Dice che va molto oggi, perché tutti hanno paura di perderlo, il cosiddetto contatto con la natura. Tutti vivono in case cubo immerse in città irrespirabili. Semplice, e noi gli diamo il bosco in casa. Alberi intrecciati a comò e credenze stile ottocento, che problema c'è? Solo qualche piccolo rompicapo tra irrigazione e aerazione, ma si risolve, lui è un mago per le questioni tecniche.

Vuol farne una vera impresa. E anche qui ha già il nome, la chiamerebbe «Impresa Termo e Sifo». Che poi saremmo noi due, Furio e io, in ricordo dei nostri vecchi termosifoni di scuola.

Cioè, in altre parole secondo lui ci mettiamo ad arredare gli alberi con i pelucchi. Ne facciamo un Bosco Mondo abitato, popolato da esseri mansueti e discreti, affettuosi, morbidi. Che quando tu entri in casa sfatto dalla giornata, ti guardano con i loro occhi di vetro colorato che mandano bagliori...

«...magici?»

«Magici.»

Non ti chiedono niente. Non vogliono sapere niente. Non hanno anima, non hanno pensieri. Solo occhi. Gli stupendi, fantasmagorici occhi che gli mette Furio, andandoli a pescare non so dove per il mondo. So solo che ogni tanto parte, una valigetta minima a tracolla e dice:

«Vado per occhi».

Come uno può dirti: vado per funghi.

Bello.

Molto bello.

E invece gli ho detto di no.

Ci ho pensato molto, ma mi sembra una vera follia: io cosa c'entro con i suoi pelucchi, lui ha messo su un'industria, è la sua vita, il suo lavoro. C'è anche tutto un lato commerciale che io...

Io gli sarei solo d'ingombro. Lo so che lo fa per amicizia, ma davvero non gli sarei per niente utile. Un'impresa è pur sempre un'impresa, bisogna che tutti collaborino, a un'impresa.

E poi io ho il bar. Quella, diciamo così, è la mia impresa.

E poi qui c'è la mia casa, i miei alberi, il mio pioppo. Non posso mica trasportarlo il pioppo. Cioè sì, volendo lo si può anche fare. Però patirebbe. Patirei anch'io... Grazie lo stesso, ma lasciami qui.

Furio mi trova troppo... radicato. Dice che dovrei divellermi un po'.

Io non voglio divellermi, né divellere i miei alberi. Non voglio essere un albero divelto, sto bene qui.

Passano un po' di giorni. Furio non si fa più vedere al bar, e io passo le mie giornate tra cappucci e tramezzini al prosciutto.

Poi una sera mi telefona sua sorella, ha la voce festosa, dice che Furio mi vuole vedere ma non si può muovere e quindi se per favore vado io da lui. No no, mi dice di non preoccuparmi, che non gli è successo proprio niente.

Il giorno dopo lascio il bar nelle mani di Flop: sono le tre del pomeriggio, è un'ora abbastanza morta per un bar, tutti hanno già fatto pranzo e preso il caffè e per la merenda c'è ancora tempo. Quindi Flop dovrebbe farcela.

Mi apre la madre di Furio. È sempre uguale, si è solo inargentata un po'. È felice di vedermi e mi fa entrare nella stanza di Furio. Tutto è com'era: le mensole piene di occhi tutti bene allineati, il copriletto di stoffe pelose.

Furio è al tecnigrafo e sta forsennatamente tracciando linee, muovendo di qua e di là il povero braccio del pantografo: sembra un direttore d'orchestra scarmigliato.

«È così da tre giorni» mi dice Gemma, che se ne sta in piedi accanto a lui, lo osserva e mi pare proprio felice.

Poi la madre ci chiama perché è ora di merenda, ma ci andiamo solo Gemma e io, Furio non si smuove da lì, sembra diventato lui un pantografo impazzito.

In salotto c'è anche il padre di Furio; è molto più pelato e porta tre maglioni uno sull'altro, dice che è felice di rivedermi ma che ha molto freddo. A parte questa cosa inverosimile del freddo, anche lui se Dio vuole è sempre uguale. Il pavimento del salotto invece è cambiato, non ci si può quasi neanche camminare perché c'è tutto un accatastamento di fogli, cartelline e schedari: la moglie non ce l'ha fatta, ha vinto lui.

Arriva la cioccolata calda nel bricco d'argento e le ciambelle di mele.

Mi viene un groppo tra la gola e gli occhi: allora tutti questi anni, mi dico, non sono mai passati, sono le cinque e i genitori di Furio prendono come sempre la cioccolata con le ciambelle. Che fortuna che qualcosa rimanga uguale!

Stiamo almeno un'ora a chiacchierare. Poi viene sera. M'invitano a cena. Poi viene notte.

Sto per andarmene, quando Furio improvvisamente irrompe. È sudato e stropicciato, urla e ha dei grossi fogli in mano che ci sbandiera sul naso.

Sono disegni.

Non ci capisco molto, ma mi sembra la piantina di una casa, interno ed esterno. Però una casa strana. Una casa o un'astronave, non so.

Gemma spalanca un sorriso tutto su di me:

«Hai visto? È la tua casa!»

*

Secondo Furio ce la facevamo in un mese, invece ce ne abbiamo messi sei. Ma non è colpa nostra, sono gli operai: e aspetta il muratore e aspetta l'idraulico, il tempo passa.

Comunque è stato un gran bel lavoro. Avevamo a disposizione praticamente tutto l'immobile: il vecchio appartamento di zia Elsa, l'ex gastronomia e anche un po' di bar, visto che avevo deciso di restringerlo, così mi usciva un pezzo in più per il Mondo. Mancava solo l'appartamento accanto a quello di zia Elsa, abitato dal signor Scapaldi, un vecchio pensionato che va tutti i giorni a giocare a bocce. È stato facile. Furio gli ha trovato un bilocale proprio sul campo di bocce.

«Così può guardarsi le partite anche dal balcone, se non ha voglia di scendere.»

E il signor Scapaldi voglia di scendere ne aveva sempre meno, lui e i suoi ottantanove anni suonati. Così ha venduto e noi a quel punto abbiamo potuto sfondare l'intera casa, tetto compreso.

Al posto del tetto, ci abbiamo messo una cupola di plexiglas.

Tutto secondo i disegni del Furio ingegnere, naturalmente. Una cupola trasparente divisa a metà come una mela, che si apre e si richiude a comando. Quando vuoi che entri l'aria o la pioggia apri, se no chiudi. Una cosa che ricorda un po' il planetario, soprattutto la notte, quando apri e ti entra in casa il cielo stellato e di colpo all'aria le foglioline di tutti i tuoi alberi si mettono a farfugliare tra loro ondeggiando e facendo il loro tipico rumor di fronde.

Poi abbiamo sfondato gran parte dei pavimenti e putrellato quel che restava. Le pareti le abbiamo impregnate di un materiale traspirante e antimuffa, e in alcuni punti rinforzate con tralicci e giunture in metallo.

Abbiamo costruito pozzi profondi per l'acqua, e fosse capienti per interrare gli alberi. Ci vuole molto spazio per un albero. In genere quando lo interri pensi di fare un buco più o meno grande come il diametro del tronco e finita lì. Un corno. Devi scavare metri e metri, perché si tratta di prevedere il futuro. La crescita. Quando pianti un albero, pianti una cosa che cresce e che non sarà mai più com'era. Ma soprattutto pianti una cosa che cresce dal fondo. Tutto comincia dalle radici. La vera crescita è verso il basso, ma nessuno lo pensa mai. Pensiamo che si cresca verso l'alto. Che idiozia! Le madri ad esempio, tu guarda come sono fiere che i loro pargoli crescano in altezza. Mia madre faceva le tacche sui muri, più o meno sei centimetri ogni anno. E invece... Invece bisognerebbe scavare sotto i piedi dei figli e vedere lì, nella terra, quanto sono cresciuti. Se no poi, da grandi, cadono. Cadono a faccia in giù, come pali mal piantati nel terreno, senza radici.

Il difficile è progettare gli spazi. Ma per fortuna Furio ha questa capacità ingegneristico-architettonica: lui vede uno spazio vuoto e si disegna in testa come riempirlo. Abbiamo fatto insieme decine di schizzi, e bevuto centinaia di mente, a volte acqua e menta, a volte latte e menta; tranne alle cinque del pomeriggio, quando arrivava sua madre con cioccolata e ciambelle, tutti i giorni. Si trattava di prevedere ampie zone a prato alternandole a zone lastricate. Bisognava anche trovare il punto esatto dove ospitare, per ogni stanza, l'esemplare arboreo più importante e impegnativo. Progettare le zone in ombra, che però non siano angoli negletti della casa; e zone assolate per le piante che abbisognano di un calore forte. Disegnare i giardini interni, con tanto di rocce, fonti d'acqua, scarpate. Infine scegliere i materiali più idonei per le varie pavimentazioni. Senza parlare dei sistemi idraulici, aeranti, concimanti; i condizionatori, i nebulizzatori, i deumidificatori; le illuminazioni e le temperature a tempo; senza contare l'aspetto puramente estetico, ad esempio la schermatura di visuali poco gradite nonché, al contrario, l'apertura di varchi su panorami ameni.

Insomma, un notevole lavoro. Ma adesso che abbiamo finito, si può dire che è venuto proprio bene.

«Ho capito che tanto non te ne saresti mai venuto via di qua» mi dice Furio una sera. «Peccato. Ma almeno così ti ho migliorato un po' la tua casa inalberata: era una bella idea, solo che andava un po'... come dire? sostenuta.»

So che lui intende: sostenuta con delle strutture solide. Furio non fa metafore, è uno concreto. È un ingegnere.

Ci beviamo una menta.

«Mi dispiace» mi dice alla fine.

«Ti dispiace cosa?»

«Che non li mettiamo insieme, i tuoi alberi e i miei pelucchi. Sarebbero stati bene. Invece così...»

«Invece così?»

«Siamo due cose distinte, tu il tuo Bosco, io la mia Pelucherie.»

Mi ha portato il pelucco arancione di nome Ruggero.

«Almeno questo, tienilo con te. Mettilo su un albero, non so. E chiamalo un po' come ti pare.»

Quando se ne va, è notte fonda. Guardo Ruggero. Io lo so come chiamarlo, lo chiamerò Nefas, l'unica parola che non mi è mai venuta. Ingiusto, illecito, impossibile...

Intraducibile.

Adesso vengono tutti i vicini di casa a vedere, anzi, direi che vengono un po' da tutto il quartiere. In effetti la cosa è abbastanza visibile, direi piuttosto appariscente: alberi che fuoriescono dalle pareti e dal tetto, mica da ridere. E poi la gente di qui non è tanto pronta alle innovazioni, è gente tradizionale, di periferia insomma. Diciamo che ne rimane decisamente stupita. Hanno anche messo dei cartelli qui intorno per chi vuole visitare il luogo, con la direzione da seguire: Bosco Mondo per di qua, girare a destra, secondo semaforo a sinistra.

Un successo.

Tanto che a me è venuta voglia di riempire di alberi anche le case intorno, tutto l'isolato, tutto il quartiere. Mi piacerebbe anche tutta la città, ma forse esagero.

Furio è abbastanza d'accordo, si tratta solo di usare i soldi e comprare un po' di case intorno. Forse un giorno lo faremo, chissà.

Furio ha deciso di abitare per un po' da me, almeno fino a quando non ha verificato il perfetto funzionamento di tutti gli ingranaggi che mi ha sistemato. Tanto qui c'è posto.

Anzi, ogni tanto si fermano qui da me anche altri. Gente di passaggio, che viene solo a vedere. Buttano un occhio, fanno due chiacchiere, si fermano per bere un bicchiere e poi magari restano un po'. È che si trovano bene qui e finiscono con il mettere, come dire? radici. Magari passavano per caso, come l'altro giorno il verduraio: viene per portare la spesa e non so come si mette a piangere. Dice che a vedere tutte queste piante gli è presa la malinconia. Lui è ligure, ha sempre abitato sulla collina sopra Paraggi e aveva un piccolo negozietto alla periferia di Rapallo, niente di che, frutta e verdura, però era famoso in tutta la zona per il pesto. Lui sa fare un pesto alla genovese che è la fine del mondo. «Sapete» ci dice, a me e a Furio, «abitando in collina mi facevo il mio orticello, prendevo il mio basilico e i miei pinoli e giù pesto, ne facevo certe bacinellate che mi andavano via in una mattina perché venivano da tutte le parti a comprarlo.»

«E allora?» chiediamo.

E allora niente, ha dovuto chiudere per le leggi CEE. Venivano i NAS e gli requisivano il pesto perché non era a norma.

«Quale norma?»

«Perché io il pesto lo facevo nel retro, nella mia cucina. Lo facevo con le mani e loro dicono che non c'era la sicurezza igienica. Così ho chiuso e son venuto via.»

Lo invitiamo a cena, e poi si ferma anche a dormire perché non ce la fa a tornarsene in negozio dalla tristezza.

Così adesso vive un po' qua. Gli abbiamo messo a disposizione la cucina e un angolo di terriccio in sala, dove coltiva il basilico. Adesso è felice: fa il suo pesto tutte le mattine e noi a cena lo mangiamo molto volentieri. Il pesto di Carlantonio. Lui si chiama così, è un vecchino minuto con una banda di capelli grigi intorno alla nuca e tutto il resto niente, pelato come una cipolla; un ometto troppo piccolo per quella bombarda di nome che si ritrova, ma pazienza, ognuno ha il nome che ha.

Stiamo diventando davvero un mondo.

Soprattutto spero che ci venga Gemma a stare qui da noi. Adesso non c'è, è andata a trovare la sua vera madre che abita in Abruzzo. L'ho accompagnata al treno e le ho detto:

«Ti aspetto».

Ci ho pensato molto se dirla o non dirla quella frase. So che, pur essendo molto breve, è una frase piuttosto impegnativa; ma ho pensato che era meglio dirgliela, così lei lo sa che io la aspetto.

È bello aspettare Gemma: perché la conosci già, sai com'è, e quindi si tratta solo di rivederla, perché il suo è solo un ritorno e tu lo sai che ritornerà.

Gemma deve stare via in tutto una quindicina di giorni e io faccio le tacche sul tronco della betulla nana: incido delle piccole barrette verticali, una ogni giorno che passa. Ne ho già incise otto, quindi vuol dire che siamo a più di metà e lei torna tra sette giorni.

Effettivamente ci serve una pettinatrice. Io ci ho messo un po' a capirlo, me l'ha dovuto spiegare per filo e per segno Furio: le piante hanno la chioma, proprio come gli esseri umani. E le chiome, umane o no, vanno curate: bisogna sagomare il taglio, disegnare una forma aggraziata, e poi smussare continuamente gli eccessi, scorciare, pareggiare, dare – come si dice – una spuntatina.

Una chioma ben tenuta è tutto; e ti dà un gran senso di ordine, mentre tutto intorno a te è caos.

Al pioppo abbiamo dato la posizione di massima centralità: è piantato a pianterreno in un buco profondissimo che attraversa tutte le cantine, e arriva fin quasi a toccare la cupola di plexiglas; intorno ha il vuoto, gli abbiamo scavato in giro i pavimenti di due piani, soffitto compreso, in modo che lui adesso percorre la casa nel totale della sua altezza, e a ogni piano abbiamo lasciato, intorno al buco, una piccola balaustra in pietra, così che ci sia agevole guardarlo da vicino e, nel caso avesse qualche male, curarlo in ogni punto della sua spaventosa altezza.

Ma io volevo che gli rimanesse un movimento ondulatorio. Volevo continuare a cullarlo. Così adesso la carrucola lo regge per la cima e, attraverso il meccanismo di corde, lo dondola da destra a sinistra, lievemente, come fosse mosso in eterno da un debole vento di primavera.

Quando porto Gemma a visitarlo, le dico:

« È il nostro Motore Immobile ».

Mi guarda inespressiva, allora le chiedo se a scuola hanno fatto Dante.

« Dante? » mi chiede.

Non approfondisco, tanto non è essenziale chi ha fatto Dante e chi no. Le spiego che il Motore Immobile per Dante sarebbe Dio.

« E per noi invece sarebbe un pioppo? »

Bella domanda. Dio sta fermo eppure muove tutto. Il pioppo per me è un po' così, è stato sempre qua, è il primo albero, che ha mosso tutto il resto, tutto questo incredibile ambaradan della mia vita.

« È il pioppo di Corinne? » mi chiede.

Non so come faccia a saperlo, dev'essere stato Furio. Io di certo non le ho mai parlato di Corinne.

Mi prendono ormai per una specie di maestro, o santo o inventore pazzo. Vengono a trovarmi al bar. Con la scusa di prendersi un caffè, mi chiedono spiegazioni sul Mondo. Dico loro che è solo una casa con un po' di alberi dentro, niente di speciale.

Vengono da me soprattutto uomini d'affari: vogliono farsi una propria foresta in casa, cioè vogliono imparare ad aspettare. All'inizio non capisco cosa dicono, né cosa vogliano da me. Imparare ad aspettare che una pianta cresca, mi spiegano.

« Sì, ma ci vogliono anni » dico.

« Appunto. »

Mi rispondono che è proprio quello che vogliono: saper aspettare anni, non avere fretta. Mi riversano i loro incubi sul tempo, sulla frenesia, la corsa, la smania. Mi dicono che non vogliono vivere così, che le mie piante gli servirebbero da pazzi. Desiderano imparare la lentezza, e nulla è più lento di una pianta che cresce. Dicono anche che non vogliono avere scopi, ma sentimenti. Che non vogliono avere concorrenti, ma amici. Li guardo esterrefatto: cosa posso fare io per loro?

Alcuni vorrebbero addirittura trasformare il loro mega ufficio in foresta, ma temono un po' le reazioni dei superiori; io li guardo e dico loro che non mi sembrano pronti, che se temono ancora i superiori, allora siamo lontani dal piazzare un bosco nella propria vita. Ma non voglio scoraggiarli, dico che il tempo intanto passa e li cambierà. A volte regalo loro un po' di Orazio; mi sono fatto una specie di edizione casalinga dei *Carmina*, pinzando le fotocopie. Tutto tradotto da me, naturalmente. Come copertina gli ho messo una foto di Nefas; in fondo, lo so che è solo un peluche e non c'entra niente con Orazio, ma io quel nome so cosa vuol dire.

Mi dispiace un po' usare così il mio Orazio: sembra che io voglia vantarmi mostrando ai manager la mia bravura di latinista. Ma non è così. È che non so cos'altro dar loro. Adesso sto pensando di tradurre anche altre opere, Seneca ad esempio potrebbe andare benissimo con tutto il discorso sulla brevità della vita, gli occupati e i non occupati. Ma nello stesso tempo ho una qualche perplessità: non vorrei diventare un guru, visto che io poi, tutto sommato, non ho nulla da predicare agli altri.

Comunque, a tutte queste persone che si rivolgono a me, potrei regalare in aggiunta anche una piantina di quercia, a parte Orazio. Una piantina piccola, un ramettino insignificante come quello che mi aveva regalato Furio. E potrei dir loro una cosa come: ci vediamo tra sette otto anni e voi mi riportate la quercia cresciuta. Così vedrei se hanno trovato la pazienza di aspettare o no. Se tornano sono guariti, se no pace. Altro io non so fare, così, come aiuto. Certo mi perdo un bel po' di clienti, che per sette otto anni non possono farsi vivi neanche per un misero caffè. Ma l'ho detto che non ho il senso commerciale, io.

Adesso per strada succede anche che mi fermino gridando: «L'inventore, l'inventore!»

Soprattutto i bambini. Credo di essere, per loro, una specie di Archimede, ma è che leggono troppo *Topolino*.

Invece i vecchi scuotono il capo e bofonchiano: ma cosa avrebbe inventato questo ragazzo? Una foresta? Bella forza! A volte si trovano in crocchio sull'angolo, io li vedo che hanno l'aria maligna e quando passo cambiano discorso. Oppure nei bar, mi capita anche di sentire certi loro discorsi: e che ci vuole? quattro tronchi e via, sfondi un tetto, spacchi un vetro... son capaci tutti così!

Hanno ragione loro. Io non ho inventato niente: gli alberi, una foresta, un bosco? Tutte cose che esistono da sempre, ci mancherebbe. Io le ho solo spostate di luogo, ecco, le ho messe in casa. Ma niente di che. Sì, qualcosa ho costruito. Ma me ne viene anche una gran pena e trepidazione, ne parlavo l'altra sera con Furio e Carlantonio: ho costruito una cosa che non è perfetta.

«Perché?»

«Perché perfetto viene dal latino e vuol dire finito, compiuto. E gli alberi non saranno mai perfetti.»

«Perché?»

«Perché non sono mai compiuti.»

«Perché?»

«Perché crescono continuamente. Ogni anno aggiungono e tolgono qualcosa, e cambiano forma. Io quindi ho costruito una cosa che continua a crescere.»

«E allora?»

E allora non so come sarà dopo di me, me lo chiedo continuamente ma non posso saperlo come e quanto cresceranno i miei alberi.

Ma tu...

C'è un momento dell'anno miracoloso in cui le piante mettono le foglie. Veramente si coprono solo di una tenera peluria verde chiaro, e ti viene da dire che mettono le piume.

È bello aspettare quel momento. Arriva sempre, non ti delude mai, e tu esulti: oh guarda, sono tornate le foglie! In realtà non è così, è un patto scellerato tra noi e la natura: le foglie non sono le stesse, ma noi facciamo finta che lo siano e usiamo il verbo tornare. Ipocriti. Non è vero, le foglie non tornano mai.

Comunque quest'anno ho aspettato tanto la primavera. Per via della pioggia che non si fa vedere da mesi e che mi servirebbe da pazzi per le radici.

E adesso che è primavera e infatti piove, io invece sono qui con te in mezzo al mare. E così mi perdo il godimento di vedere intridersi i pavimenti e di sentire l'odore d'umido e di marcio entrare nella mia casa. Peccato. Veder piovere sul mare è tutt'altra cosa, quasi un malessere: ti chiedi cosa se ne fa il mare di tutta quest'acqua, dove se la mette.

È che volevo parlarti.

Veramente è da un po' che volevo parlarti, diciamo... anni.

Ma sai, non ce l'ho mai fatta, e adesso però non ne posso più di aspettare. Uno può tenersi un po', ma fino a un certo punto, ti pare? Così ho deciso di venire a parlarti una buona volta e che sia finita lì e basta. Tanto, come sai, ho ancora qualche affaruccio da sbrigare, qui sulla nostra isola, quindi tanto vale.

All'inizio era dura, tu telefonavi e io ero appena arrivato, tutto nuovo, la città, il liceo: pensavo sempre di non aver ancora capito, di non avere le idee chiare per dirti davvero come andavano le cose. Poi invece, col tempo, ti avrei parlato sì... Adesso per esempio ho una gran voglia di starmene qui con te a raccontarti un po' di cose.

Per esempio di Furio. Scusa, forse non te ne ho mai parlato perché allora, quando ho iniziato il liceo, Furio non mi piaceva niente e io lo evitavo come la peste: era come me, quindi figurati, mi veniva da scappare il più lontano possibile. Mi ha chiesto di andare a lavorare con lui. Ha un'industria, una vera industria di cui lui è il proprietario. Avrei una buona carriera assicurata. Ma gli ho detto di no. Tu cosa ne pensi?

Sai, lui è un tipo strano, si occupa solo di trovare gli occhi ai peluche. A volte se ne parte tutto solo da Parigi e se ne va a camminare mezzo gobbo all'alba lungo le spiagge della Normandia, per cercare di trovare qualche ciottolo, qualche scheggia sberluccicante che gli serva da occhi per i peluche, e dice: vediamo un po' cosa ci ha portato stanotte il mare. Lo capiresti che lui è l'unico amico che ho trovato, l'unico? Non lo so. E non so se ti piacerebbe che tuo figlio entrasse in un'industria di peluche. Tanto te ne parlo solo così, in realtà ho già deciso che non ci vado da lui. Preferisco stare a casa mia. Anche perché ho il bar.

Mi sono laureato in Legge e ho aperto un bar, buffo, no? Ma io tanto non lo volevo fare l'avvocato. Cos'altro potevo fare quando è morta la mamma?

Avrei voluto venir giù da te, rimanere sull'isola per sempre...

Ero solo, papà. Hai presente quando ti guardi intorno e non vedi nessuno? Né davanti né dietro di te, più niente. E allora ho aperto il bar.

Ho deciso di chiedere alla sorella di Furio se vuole sposarmi, questo sì. Anche perché si chiama Gemma e un nome così magari mi porta bene. Sai, per via delle piante... Rami, foglie, gemme... Spero che mi porti molto bene, questa Gemma. Tu cosa ne dici?

Ti racconterei anche volentieri di quando ho rivisto Masonti. Ti ricordi Masonti? Ah no... non te ne ho mai parlato. Era quello grosso e rapato che mi carpiva sempre le versioni di latino. Tapporosso aveva un guasto e così vado dal concessionario dove l'ha comprata il suo proprietario, cioè il figlio del panettiere, ricordi? Che poi ha finito con il regalarmela la macchina, perché perdeva pezzi da tutti i pori e gli costava più tenersela che darla via. Bene, lì ci trovo Masonti, in completo grigioferro, camicia oxford azzurra e cravatta regimental. Con un nodo largo mezzo metro quadro che lo impicca alla gola, ma non importa. Lavora lì, fa il venditore di auto. È bravo, mi sembra; ci sa fare con i clienti: non avendomi riconosciuto, mi viene incontro gentil-professionale, mi dà la mano, mi chiede se può presentarmi l'ultimo modello Peugeot e in quale versione preferirei vederlo e se per caso lo voglio anche provare, non c'è problema, lui è lì per questo. Lo guardo, gli dico:

«Masonti!»

Ci resta di sale. Ma recupera quasi subito, mi fa le feste, non ci può credere. Mi abbraccia e mi conduce quasi di peso nel suo ufficio, cioè dietro una mezza parete di cartongesso dove c'è una scrivania e un manifesto, della Peugeot. Mi racconta la sua vita, e io mi soffermo sul suo polso destro: porta un pesante braccialetto d'oro, a maglie marinare mi sembra; gli tintinna sul tavolo a ogni movimento che fa, e ne fa parecchi di movimenti perché non riesce a dire una parola senza dimenare le braccia. Peccato, mi spiace: è diventato uno col braccialetto. Non ha più gli anelli nelle orecchie, ha il braccialetto al polso: cosa è peggio? Dimmelo tu, papà, io non lo so. Però mi sembra contento, mi dice che si è fatto molti soldi, ha una Tigra nera con cui va a prendere la sua ragazza tutti i sabato sera, e si è anche comprato un «siloz».

«Un cosa?» gli chiedo.

Voleva dire uno di quei garage sotterranei, un silo, ma ci ha aggiunto la zeta. D'altronde prima, quando voleva mostrarmi l'auto da vendere, mi aveva detto che mi dava un dépliant, pronunciando: déplianz. Quindi con l'esse finale deduco, perché da t più s viene il suono z, ti pare?

Poi parliamo un po' degli altri, di che fine hanno fatto. Io non ne so niente, ma lui sì. Ad esempio mi dice che Castagno Marco ora dirige l'Oasi Perduta, e che ha messo il padre in una casa di riposo in riviera, dice che così si riposa, appunto, e respira lo iodio. Invece Cartonzi è diventato... Lo blocco all'istante, Cartonzi lo so fin troppo bene cosa è diventato.

Gli chiedo invece se sa qualcosa del Seba. Sì, dice che il Seba non si è laureato. Non ne aveva voglia, s'è stufato subito e adesso lo mantengono i suoi, mentre lui vola. Cioè ha ereditato una bella cifra dai nonni e s'è comprato un velivolo da diporto, un piccolo aereo biposto, e con quello se ne va solcando i cieli quando gli pare. L'avresti mai detto?

C'è un mare così olio oggi, la nostra Camilla non si sposta di un palmo. Siamo qui fermi da quattro ore in mezzo al mare. Anche tu, se te lo chiedessi, non sapresti dire che vento c'è. Perché è molto semplice, papà: non c'è vento. Vedi? Non c'è nessunissimo fottutissimo vento, papà. E sarebbe proprio inutile che tu ti leccassi come sempre il dito e, bello intriso di saliva, lo esponessi al vento per vedere da quale direzione spira.

Non spira. Punto e basta.

Non è colpa mia. Niente mi pare sia colpa mia. Ma neanche merito mio.

Non so mai bene se devo sentirmi meritevole o colpevole.

Si potrebbe dire che m'è andata bene; che mi sono messo d'impegno e alla fine ho costruito qualcosa di buono. Mi piacerebbe che tu vedessi la mia casa. Cioè non è più una casa... Ma si potrebbe anche dire di no, che non ho costruito niente. Ho solo lasciato che qualcosa venisse su. Che crescesse, ecco, nel senso letterale del verbo crescere.

Ci ho messo tanta acqua, questo sì. E anche tanta terra, e concime, e fil di ferro. Tu non hai idea del fil di ferro che ci vuole per far crescere gli alberi diritti.

Io adesso non ti so dire se sono stato bravo. Sono venuto qui a parlartene, proprio perché non lo so. Ad esempio non lo so se puoi essere fiero di me. Certo, quello che ho fatto non era quello che volevo fare. Io volevo fare il latinista. Ma non l'ho fatto.

Come spiegarti? Non so, la gente ha altro da fare, che se ne fa di uno che nella vita vuole solo studiare i suoi quattro poeti latini? Dove lo mette? Vedi, papà, non s'è trovato un posto giusto... E quando non trovi un posto alle cose, vuol dire che quelle cose sono... ingombranti. Il mio latino era una cosa ingombrante.

Quindi l'ho messo da parte, adesso è qui in un angolo, poi si vedrà.

È un fallimento? Non lo so. La vita ti porta sul vassoio il pasticcino che vuole lei. A me mi ha portato Corinne, il pioppo, il bar... E adesso c'è questo Bosco Mondo che è proprio una grande cosa e si potrebbe anche replicare, costruire altri Bosco Mondi, e poi addirittura esportarli in tutto il mondo. Volendo, potrei andare in America...

No, papà, non ho colpa. Ma neanche merito. Niente.

Non l'ho deciso di coltivare piante in casa. Non ho mai deciso niente, io. Non ho mai voluto niente. Nemmeno Corinne, nemmeno il posto allo studio legale, nemmeno fare il latinista... Perché vedi, papà, siamo onesti: se l'avessi davvero voluto lo sarei diventato, no? Allora forse è proprio colpa mia: dovevo avere più volontà. Volerle di più, le cose che volevo.

Qui intanto, come vedi, non un pesce a coprirlo d'oro. La solita lenza inutile che penzola passivamente rassegnata.

Bisognerebbe parlarne prima o poi della rassegnazione passiva delle lenze inutili.

Un bell'argomento. Potrei farne un articolo, per esempio. C'è un che di cristiano in tutto ciò, non credi? Sono i cristiani, no?, che sopportano tutto quel che gli viene perché tanto, primo questa non è la vera vita, e secondo tutto quel che ci viene ce lo manda Dio e quindi va benissimo. Ma siamo cristiani noi? E i pesci? No, scusa: e le lenze?

E se noi lo siamo, cristiani, allora non è colpa mia. Allora non dovevo avercela, più volontà, perché cosa le vuoi a fare le cose, che tanto, se non te le manda Dio, come fanno a venirti?

Secondo me è stata la gru di Gesù Bambino. Cioè quel Natale quando Gesù Bambino mi ha portato la gru sbagliata. Ti ricordi? La mamma è sbiancata e ha detto:

«Cosa importa? Una gru è una gru».

Non è vero niente. Ogni gru è una gru a sé. Ci sono decine di modelli diversi. Ma non è questo il punto; è che se tu chiedi a Gesù Bambino una gru, tu hai in mente una gru precisa e lui ti deve portare esattamente quella. Esattamente, perché lui la vede nella tua testa la gru che tu hai in testa, la legge nei tuoi pensieri, perché se no, che razza di Gesù Bambino è, se non legge nei tuoi pensieri? E allora, anche se tu nella lettera non gli hai fatto dieci righe di descrizione precisa, lui lo deve sapere lo stesso quale gru portarti.

Io avevo pensato la seguente gru: alta e magra, di metallo argentato col suo bel braccio orizzontale e il cestellino che pende.

Lui invece mi ha portato una gru-cabina, cioè una cabina bassa e tozza di plastica blu, da cui parte un braccio che va verso l'alto ma in obliquo, e per giunta giallo. E senza cestellino.

Cogli la tragedia?

Lì ho capito che nessuno ha la gru che vorrebbe. Cioè, scusa, la vita che vorrebbe. Anche se si danna l'anima e fa il diavolo a quattro. E sai perché? Perché non c'è nessuno che sia capace di leggerci dentro la testa. Oppure è capace, ma se ne sbatte di quel che ha letto. Oppure è distratto e si dimentica. Non importa perché, il fatto è che tu vuoi una gru e lui te ne manda un'altra. Allora a quel punto meglio coltivare piante, no?

Perché così poi crescono e noi ci dobbiamo occupare di loro e quindi ci dimentichiamo del resto. Cioè della gru. Di come la volevamo, la gru.

Torniamo, che è meglio.

Prendiamoci un aperitivo al porto. È stato bello parlare con te. Forse potevo farlo prima. E l'avrei anche fatto, ma tu...

Ma tu invece sei morto, papà.

Tu mi hai fatto questa cosa orribile di morire. Non si fa così, papà.

Non si muore in questo modo, da un giorno all'altro senza dire niente, ti contorci un'ora nel tuo letto, nessuno ne sa niente, al mattino entra la vicina a vedere se hai una camicia da stirare e ti trova lì cadavere, e a me dicono: ischemia. A me, che sono a mille chilometri di distanza a fare il cretino a scuola, proprio un giorno come tutti gli altri. Così mi hanno detto: ischemia, e io mi sono trovato così, con questa parola che non ho mai sentito, che non so cos'è... È una parola, papà, solo una parola... Possibile che una parola mi ti porti via, e al posto mi lasci tutte queste parole dentro, tutto questo male, tutto questo freddo?

Sei morto subito, neanche il tempo di abituarmi al liceo. Facevo solo la terza, papà, era solo primavera, e quella stupida di Corinne se n'era appena tornata al suo paese, il giorno dopo o due giorni dopo, io mi stavo appena riprendendo quando zac, arriva la telefonata: ischemia. Eh no, non si fa così, stava per finire la scuola e poi veniva l'estate, la pagella, le vacanze, i giri dell'isola con i turisti, la Grotta del Bisonte...

Per fortuna avevo un'amica con cui parlare di te, della tua morte. Si chiamava Annamaria Lo Gatto, era la psicologa della scuola. Tu adesso mi chiederesti: e che razza di mestiere è? Il mestiere di ascoltare, papà. Ti pare poco? Lo è, è davvero molto poco. All'inizio a me faceva anche ridere, dicevo: ma guarda questa qui, che aspetta che io le parli! E invece non è poco, è molto. Io ad esempio non so cosa avrei dato perché ci fossi tu ad ascoltarmi e basta. Ma non c'eri mai. C'era la Lo Gatto, e meno male. Da quando le avevo dato la notizia, piangeva di continuo, non riusciva a trattenersi: quando mi vedeva, anche da lontano nei corridoi della scuola, le montavano le lacrime e, anche se voleva che non si vedesse, io le vedevo il fazzoletto a pugno, che se lo tamponava sugli occhi. Piangeva. Non sai quanto mi faceva bene, allora, che qualcuno piangesse per me.

Quando ha saputo che eri morto, ha saputo anche chi eri. Le avevo detto un sacco di bugie su di te, mi vergognavo di dire la verità. Ora invece lo sapeva che io avevo un padre pescatore che era rimasto laggiù su un'isola a tirar su retate di pesci per farmi studiare. Un padre che era morto e non sapeva niente, e non avrebbe mai saputo niente di che fine aveva fatto il figlio che lui aveva fatto studiare. Per questo adesso sono venuto a parlarti, papà: sono venuto a dirtelo, che io...

Io il bisonte non sono mai riuscito a vederlo nella Grotta del Bisonte. E tu mi sgridavi, mi dicevi: Ma come, non lo vedi? È lì, lì stampato nella roccia, non lo vedi il muso del bisonte, il profilo, l'occhio, la narice... La gente che portavi in barca lo vedeva, ma io no. Io ti facevo di sì col capo, ma non vedevo niente invece. Niente, papà.

Sono venuto a dirtelo, perché è giusto che tu lo sappia: ti ho ingannato, non l'ho mai vista la testa del bisonte.

Però pensavo: che bravo padre ho io, chissà se un giorno divento come lui e il bisonte lo riuscirò a vedere...

Questo è più o meno quel che avevo da dirti. E se non ti spiace me ne resto ancora un po' qui, al bar.

Sto aspettando Antonio Barrese, gli ho dato appuntamento per l'aperitivo al tramonto. Te lo ricordi Antonio Barrese? È interessato alla Camilla, quasi quasi la vendo a lui, così concludiamo e via. Sono venuto per questo, no? Mamma la voleva vendere subito, insieme alla casa e al pezzo di terra dove c'era l'eucalipto, subito quando sei morto. Ma io le ho lasciato vendere solo la casa e il terreno, la Camilla no. Cosa te ne fai? mi diceva, cosa te ne fai di una barca in mare, che te ne stai quassù in una città del Nord? Aveva ragione. Ma io non riuscivo a venderla la Camilla. E anche adesso ci riesco poco. Cosa me ne faccio? Non lo so. Tanto più che non credo proprio che lascerò Torino: ci sono i miei alberi.

Sono molto legato ai miei alberi, papà. Ho imparato tante cose da loro, diciamo che mi hanno fatto un po' da maestri.

Alberi maestri... Bello, no?

È che di un albero ti puoi fidare; tu vai, torni, e lui è sempre lì: è rimasto! Rimanere è una virtù che pochi hanno. Certo, per esempio anche le case rimangono. Ma ci stupiscono meno, e sai perché? Perché le case non muoiono, gli alberi invece sì. E quindi, vedere che sono rimasti ci riempie di meraviglia e anche di gratitudine verso la vita. O meglio, verso la morte che non se li è presi.

Io vorrei non andare mai via. Vorrei rimanere.

Stare seduto a un bar è uno dei piaceri più grandi che ho nella vita, stare lì a guardare la gente che passa. Chissà se lo sa, la gente, di passare. Mi sembra di essere tornato piccolo quando mi chiedevo se un gatto lo sapeva di essere un gatto. Forse no. Forse la gente passa e basta. A volte penso che se non ci fossi io a guardarla, sarebbe tutto inutile il suo passare, o forse addirittura non sarebbe. Per questo lo faccio spesso, di fermarmi in un bar a guardare la gente che passa, e mi sento così bene. È come se fosse in un certo senso il mio vero compito, l'unico che ho nella vita.

Sta arrivando, il nostro Antonio Barrese. Lo vedi? S'è fatto vecchio, cammina zoppicando da una parte, cosa gli è capitato? Dicono che lavori troppo, e che adesso voglia costruire un pontile nuovo e metterci tanti gommoni veloci per i turisti.

Sai cosa ti dico?

Io quasi quasi non gliela vendo la Camilla. Io non la vendo e basta. Non me ne faccio niente di una barca, è vero. Ma era la tua barca, la nostra. E se ne sta lì, con il suo bel legno dipinto bianco e blu, e ha sempre quel magnifico difetto al motore che tu dicevi «adesso lo riparo» e invece non l'hai mai riparato. Anche prima, hai visto?, sputava gasolio dal tubo che sembrava una vecchia locomotiva a vapore.

Me la tengo, papà. Non la venderò mai. In fondo, lo dice anche Orazio. Dice che quando erediti una saliera da tuo padre, è già proprio tanto, e ti dovrebbe bastare per essere un uomo felice.

O fortunato?

Felix.

Chissà.

Forse era meglio se facevo il pescatore come te. Non so se ne saresti stato felice, ma forse era proprio meglio. Tu volevi chissà cosa per me. E invece era giusto così, tutti i miei compagni hanno fatto il mestiere del padre. È giusto così: chi ha il padre ingegnere fa l'ingegnere, chi ha il padre avvocato fa l'avvocato. Anche perché così il padre può sempre darti quel piccolo aiutino, tipo darti due dritte per la tesi, presentarti a un collega. Cose del genere.

Ma tu non volevi che io facessi il pescatore. Certe volte da bambino, mi hai anche nascosto le lenze. Mi dicevi: non le trovi perché sei sbadato, ma io lo sapevo che me le avevi nascoste tu. Chissà cosa mai fantasticavi per me, quali castelli.

Tanto tu non eri un padre che poi mi avrebbe aiutato. Me lo dicevi: adesso che vai a scuola sei grande, devi fare da te, io anche se potessi non ti aiuterei mai. Avevo sei anni quando mi dicevi così, sei anni!

Ma tu parlavi troppo con il mare, non sapevi niente del mondo.

INDICE

Fotocomposizione:
Nuovo Gruppo Grafico s.r.l. - Milano

Finito di stampare
nel mese di aprile 2004
per conto della Guanda S.p.A.
dal Nuovo Istituto d'Arti Grafiche - Bergamo
Printed in Italy